THE SIGMA FORCE SERIES ⓪

ウバールの悪魔

［上］

ジェームズ・ロリンズ

桑田 健［訳］

Sandstorm
James Rollins

JN286799

シグマフォース シリーズ ⓪
竹書房文庫

THE SIGMA FORCE SERIES
SANDSTORM
by James Rollins

Japanese translation rights arrangement with
BAROR INTERNATIONAL
through Owl's Agency Inc., Tokyo Japan

日本語版翻訳権独占
竹書房

目次

上巻

第一部　雷雨

第二部　砂と海

第三部　二つの霊廟

主な登場人物

ペインター・クロウ……………米国国防総省の秘密特殊部隊シグマの隊員
ショーン・マクナイト……………シグマの司令官
アンソニー（トニー）・レクター……………ＤＡＲＰＡの長官
カサンドラ・サンチェス……………シグマの隊員
コーラル・ノヴァク……………シグマの隊員
サフィア・アル＝マーズ……………オマーン出身の英国の考古学者
キャラ・ケンジントン……………英国の実業家。サフィアの幼馴染み
オマハ・ダン……………米国の考古学者
ダニー・ダン……………米国の考古学者。オマハの弟
クレイ・ビショップ……………米国の大学院生
ライアン・フレミング……………大英博物館の警備主任
アル＝ハフィ大尉……………オマーン陸軍の大尉。「砂漠のファントム」のリーダー
バラク……………アル＝ハフィ大尉の部下
シャリフ……………アル＝ハフィ大尉の部下
ジョン・ケイン……………ギルドの工作員

ウバールの悪魔　上

シグマフォース シリーズ⓪

キャサリン、エイドリアン、RJ

次の世代の君たちへ

作戦関連地図ファイル

国防総省コード

アルファ 42—PCR

シグマフォース

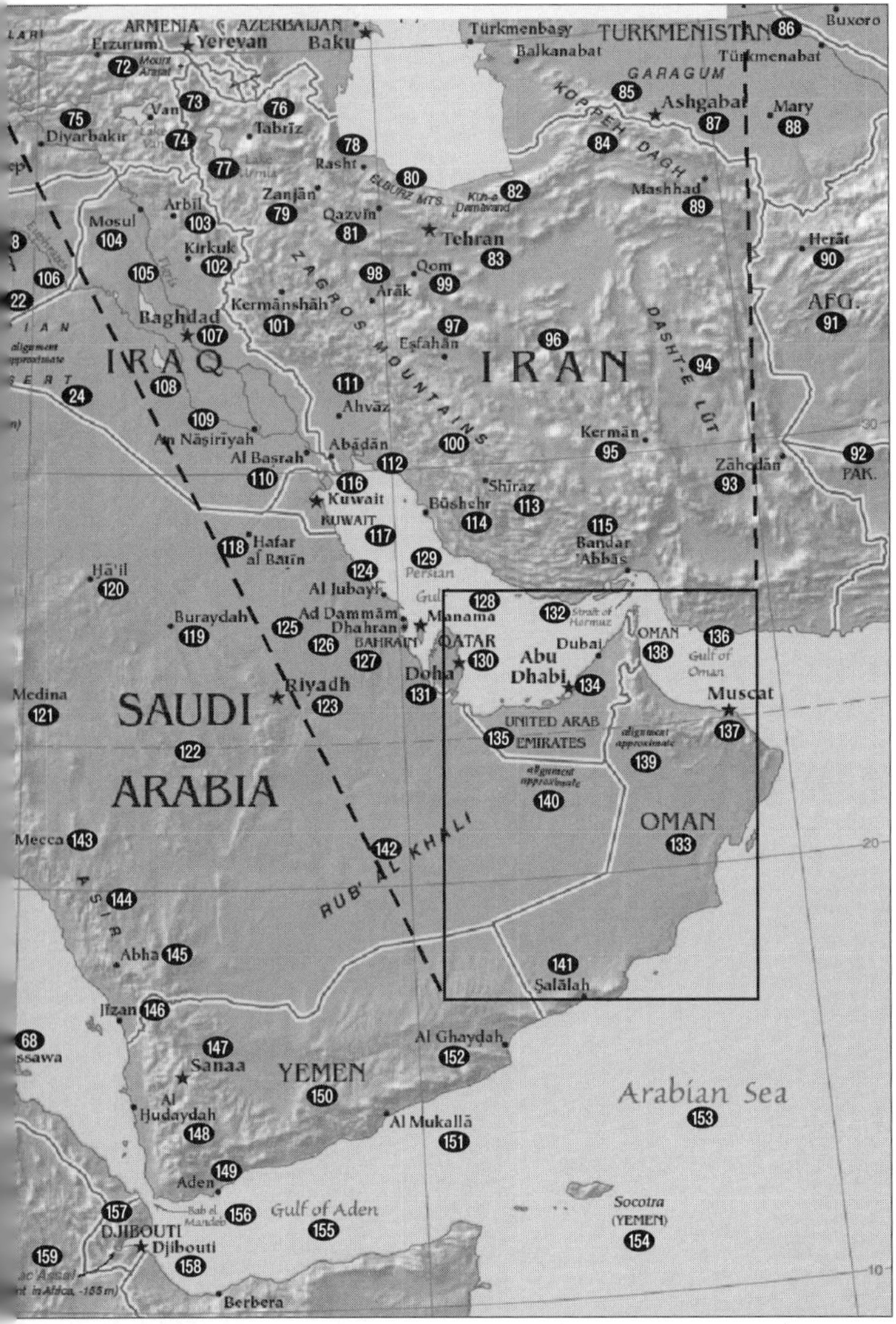

ARMENIA
AZERBAIJAN
Erzurum
Yerevan
Baku
Türkmenbaşy
TURKMENISTAN
Buxoro
Balkanabat
Türkmenabat
GARAGUM
KOPPEH DAGH
Ashgabat
Mary
Mashhad
Van
Tabrīz
Diyarbakır
Rasht
ELBURZ MTS.
Kuh-e Damavand
Zanjān
Qazvīn
Tehran
Arbīl
Mosul
Kirkuk
ZAGROS MOUNTAINS
Qom
Arāk
Herāt
Kermānshāh
Baghdad
Eşfahān
IRAN
DASHT-E LŪT
AFG.
IRAQ
Ahvāz
An Nāşiriyah
Abādān
Al Başrah
Kermān
Zāhedān
PAK.
Kuwait
KUWAIT
Shīrāz
Būshehr
Bandar 'Abbās
Hafar al Bāţin
Persian Gulf
Ḩā'il
Al Jubayl
Strait of Hormuz
Buraydah
Ad Dammām
Dhahran
Manama
BAHRAIN
QATAR
Dubai
OMAN
Gulf of Oman
Abu Dhabi
Doha
Riyadh
Medina
SAUDI ARABIA
Muscat
UNITED ARAB EMIRATES
alignment approximate
RUB' AL KHALI
Mecca
OMAN
ASIR
Abha
Şalālah
Jīzān
Al Ghaydah
Sanaa
YEMEN
Arabian Sea
Al Hudaydah
Al Mukallā
Aden
Bab el Mandeb
Gulf of Aden
Socotra (YEMEN)
DJIBOUTI
Djibouti
Berbera
72 73 74 75 76 77 78 79 80 81 82 83 84 85 86 87 88 89 90 91 92 93 94 95 96 97 98 99 100 101 102 103 104 105 106 107 108 109 110 111 112 113 114 115 116 117 118 119 120 121 122 123 124 125 126 127 128 129 130 131 132 133 134 135 136 137 138 139 140 141 142 143 144 145 146 147 148 149 150 151 152 153 154 155 156 157 158 159

アラビア半島
ARABIAN PENINSULA

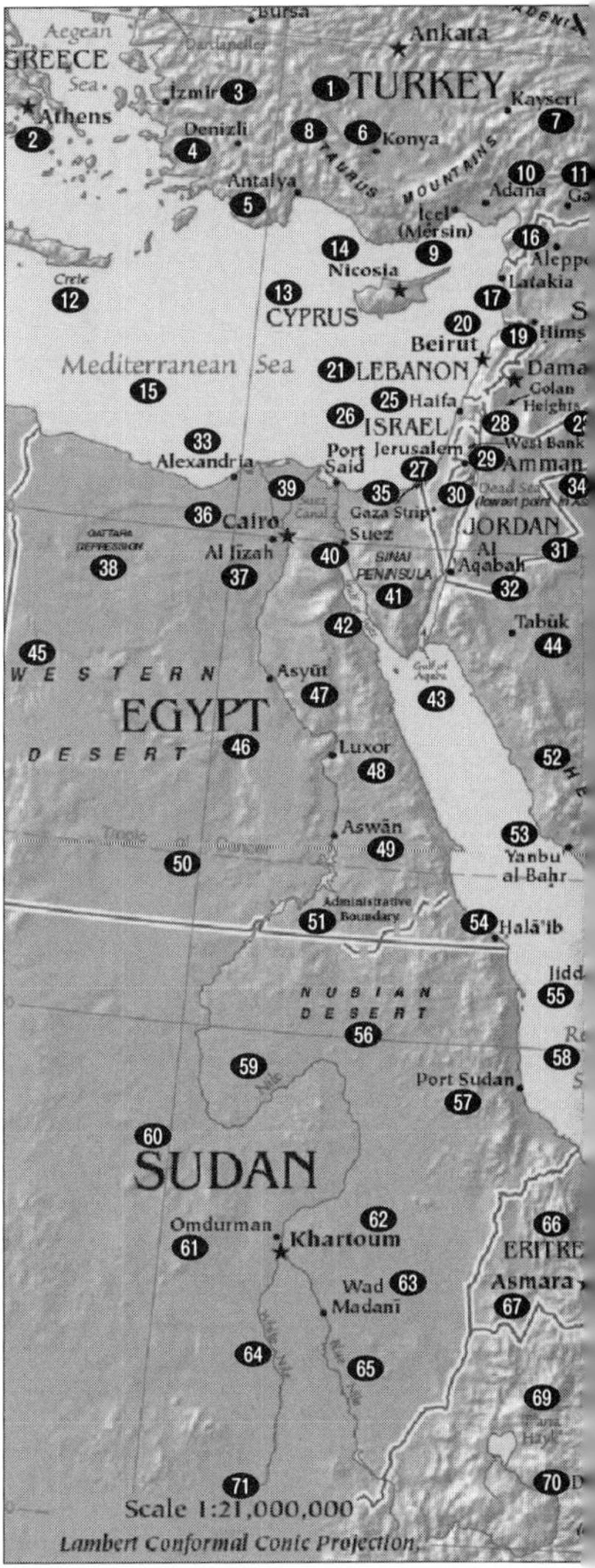

1 TURKEY トルコ
2 Athens アテネ
3 Izmir イズミル
4 Denizli デニズリ
5 Antalya アンタルヤ
6 Konya コンヤ
7 Kayseri カイセリ
8 TAURUS MOUNTAINS トロス山脈
9 Icel(Mersin)イチェル(メルスィン)
10 Adana アダナ
11 Gaziantep ガジアンテプ
12 Crete クレタ島
13 CYPRUS キプロス
14 Nicosia ニコシア
15 Mediterranean Sea 地中海
16 Aleppo アレッポ
17 Latakia ラタキア
18 SYRIA シリア
19 Hims ヒムス
20 Beirut ベイルート
21 LEBANNON レバノン
22 DAMASCUS ダマスカス
23 Golan Heights ゴラン高原
24 SYRIAN DESERT シリア砂漠
25 Haifa ハイファ
26 ISRAEL イスラエル
27 Jerusalem エルサレム
28 West Bank 西岸地区
29 Amman アンマン
30 DeadSea(lowest point in Asia -408m)
死海(アジアで最も低い海抜マイナス408メートル)
31 JORDAN ヨルダン
32 Al Aqabah アカバ
33 Alexandria アレクサンドリア
34 Port Said ポートサイド

82 Kuh-e Damavand ダマーヴァンド山
83 Teheran テヘラン
84 KOPPEH DAGH コペトダグ山脈
85 GARAGUM カラクム砂漠
86 Turkmenabat テュルクメナバート
87 Ashgabat アシガバート
88 Mary マル
89 Mashhad マシュハド
90 Herat ヘラート
91 AFG. アフガニスタン
92 PAK. パキスタン
93 Zahedan ザーヘダーン
94 DASHT-E LUT ルート砂漠
95 Kerman ケルマーン
96 IRAN イラン
97 Esfahan イスファハン
98 Arak アラーク
99 Qom ゴム
100 ZAGROS MOUNTAINS ザグロス山脈
101 Kermanshah ケルマーンシャー
102 Kirkuk キルクーク
103 Arbil アルビール
104 Mosul モースル
105 Tigris チグリス川
106 Euphrates ユーフラテス川
107 Baghdad バグダッド
108 IRAQ イラク
109 An Nasiriyah ナーシリーヤ
110 Al Basrah バスラ
111 Ahvas アフヴァーズ
112 Abadan アバダン
113 Shiraz シーラーズ
114 Bushchr ブーシェフル
115 Bandar Abbas バンダレ・アッバース
116 Kuwait クウェート
117 KUWAIT クウェート
118 Hafar al Batin ハファル・アル・バティン
119 Buraydah ブライダ
120 Hail ハイル
121 Medina メディナ
122 SAUDI ARABIA サウジアラビア
123 Riyadh リヤド
124 Al Jubayl アルジュベール
125 Ad Dammam ダンマーム
126 Dhahran ダーラン
127 BAHRAIN バーレーン
128 Manama マナマ

35 Gaza Strip ガザ地区
36 Cairo カイロ
37 Al Jizah ギーザ
38 Qattara Depression カッターラ低地
39 Suez Canal スエズ運河
40 Suez スエズ
41 SINAI PENNINSULA シナイ半島
42 Gulf of Suez スエズ湾
43 Gulf of Aqaba アカバ湾
44 Tabuk タブーク
45 WESTERN DESERT リビア砂漠
46 EGYPT エジプト
47 Asyut アスユート
48 Luxor ルクソール
49 Aswan アスワン
50 TROPIC of CANCER 北回帰線
51 Administrative Boundary 行政的な国境
52 HEJAZ ヒジャーズ
53 Yanbu al Bahr ヤンブー・アル・バハル
54 Halaib ハラーイブ
55 Jiddah ジッダ
56 NUBIAN DESERT ヌビア砂漠
57 Port Sudan ポートスーダン
58 Red Sea 紅海
59 Nile ナイル川
60 SUDAN スーダン
61 Omdurman オムドゥルマン
62 Khartoum ハルツーム
63 Wad Madani ワドメダニ
64 White Nile 白ナイル川
65 Blue Nile 青ナイル川
66 ERITRIA エリトリア
67 Asmara アスマラ
68 Massawa マッサワ
69 Tana Hayk ターナ湖
70 Dese デセ
71 " Scale 1:21 000 000 縮尺2100万分の1 "
72 Mount Ararat アララト山
73 Van ヴァン
74 Lake Van ヴァン湖
75 Diyarbakir ディヤルバクル
76 Tabriz タブリーズ
77 Lake Urmia ウルミエ湖
78 Rasht ラシュト
79 Zanjan ザンジャーン
80 ELBURZ MTS アルボルズ山脈
81 Qazvin ガズヴィーン

144 ASIR アシール
145 Abha アブハー
146 Jizan ジザン
147 Sanaa サナア
148 Al Hudaydah フダイダ
149 Aden アデン
150 YEMEN イエメン
151 Al Mukalla ムカッラー
152 Al Ghaydah ガイダー
153 Arabian Sea アラビア海
154 Socotra (YEMEN) ソコトラ島(イエメン領)
155 Gulf of Aden アデン湾
156 Bab el Mandeb バブ・エル・マンデブ海峡
157 DHIBOUTI ジブチ
158 Dhibouti ジブチ
159 Lac Assal アッサル湖

129 Persian Gulf ペルシア湾
130 QATAR カタール
131 Doha ドーハ
132 Strait of Hormuz ホルムズ海峡
133 OMAN オマーン
134 Abu Dhabi アブダビ
135 UNITED ARAB EMIRATES アラブ首長国連邦
136 Gulf of Oman オマーン湾
137 Muscat マスカット
138 OMAN オマーン
139 alignment approximate 国境未確定
140 alignment approximate 国境未確定
141 Salalah サラーラ
142 RUB AL KHALI ルブアルハリ砂漠
143 Mecca メッカ

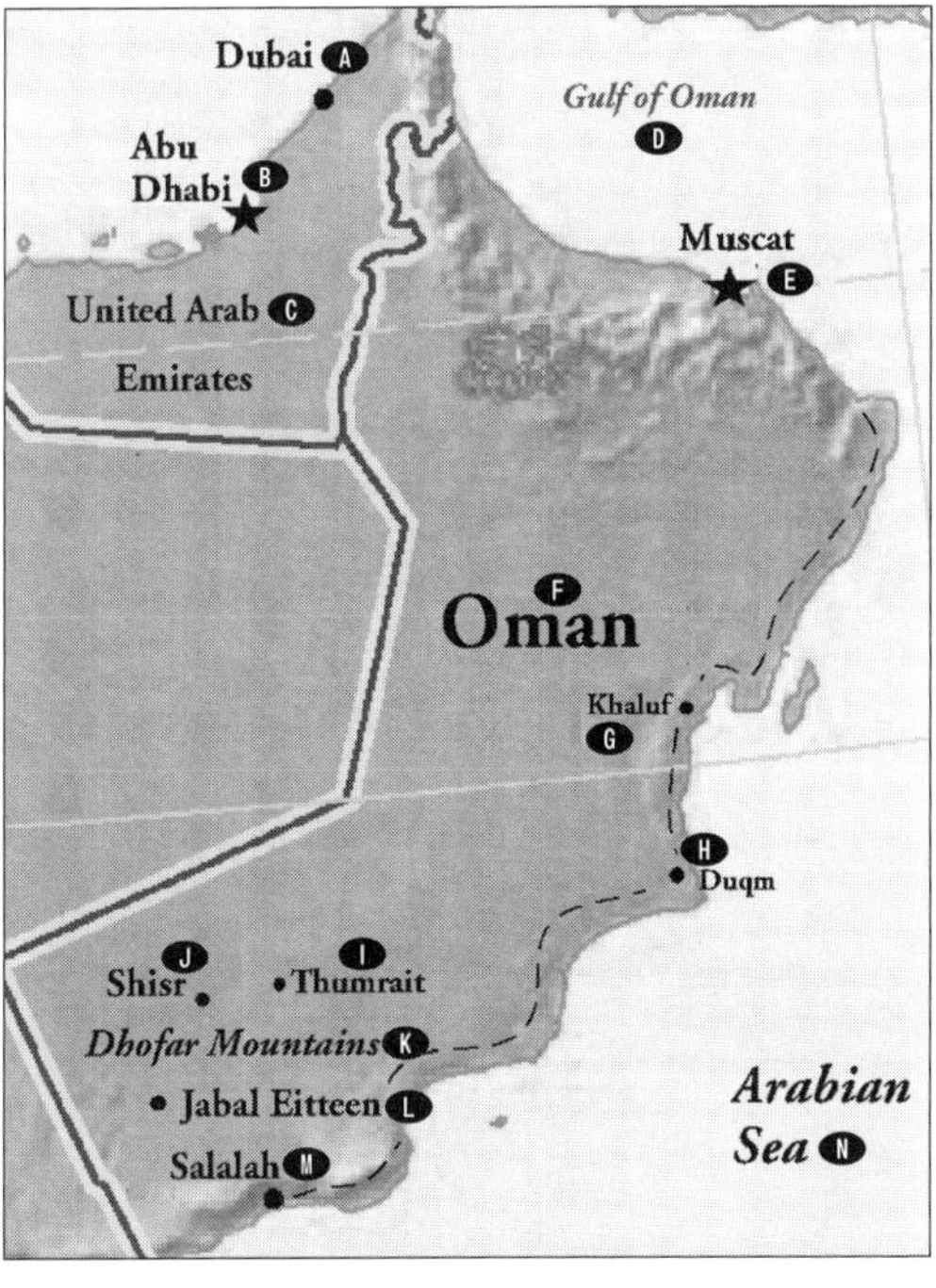

A ドバイ
B アブダビ
C アラブ首長国連邦
D オマーン湾
E マスカット
F オマーン
G ハルーフ
H ドゥクム
I シスル
J スムライト
K ドファール山脈
L エイティン山
M サラーラ
N アラビア海

大英博物館
BRITISH MUSEUM

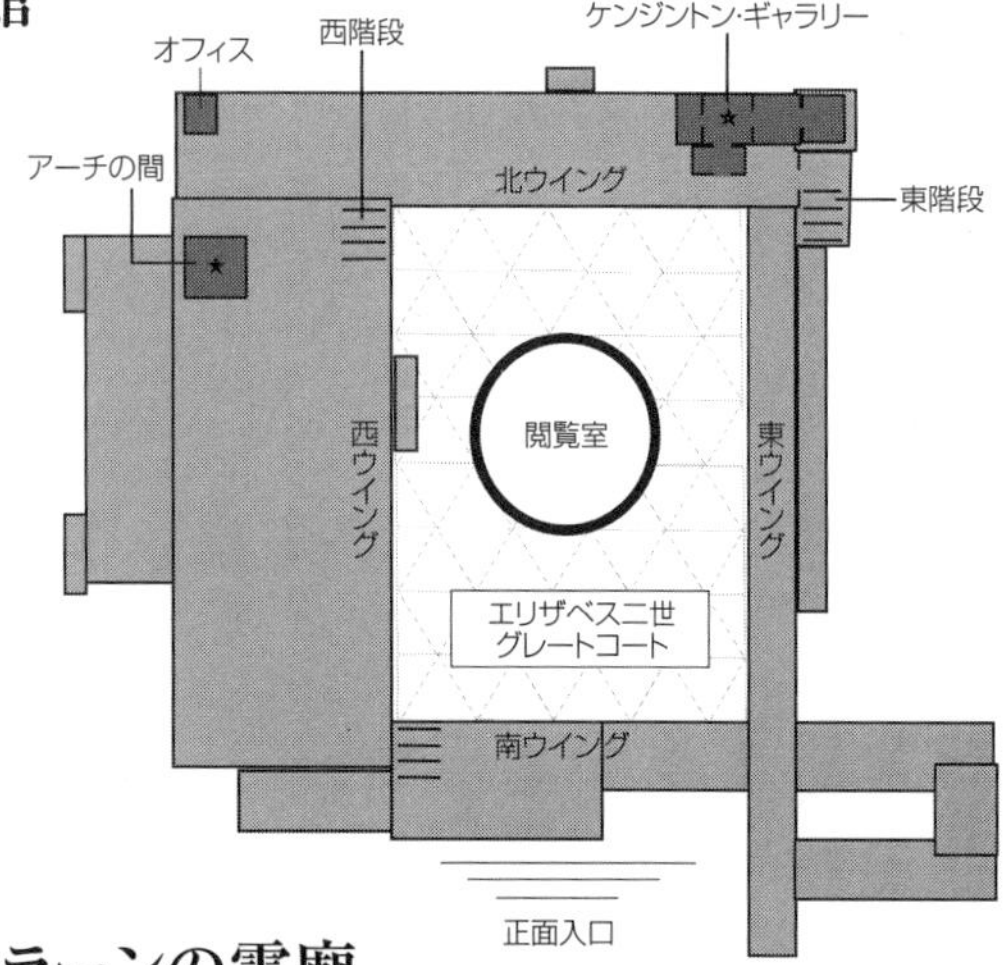

ナビー·イムラーンの霊廟
CRYPT OF NABI IMRAN

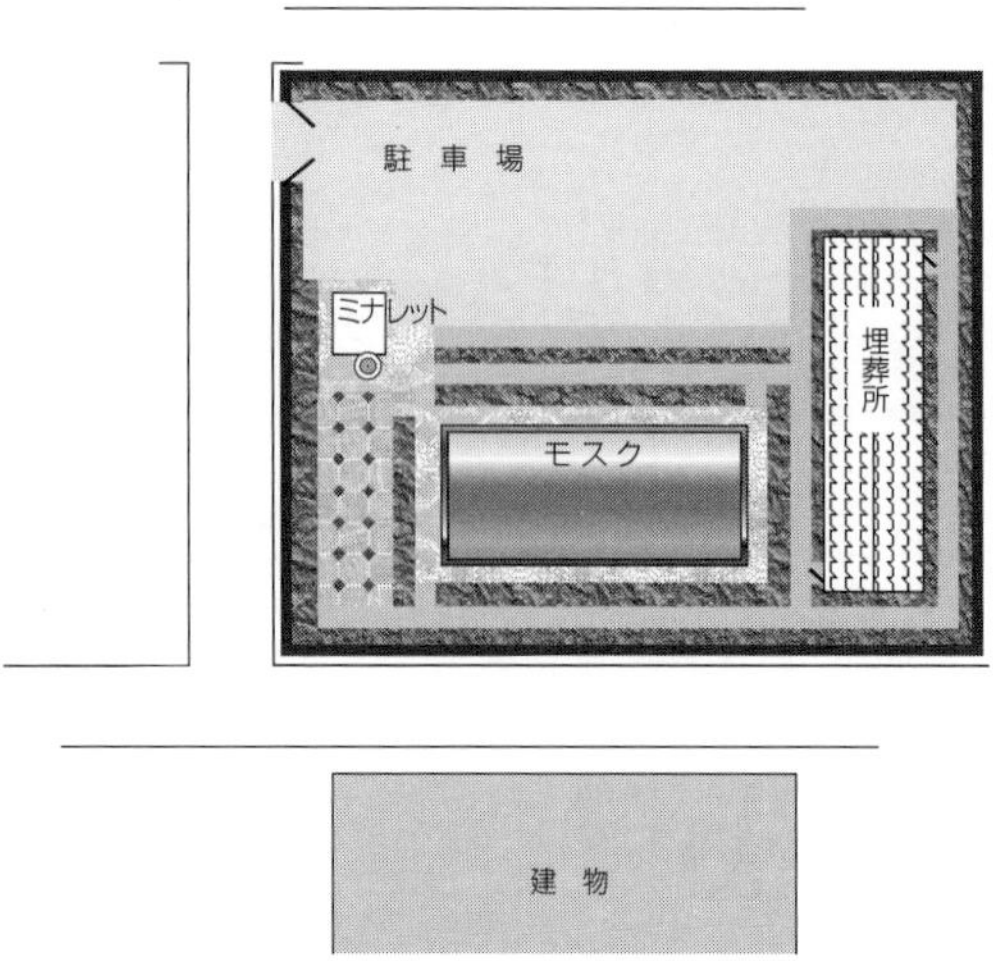

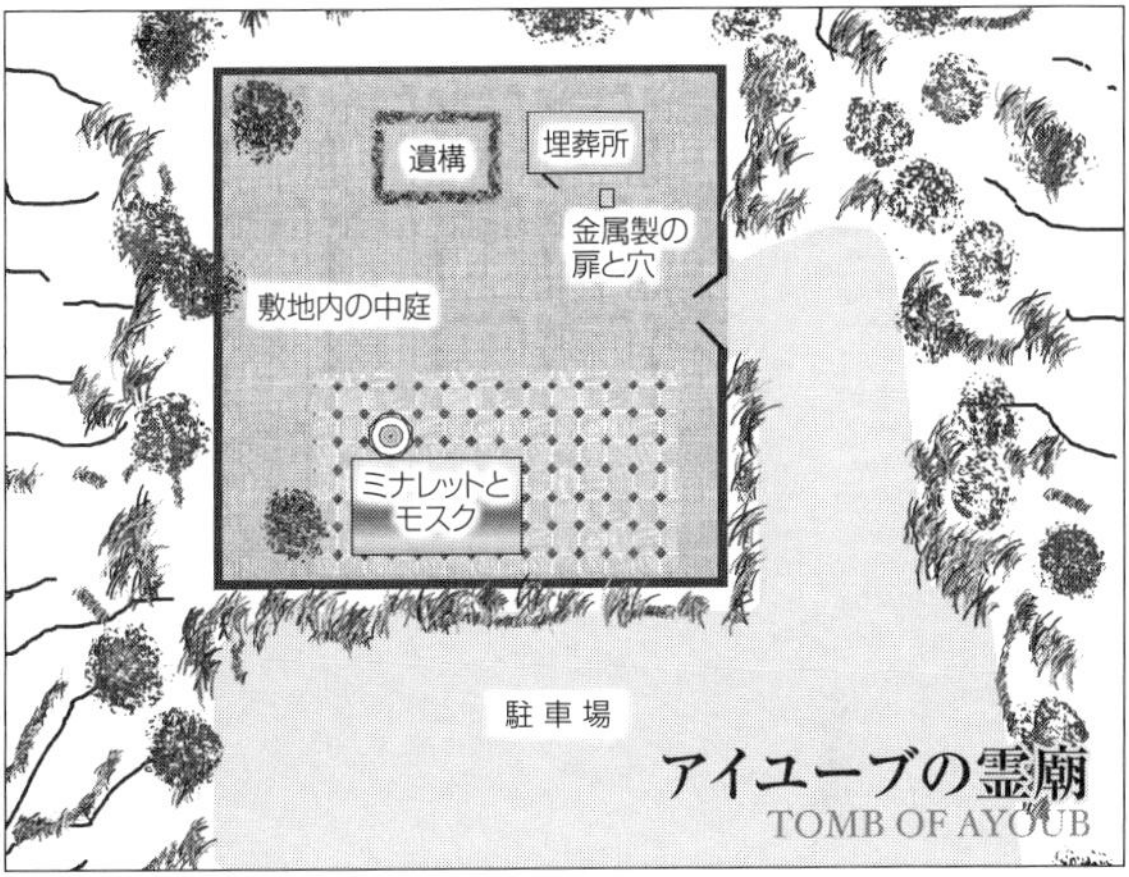
遺構
埋葬所
金属製の
扉と穴
敷地内の中庭
ミナレットと
モスク
駐車場
アイユーブの霊廟
TOMB OF AYOUB

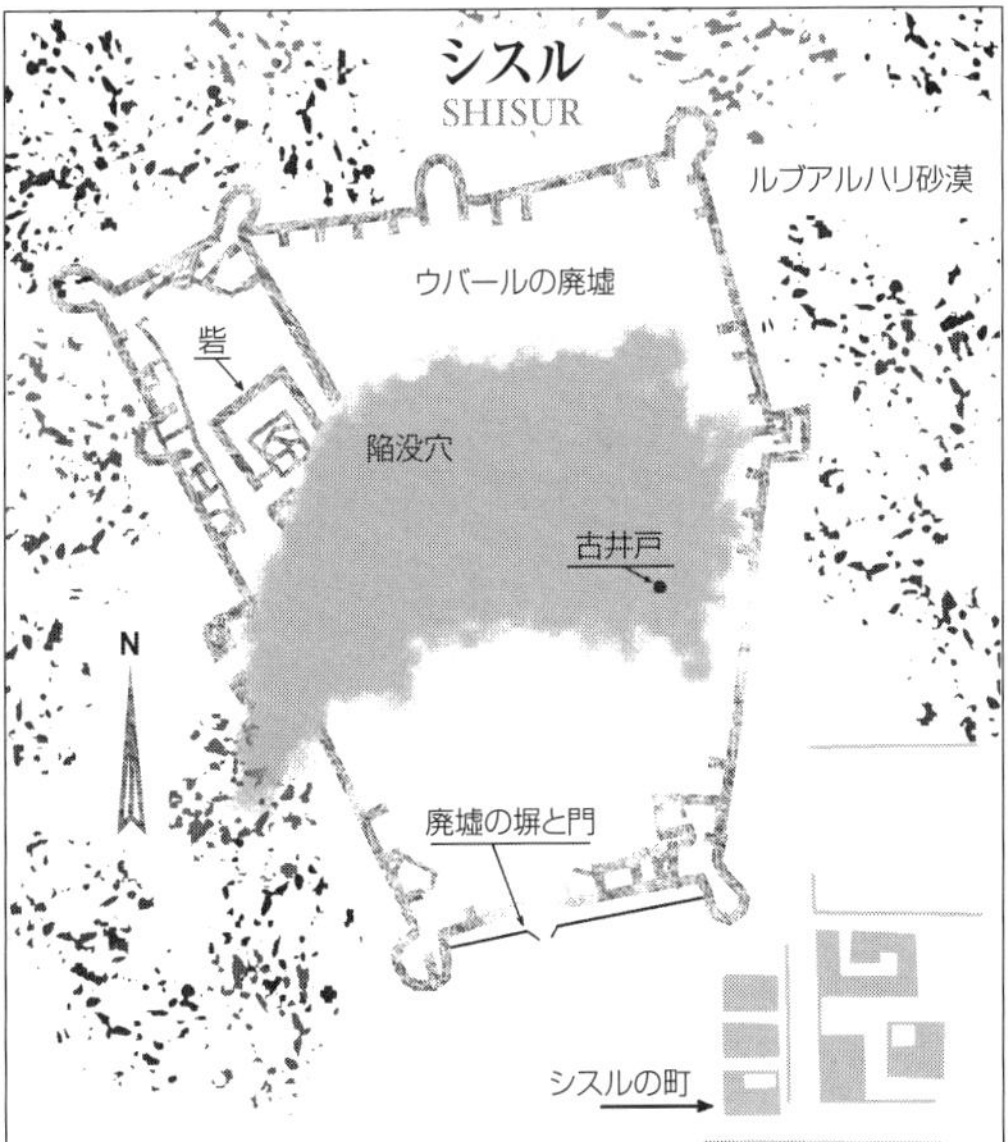
シスル
SHISUR
ルブアルハリ砂漠
ウバールの廃墟
砦
陥没穴
古井戸
N
廃墟の塀と門
シスルの町

第一部　雷雨

1　火と雨

十一月十四日午前一時三十三分
イギリス　ロンドン
大英博物館

あと十三分しか生きられない。

そうだとわかっていたら、ハリー・マスターソンはこの最後のタバコをフィルターまで吸い切っていただろう。だが、たった三回ふかしただけでもみ消し、顔のまわりの煙を手で払った。警備員用休憩室の外で喫煙していることがばれたら、博物館の警備主任、フレミングのおっさんに首を切られる。先週シフトに二時間遅刻したせいで、厳重注意を受けたばかりだ。

ハリーはぶつぶつ言いながら、消したタバコをポケットに入れた。次の休憩で吸えばいい……今夜、休憩があればの話だが。

石の壁を通して、雷鳴がとどろく。深夜過ぎに襲った冬の嵐は、騒々しい雹《ひょう》で幕を開け、ロンドンをテムズ川に押し流すような勢いの大雨へと変わった。枝分かれした稲妻が夜空を貫き、地平線の上を踊る。BBC《ビーブ》の天気予報官によると、この十年でもまれにみる激しい雷雨らしい。市内の半分が停電し、夜空を彩る雷の放電の前になすすべもない。

　そして何の因果か、闇に包まれているのはハリーのいる側、グレートラッセル通りに面した大英博物館を含む一帯だった。補助の発電機はあるのだが、警備員は全員が呼び出され、念のために博物館の財産の保護に当たることになった。三十分もすれば全員が到着するだろう。しかし、夜のシフトを割り当てられていたハリーは、通常の電気が消えた時はすでに勤務中だった。監視カメラは緊急用の電源で動いていたが、ハリーたち夜勤組はただちに博物館内の全長四キロ以上はあるホールの一斉点検をするよう、フレミングから指示を受けたのだった。

　一人ずつ分かれて点検をしなければならない。

　ハリーは懐中電灯をつかんでホールに向けた。博物館が闇に沈む夜の巡回は、気の滅入る仕事だ。明かりといえば窓の外の街灯しかない。だが今は、停電のせいでその街灯さえも消えてしまっている。博物館の内部は薄気味の悪い黒い影に包まれ、ところどころに低圧の非常灯の赤い光がぼんやりともっているだけだ。

　気合を入れるためにニコチンの助けが必要だったのだが、これ以上ぐずぐずしているわけにもいかない。夜勤組の中でいちばん下っ端のハリーには、地下の警備員詰め所から最も遠い北ウイングのホールを回る役目が与えられた。だからといって、近道をしていけないわけではない。目の前に延びる長い通路に背を向け、ハリーはエリザベス二世グレートコートに通じる扉へと近づいた。

八千平方メートルの広い中庭《コート》は、大英博物館の四つのウイングに囲まれている。その中心にあるのが、銅製の丸屋根をかぶった円形閲覧室。世界有数の図書館だ。その頭上に目を向けると、フォスター・アンド・パートナーズ設計の巨大なジオデシックドームが広い中庭全体を覆っていて、ヨーロッパ最大の屋根付き広場を形成している。

ハリーはマスターキーを使い、だだっ広い空間に出た。博物館の展示スペース同様、中庭も闇の中だ。高い天井を叩く雨音が聞こえる。そんな中でも、ハリーの靴音は広大な中庭にこだました。再び稲妻が空に走った。無数の三角形の枠で区切られている屋根が、ほんの一瞬、まばゆいばかりの光に照らされる。だが、博物館はすぐに再び闇に包まれた。激しい雨音が聞こえる。

胸にずしんと響くような雷鳴がとどろいた。屋根が小刻みに震える。ハリーは思わず身をすくめた。ドームが崩壊するのではないかという気がしたからだ。

懐中電灯を前に向けながら、ハリーは中庭を横切って北ウイングを目指した。中央の閲覧室に沿って進む。再び稲妻が光り、心臓が数回鼓動を打つ間、周囲を照らした。闇に隠れていた巨大な彫刻たちが、急に湧いて出てきたかのように姿を現した。クニドスのライオン像が、イースター島の巨像の頭部と隣り合って立っている。博物館を守護しているこれらの彫像は、稲光が消えるとともに闇にのみ込まれた。

ハリーは急に怖気《おじけ》づき、鳥肌が立つのを感じた。

足取りが速くなる。一足ずつ進みながら、ハリーは小声で毒づいた。「やってらんねえよ、くそったれ……」呪文のように唱えていると、少しは気持ちが落ち着く。

北ウイングに通じる扉にたどり着き、急いで中に入ると、かびとアンモニアの混じったいつものにおいがハリーを迎えた。しっかりとした壁に保護されているかと思うとほっとする。ハリーは懐中電灯の光を長いホールのあちこちに走らせた。特に異常はなさそうだが、このウイングにあるすべてのギャラリーを点検することが求められている。ハリーは素早く計算した。急いで巡回をすませれば、ちょっとタバコを吸うくらいの余裕ができそうだ。じきにニコチンにありつけることを励みに、ハリーは懐中電灯で先を照らしながら、ホールに足を踏み入れた。

北ウイングは博物館の特別記念展示の会場となっていた。人類の歴史上の成果をすべての文化にわたって網羅《もうら》する民俗誌のコレクションだ。エジプトのギャラリーには、ミイラや石棺が並んでいる。ハリーは先を急ぎ、様々な文化のギャラリーを点検した。ケルト、ビザンチン、ロシア、中国。展示スペースは数室のまとまりごとに防犯ゲートでロックされている。電源が喪失したため、ゲートが自動的に下りたのだ。

ようやくホールの終わりが見えてきた。

各ギャラリーの展示物のほとんどは、今回の特別記念展示のために一時的に人類博物館から貸与されたものだ。だが、この最後のギャラリーだけは、少なくともハリーの記憶にある限り、ずっとここにある。展示されているのは大英博物館のアラビア・コレクションで、アラビア半島の各地から集められた、値段のつけようもないほど貴重な古代の遺物の数々だ。かの地の石油事業で財を築いたある名家の依頼により設置されたギャラリーで、もちろん資金の提供も受けている。そのようなギャラリーを大英博物館の常設展示とするためには、年間五百万ポンドを超える寄付金が必要だという。

尊敬に値する、素晴らしい貢献。

だかどうだか。

大金のくだらない使い道を鼻で笑いながら、ハリーは入口の上部にかかっている真鍮《しんちゅう》の名入りプレートに懐中電灯の光を当てた。「ケンジントン・ギャラリー」——仲間内では「クソ女の屋根裏」と呼んでいる。

ハリーはレディ・ケンジントンに直接お目にかかったことはないが、同僚から聞いた話では、この女のギャラリーにほんの些細《ささい》な不備でもあると——キャビネットにほこりが付いているとか、説明カードにしみがあるとか、展示物の向きが正しくないとか、その程度の理由できつぃお叱りを受けるのだそうだ。ギャラリーは彼女にとって個人的な思い入れのある事業で、その逆鱗《げきりん》に触れるとただではすまない。おかげで首になった人間が何人もいる。館長まで一人、犠牲になったらしい。

そのことが頭にあったため、ハリーはギャラリーの防犯ゲートの外に、ほんの少し長めにとどまった。ゲートのすぐ先の部屋の内部を、それまでよりも丁寧に懐中電灯で探る。けれども、ここも特に異常はない。

懐中電灯を下げて脇を向こうとした時、目が何かの動きをとらえた。

ハリーは懐中電灯の光を床に向けたまま、その場に凍りついた。

ケンジントン・ギャラリーの奥、ゲートからいちばん遠い部屋のあたりで、青っぽい光がゆっくりと移動していた。光の動きに合わせて、影も動いている。

別の懐中電灯の光だ……誰かがギャラリーにいる……

ハリーは心臓が喉元まで跳び上がるのを感じた。侵入者だ。ハリーは近くの壁に寄りかかった。指で無線機をあわただしく操作する。壁の向こうでまた雷鳴がとどろいた。空気を震わすような低い音だ。

ハリーは無線機のボタンを押した。「北ウイングに侵入者の可能性あり。指示をお願いします」

ハリーはこのシフトのリーダーの応答を待った。ジーン・ジョンソンはろくでなし野郎だが、とりあえず空軍あがりだ。対処方法くらい、わかっているはずだ。

相手の声が返ってきたが、音が途切れてよく聞こえない。雷の干渉のせいだろう。「可能性……確かか？　……まで待て……ゲートは破られていないか？」

ハリーは下がったゲートに目を向けた。最初にゲートを確認するべきだった。どのギャラリーも、中に通じる入口は一つしかない。封鎖されたギャラリーに入るそれ以外の方法は高い位置にある窓しかないが、窓には破壊や侵入を検知するシステムが備わっている。暴風雨で主電源は遮断されても、セキュリティシステムは非常用発電機で保たれている。これまでのところ、警備センターの警報は鳴っていない。

ジョンソンはすでにカメラを切り替え、北ウイングを順番に確認しながら、ケンジントン・ギャラリーを押さえた頃だろう。ハリーは意を決して、五つの部屋から成るギャラリーをちらりとのぞいた。例の光はまだギャラリーの奥に見える。ふらふらと動くだけで、何らかの目的があるようには思えない。内部を物色する泥棒の動きとは違う。ハリーは防犯ゲートを素早くチェックした。電子錠は緑色の光を発している。ゲートから侵入したわけではない。

ハリーは再び光に目を戻した。通りがかりの車のヘッドライトが、ギャラリーの窓を通して光っただけなのかもしれない。

無線から途切れ途切れに聞こえるジョンソンの声に、ハリーはぎくりとした。「……デオには何も映ってない……五番のカメラが切れた。そこにい……ほかの者もそっちに向かっている」そこから先の言葉は、雷の影響による雑音でかき消されてしまった。

ハリーはゲートのそばに立った。ほかの警備員も応援に来てくれるようだ。でも、もし侵入者でもなんでもなかったら？　ヘッドライドの光が当たっただけだったら？　すでにフレミングから首を言い渡される寸前なのに、このうえ笑い者になるのは勘弁してほしい。

当たって砕けろだ。ハリーは懐中電灯を上げた。「おい、そこの！」威厳のある声で怒鳴ったつもりだったのだが、泣いているかのような甲高い声しか出てこない。

それでも、徘徊《はいかい》するような光の動きに変化はない。ギャラリーのさらに奥の方へと向かっているようだ――あわてて逃げているのではない。とりとめもなく蛇行している。こんなに冷静きわまりない泥棒なんているだろうか？

ハリーはゲートの電子錠に近づき、マスターキーを使って開けた。磁気ロックが解除される。ゲートを少しだけ持ち上げるとその下を這ってくぐり、最初の部屋に入った。体を起こし、再び懐中電灯を上げる。さっきは一瞬パニックを起こしてしまったが、恥ずかしくはない。警報を発する前にもっとよく調べればよかっただけの話だ。

やってしまったことは仕方がない。次善の策は、この謎を自分で解決して少しでも名誉を挽回することだ。

念のため、もう一度声をかけてみる。「警備員だ！　動くな！」

何の効果もない。光はペースを変えず、ゆらゆらとギャラリー内を移動している。

ハリーは振り返ると、ゲートの外のホールを見た。同僚たちは一分もしないうちにやってくるだろう。「ちくしょう」口からつぶやきが漏れる。ハリーは光を追って、ギャラリーの奥へと急いだ。仲間が到着する前に、何としても光の発生源を突き止めてやる。

ハリーは時代を超越した重要さと価値を持つ貴重な展示物にはほとんど目もくれずに進んだ。

新アッシリア王国の王、アッシュールバニパルの粘土板を展示したガラスのキャビネット。ペルシア王国以前にまでさかのぼる大きな砂岩の彫像。あらゆる時代の刀剣や武具。古代の王や女王をかたどったフェニキアの象牙細工。『東洋の教訓話』というオリジナルのタイトルを冠した『アラビアン・ナイト』の初版本まである。

ハリーが次々に部屋を通り抜けるにつれて、ある王朝から別の王朝へ移っていく。十字軍の時代からキリストの生誕へ、さらにアレクサンダー大王からソロモン王とシバの女王の時代へ。ようやくいちばん奥の部屋にたどり着いた。最も広い部屋の一つだ。アラビア半島から採取された貴重な石や宝石、化石、新石器時代の道具など、博物学者にとって垂涎《すいぜん》の的のオブジェが展示されている。

光源がはっきりとしてきた。丸天井の部屋の中心あたりに、直径五十センチほどもある青い球形の光がさまよっているのだ。ちらちらと輝き、表面には青い油のようなてらりとした炎がうごめいている。

ハリーの見ている目の前で、光の球はキャビネットのガラスを通り抜けた。ガラスなど存在していないかのようだ。あっけにとられてハリーは足を止めた。硫黄のような臭気が鼻をつく。あの明るい青色の玉が発しているのだ。

赤く光るセキュリティランプの上を球体が通過すると、ばちばちという音を立てて回線がショートした。音に驚いて、ハリーは一歩下がった。手前の部屋にあった五番カメラにも、これと同じ現象が起こったのだろう。ハリーは自分のいる部屋のカメラを見上げた。上に赤いランプが点灯している。まだ正常に動作している。

ハリーに見られたのを察したかのように、ジョンソンの声が無線に戻ってきた。なぜか少しも雑音がない。「ハリー、そこから出た方がいいかもしれんぞ！」

恐怖と驚きがないまぜになった状態で、ハリーはその場に立ちすくんでいた。それに光は遠ざかりつつある。部屋の隅の暗がりへと向かっている。

球体の輝きが、四角いガラスの展示ケースに入った金属の塊を照らした。子牛ほどの大きさの、正確には膝をついた子牛ほどの大きさの、赤い鉄の塊だ。説明カードによると、ラクダをかたどったものらしい。こじつけもいいところだが、それには理由があることをハリーは知っていた。この展示物は砂漠の中で発見されたという。

光は鉄のラクダの上で静止した。

ハリーは慎重に一歩下がり、無線を取り上げた。「うわっ！」

ゆらゆらと光る球体はガラスを通り抜け、ラクダの上に降下した。まるでろうそくの芯を切ったかのように、光がふっと消えた。

急に闇に包まれ、ハリーは目の前が見えなくなった。懐中電灯を掲げる。鉄のラクダはまだガラスの立方体の中に収まっていて、異変は見られない。「消えた……」

「おい、大丈夫か？」

「ええ。ありゃいったい何です？」

ジョンソンの返答には畏《おそ》れの色があった。「球電《きゅうでん》ってやつじゃないか。雷雨の中を軍用機で飛んだ仲間から聞いたことがある。この嵐が吐き出したんだろう。それにしても、けっこうすごかったな！」

けれども、もうすごくもなんともなくなってしまった。そう思いながらハリーはため息をつき、首を左右に振った。あれが何だったにせよ、少なくとも仲間の警備員にからかわれる心配はなくなったわけだ。

ハリーは懐中電灯を持った手を下ろした。ところが、明かりを外しても、鉄のラクダは闇の中でぼうっと光っている。深い、赤みがかった色だ。

「今度は何だよ」そうこぼしながら、ハリーは再び無線をつかんだ。強い静電気が指に衝撃を与える。毒づきながらハリーは手を払った。無線を口に当てる。「何か変ですよ。どうもそれとは違うんじゃ――」

鉄の内部からの光が輝きを強める。ハリーは後ずさりをした。鉄がラクダの表面を流れている。まるで酸性の雨に洗われて溶け出しているかのようだ。変化に気づいたのは彼だけではなかった。

手の中の無線が怒鳴り声をあげた。「ハリー、すぐ逃げろ！」

異存はない。ハリーは身を翻したが、すでに手遅れだった。

ガラスケースが爆発して飛び散った。左半身にとがった破片がいくつも突き刺さる。鋭いかけらが頬をざっくりと切った。しかし、そんな傷の痛みを感じるいとまもなく、溶鉱炉の内部にいるかのような高温が襲いかかった。体を焼き尽くし、酸素を燃やし尽くす。口から出かかった悲鳴が、声になることはなかった。

次の爆発でハリーの両足は床を離れ、宙を舞う体がギャラリーの入口へと飛ばされる。だが、防犯ゲートにまで到達し、鋼鉄の格子へと貼りついたのは、炎に包まれたハリーの骨だけだった。

午前一時五十三分

サフィア・アル＝マーズはパニックの真っ只中で目を覚ました。あたり一帯にサイレンの音が鳴り響いている。赤い非常灯の光が寝室の壁にちかちかと映っている。サフィアの体を恐怖が締めつけた。息ができない。緊張した皮膚から冷たい汗がにじみ出て、額にたまる。爪を立ててシーツをつかむと、喉元まで持ち上げた。まばたき一つできないまま、サフィアはしばしの間、過去と現在の狭間に囚われていた。

サイレンが鳴り響き、遠くで爆発音がこだまする……近くでは負傷者や瀕死の人たちの間か

ら悲鳴があがり、自分の声が苦痛と衝撃の叫喚《きょうかん》の合唱に加わる……

サフィアの部屋の下で拡声器が怒鳴り声をあげている。「消防車に道を開けてください！みなさん、下がってください！」

〈英語だ……アラビア語でも、ヘブライ語でもない……〉

鈍い轟音が建物の前を通過して遠ざかる。

消防隊員たちの声で、サフィアは自分のベッドに、現在へと呼び戻された。ここはロンドンだ。テルアビブではない。サフィアは苦しげに大きく息を吐いた。目に涙がこみ上げる。サフィアは震える指で涙をぬぐった。

パニック障害の発作だ。

サフィアは体を起こし、掛け布団にくるまったまま呼吸を繰り返した。まだ泣きそうな気分だ。いつものことだと自分に言い聞かせるものの、あまり慰めにはならない。ウールの掛け布団を肩に巻きつけ、目を閉じると、早鐘を打つ心臓の音が耳に響いた。セラピストに教わったように、気持ちを落ち着かせる呼吸法を実践する。二つ数えながら息を吸い、四つ数えながら吐く。ひと呼吸ごとに緊張が緩んでいく。冷たかった皮膚が温まってきた。

何か重いものがベッドにどさりと着地した。蝶番《ちょうつがい》のきしむような小さな声が聞こえる。

サフィアが片手を伸ばすと、ごろごろというれしそうな鳴き声に変わる。「おいで、ビリー」サフィアは太った黒いペルシャ猫にささやいた。

ビリーは彼女の手のひらに頭を押しつけ、指に顎をこすりつけた。次の瞬間、見えない操り糸が切れたかのように、彼女の太腿の上にぺたりと寝そべった。夜の日課の室内散歩を、サイレンに邪魔されたのだろう。

低いごろごろという声がサフィアの膝の上で続いている。満足げだ。

その音が呼吸法などよりもはるかに効いて、こわばった肩の筋肉をほぐしてくれる。その時になって初めて、サフィアは自分が何かを警戒するかのように背中を丸めていたことに気づいた。来るはずのない一撃に備えているかのようだ。サフィアは背筋を伸ばし、顔を上げた。

サイレンと騒然とした物音が、すぐ近所で続いている。立ち上がって、何が起きているのか見なければいけない。何でもいい、動くのだ。パニックは落ち着きのないエネルギーへと変わっていた。

サフィアは脚をずらし、ビリーをそっと布団の上に移した。ごろごろがちょっと中断したが、ベッドから立ち退かされるわけではないと悟ると、再び始まる。ビリーはロンドンの路地裏で生まれた野良猫で、その頃は骨と皮ばかりに痩せていた。サフィアはまだ子猫だったビリーが、共同住宅の入口に血を流して倒れているのを発見した。車にひかれて脚が折れ、油にまみれていた。助けようとした彼女の親指を、ビリーはがぶりと噛んだ。友達からは動物保護センターに連れていく方がいいと言われたが、サフィアはそこが孤児院同然の施設だと知っていた。だから猫を枕カバーに包んで抱き上げ、近くの獣医へと運び込んだのだった。

あの夜、子猫に気づかぬふりをすることは簡単だっただろう。しかし、サフィアもかつて、子猫と同じように身寄りがなく孤独な存在だった。その時の彼女にも、拾ってくれた人がいる。サフィアもビリーと同じように、完全に手なずけられたわけではなかった。安楽な生活よりも、人が寄りつかないような世界の片隅をさまよう方が性に合っていた。

だがそれも、明るい春の日に起きた爆発で終わりを迎えたのだ。

〈何もかも私のせい〉……泣き声と悲鳴が脳裏によみがえり、現在のサイレンの音と混じり合う。

激しく息をつきながら、サフィアはベッド脇のランプに手を伸ばした。ティファニーのレプリカランプで、トンボをあしらったステンドグラスのシェードが付いている。ランプのスイッチを何度か押してみたが、明かりがつかない。停電だ。嵐で送電線が切れたのかもしれない。

きっと停電がこの騒ぎの元だ。

そんな単純な理由であってほしい。

サフィアはベッドから起き上がった。裸足だが、裾が膝まで届く温かいフランネルのナイトシャツを着ている。窓に近寄ってブラインドの隙間をつまんで開け、下の通りをのぞいた。部屋は四階にある。

眼下の通りは歩道が広く、鉄製の街灯が並び、いつもは閑静で落ち着いた雰囲気を醸し出しているが、今やあたかも戦場と化していた。消防車とパトカーが通りに何台も連なっている。

雨にもかかわらず煙が上がっている。ただ、少なくともあの激しい暴風雨は治まり、ロンドンのいつもの涙雨に戻っていた。街灯が消えているので、光っているのは緊急車両のてっぺんにある回転灯のみだ。通りの少し先に目を向けると、煙と暗闇を通して、濃い赤い色の輝きが見える。

火事だ。

心臓の鼓動が高まり、息が詰まる――昔の恐怖のせいではない。現在の状況から生まれた新たな恐怖のせいだ。博物館が！　紐を強く引っ張ってブラインドを一気に引き上げると、サフィアは震える指先で窓の鍵を開けた。上げ下げ窓を開け放って雨の中に身を乗り出す。氷のように冷たい雨粒もほとんど感じない。

大英博物館はこの建物から歩いてすぐの距離だ。サフィアは目に映った光景に呆然とした。博物館の北東の一角が炎に包まれていた。高い位置にある割れた窓からは炎がちらちらと見え、大量の煙を吐き出している。再呼吸式マスクをはめた人たちが消火ホースを引いている。ホースから噴き出した水が高く舞い上がる。消防車の後部からは梯子《はしご》が上に向かって伸びている。

何よりもまずい事態は、北東の一角の二階に開いた大きな穴から煙が噴き出していることだった。瓦礫《がれき》と黒く焦げたコンクリートの塊が、道路に散乱している。爆発音は聞こえなかった。あるいは、雷の音だと思ったのかもしれない。だが、この被害は落雷のせいではない。

爆弾が爆発したかのような状況だ……テロリストの攻撃。〈またなの……〉

を吐き出している穴がギャラリーの端につながっているのも知っている。これまでの仕事のすべてが、長年の研究が、コレクションが、母国からの宝物の数々が……計り知れないほどの価値があるのに。にわかには信じることができず、目に映る光景も現実のものとは思えない。これは悪い夢だ。すぐに覚めるに決まっている。

サフィアは膝の力が抜けるのを感じた。北ウイング……あそこはサフィアのウイングだ。煙

サフィアは窓から離れ、安全で落ち着ける部屋の中央へと戻った。大声と点滅する光に背を向ける。暗闇の中でステンドグラスのトンボが光っている。トンボを見つめたサフィアは、一瞬状況を理解できなかったが、すぐに気づいた。電力が復旧したのだ。

その瞬間、ベッド脇のテーブルに置かれた電話が鳴り、サフィアはぎょっとした。

ビリーが掛け布団から頭を上げ、騒々しい呼び出し音の方に耳を立てた。

サフィアは電話に駆け寄り、受話器を手に取った。「もしもし？」

厳しい冷静な声が聞こえた。「ドクター・アル＝マーズですか？」

「そ、そうです」

「こちらはホーガン大尉です。博物館で事故がありました」

「事故ですって？」何があったにしろ、ただの事故であるはずがない。

「ええ。博物館の館長から連絡するように申しつかりました。あなたにも会議に出席していただきたいそうです。一時間以内にこちらに来ていただくことはできますか？」

「はい、大尉。すぐにそちらへ向かいます」

「よかった。お名前は警備の担当者に知らせておきます」大尉が電話を切る音がした。

サフィアは寝室を見回した。ビリーはぱたぱたと尻尾を動かしている。何度も騒々しい音がするので、猫なりにいらだちを表しているのだろう。「ちょっと出かけるけど、すぐ戻るわね」そう言いながらも、サフィアは自分でも半信半疑だった。

窓の外ではサイレンが絶えず鳴り響いている。

目を覚ます原因となったパニックは、完全には収まっていない。彼女の世界が、博物館の古びたホールという安全な居場所が、揺らいでいる。四年前、サフィアは女性がパイプ爆弾を胸にくくりつけるような世界から逃れてきた。学問の世界という安全と秩序に逃がれ、フィールドワークの代わりに書類を相手にすることを選んだのだ。つるはしやシャベルを捨て、コンピューターとスプレッドシートを扱う日々。博物館の中に、安全に生活できる自分だけの空間を作ったのだ。ロンドンが彼女の新しい家となった。

それなのに、惨事の方が彼女を追いかけてきた。

両手が小刻みに震える。発作がぶり返さないよう、片手でもう一方の手をきつく握らなければならなかった。もう一度ベッドに戻り、布団を頭からかぶることができたら、どんなにいいだろう。

ビリーがじっと見つめていた。ランプの明かりが目に反射している。

「私は平気。きっと何の問題もないわ」サフィアは猫に対してというより自分に対して、静かに言い聞かせた。

けれども、ビリーも自分も、そんなことは信じていなかった。

グリニッジ標準時午前二時十三分（東部標準時午後九時十三分）
メリーランド州フォート・ミード

トーマス・ハーディは『ニューヨーク・タイムズ』紙のクロスワード・パズルを解いている時に邪魔されるのが大嫌いだった。日曜日の夜にパズルを解きながら、四十五年もののスコッチを少々に、上等の葉巻を楽しむのが長年の習慣になっている。暖炉では音を立てて火が燃えていた。

トーマスは肘掛け椅子の背もたれに背中を預け、モンブランのボールペンのノッカーを指で押しながら、半分ほど埋まったパズルを見つめた。

縦の十九番の問題を見ながら眉間《みけん》にしわを寄せる。五文字の単語だ。「十九番。総和」

答えをあれこれと考えている最中に、机上の電話が鳴った。ため息を一つつくと、トーマスは鼻先から読書用眼鏡を後退しつつある生え際へと押し上げた。どうせ娘の友達の誰かが、週末のデートの顚末《てんまつ》を報告しようとでもいうのだろう。

　電話をのぞき込んだトーマスは、五番目の線を示す光が点滅していることに気づいた。これは彼の個人的な番号にかかってきた電話だ。この番号を知っている人物は三人しかいない。大統領、統合参謀本部議長、それに国家安全保障局で彼の下にいる副長官。

　たたんだ新聞を膝の上に乗せ、トーマスは赤いボタンを押した。ボタンを押すことで、移動アルゴリズムのコードが通信全部にスクランブルをかける仕掛けになっている。

　彼は受話器を取った。「ハーディだ」

「長官」

　トーマスは警戒して体を起こした。この声に聞き覚えはない。個人的な番号を知っている三人なら声を覚えているし、自分の家族の声は言うまでもない。「誰だ?」

「トニー・レクターです。こんな遅い時間に申し訳ありません」

　トーマスは記憶の中にあるファイルを検索した。海軍中将アンソニー・レクター。その名前と、五つの文字がつながる。DARPA。国防高等研究計画局。国防総省の研究開発部門を管轄する機関だ。彼らのモットーは「発見者であれ」――科学技術の進歩において、アメリカ合衆国は二番手に甘んじてはならない。

　一度たりとも。

　うずくような嫌な予感が高まる。「私に何の用かね、中将」

「ロンドンの大英博物館で爆発がありました」それに続いて、レクターは出来事を詳細に説明した。トーマスは腕時計に目をやった。爆発が発生してからまだ三十分とたっていない。こんな短時間でこれほどの機密情報を収集できるとは。トーマスはレクターの組織の能力に感心した。

説明に一通り耳を傾けてから、トーマスは当然の質問を投げかけた。「それで、この爆発になぜＤＡＲＰＡが関心を？」

レクターがそれに答えた。

トーマスは室温が十度も下がったような気がした。「確かなのか？」

「その質問の答えを探すためのチームはすでに結成しました。ただ、イギリスのＭＩ５の協力が必要になります……それよりいいのが……」

別の手段を具体的に述べることはできない。スクランブルのかかった電話であっても、口にすることはできない。

トーマスはこの内密の電話の意図をはっきりと理解した。ＭＩ５は彼の組織のイギリス版に相当する。レクターは彼に、煙幕を張ってほしいと言っているのだ。その間にＤＡＲＰＡのチームが忍び込み、脱出する。発見について誰かが感づくよりも先に。イギリスの諜報機関よりも先に。

「わかった」トーマスはようやく答えた。〈発見者であれ〉彼らがこの使命にこたえてくれるように祈るしかない。「チームの準備はできているのか？」

「朝までには完了します」

それ以上の説明がないことから、トーマスは誰が今回の件を扱うことになるのかを理解した。新聞の余白にギリシア文字を一つ書き記す。

Σ

「チームのために万事整えておく」トーマスは電話に向かって告げた。

「助かります」電話が切れた。

受話器を戻しながら、トーマスはなすべきことを頭の中で整理していた。素早く片付けなくてはならない。トーマスは未完のクロスワード・パズルに目を落とした。縦の十九番。

「総和」を意味する五文字の単語。

ぴったりじゃないか。

彼はペンを手に取って、大文字で答えを書き込んだ。

ＳＩＧＭＡ。

グリニッジ標準時午前二時二十二分
イギリス　ロンドン

サフィアは黄色と黒のA型バリケードの前に立っていた。腕は組んだままだ。不安が募るし、寒くてたまらない。あたりには煙が充満している。いったい何が起こったのだろう？　バリケードの後方では、サフィアの財布を手にした警官が、彼女の写真と目の前に立つ女性とを見比べている。

その二つを照合することは簡単な作業ではないだろう。彼の手の中にあるのは博物館のIDカードだ。そこに写っているのはいかにも学者然とした三十歳の女性で、クリームをたらしたコーヒーのような色の皮膚に、手早く編んで後ろにまとめた漆黒《しっこく》の髪、黒ぶちの眼鏡の奥には緑色の瞳が隠れている。それに対して、若い警官の前に立っているのは、顔も服もびしょ濡れの女性で、ぼさぼさの髪が顔に貼りついている。その目は途方に暮れて混乱しており、視線はバリケードの先であわただしく立ち働く救急隊員や機材へと向けられている。

カメラのライトを浴びて立つ報道陣の姿も確認できる。数台のテレビ局のバンが歩道に片側を乗り上げて駐車していた。救急隊員に紛れて二台の軍用車両も停まっていて、ライフルを手にした兵士の姿も見える。

テロリストによる攻撃という可能性は否定できない。そのような噂話が、集まった野次馬や、このバリケードへとたどり着くためによけて通ったニュース番組のレポーターからも聞こえてきた。この通りで唯一のアラブ系女性であるサフィアの方に、いぶかしげな視線を向ける者も少なくない。いや、むしろ自分の方がまわりの人たちの態度を誤解しているのかもしれない。過剰不安とでも言うべきある種の被害妄想が、パニック発作の後発症として見られることがしばしばある。

サフィアは深呼吸をしながら、ここにやってきた目的だけに意識を集中して人ごみの中をかき分けてきた。傘を忘れたことが悔やまれる。電話を受けてすぐに部屋を出たため、カーキ色のズボンと白い花柄のブラウスを着る余裕しかなかった。膝丈のバーバリーのコートは羽織ったが、あわてていたせいで、お揃いの傘は扉の横のスタンドに置いてきてしまったのだ。建物の一階にたどり着いて雨の中に飛び出した時に初めて、傘を忘れたことに気づいた。だが、不安に駆られるあまり、四階まで戻って傘を取ってこようという気にはなれなかったのだ。

博物館で何があったのか、確かめなければいけない。このコレクションを築き上げるのに十年の歳月を費やし、ここ四年間は博物館にこもりきりで研究プロジェクトを進めてきた。どのくらい破壊されてしまったのだろう？　救えるものはあるのだろうか？

外は再び雨脚が強まり、途切れることのない土砂降りが続いているが、少なくとも雷はだいぶ治まったようだ。人の出入りを遮断している即席の検問所にたどり着いた時には、サフィアはずぶ濡れになっていた。

警官がＩＤカードを確認する間、サフィアは震えながら待った。

「お入りください。サミュエルソン警部補がお待ちです」

別の警官が博物館の南の入口まで付き添ってくれた。サフィアは柱に支えられたファサードを見上げた。銀行の金庫室ほどの堅牢《けんろう》さを誇っていて、永遠の安全を約束してくれているように思えたものだ。

それが今夜……

サフィアは案内されて入口を抜け、いくつもの階段を下りた。「博物館職員専用」と書かれた扉を抜ける。どこへ連れていかれるのかはわかっている。地下の警備室だ。

武装した見張りが一人、扉の外に立っている。二人が近づくと見張りはうなずいた。すでに連絡が入っていたようだ。見張りは扉を引き開けた。

ここまで付き添ってくれた警官から、別の男性にバトンタッチされる。私服姿の黒人だ。どこにでもあるような青いスーツを着ている。サフィアより数センチ背が高く、髪は白いものがかなり目立つ。使い込まれた革のような風貌だ。頬は白いひげでうっすらと覆われている。寝ているところを呼び出され、ひげを剃る暇もなかったのだろう。

男性はがっしりとした手を差し出した。「ジェフリー・サミュエルソン警部補です」その握手と同じくらい、確固とした声だ。「こんなに早く来てくださって、ありがとうございます」

サフィアはうなずいたが、緊張で言葉が出ない。

「一緒に来ていただけますか、ドクター・アル＝マーズ。爆発の原因を調査するのに、あなたのお力を借りたいのです」

「私の？」やっとそれだけ声が出た。大勢の警備員が控えている休憩室を抜ける。シフトに関係なく、すべての警備員が招集されているようだ。数人の知っている顔に気づいたが、彼らはサフィアのことをよそよそしい目で見つめている。サフィアが通ると、ひそひそと聞こえていた話し声がぴたりとやんだ。サフィアが呼び出しを受けたことは知っている様子だが、その理由に関しては、当の本人同様によく知らないようだ。それでも、疑われていることは沈黙から明らかだった。

サフィアは背筋を伸ばしたが、不安の中からいらだちがふつふつと沸いてきた。ここにいるみんなは、同じ職場で働いている同僚なのに。その一方で、誰もが彼女の過去を知りすぎるほど知っているのも事実だった。

サフィアは肩を落とし、警部補の後についていちばん奥にあるホールへと向かった。そこにはスタッフが「巣穴」と呼んでいる楕円形の部屋がある。部屋の壁一面が監視カメラのモニターで埋め尽くされている。部屋の中はがらんとしていた。

サフィアは警備主任のライアン・フレミングがいることに気づいた。背は低いががっしりした体格の中年男性だ。髪の毛がすっかり抜けた頭部と鉤鼻《かぎばな》から、「ハゲワシ」というあだ名がついている。フレミングの隣には、ぱりっとした軍服に身を包み、銃を携帯した痩身《そうしん》の男性が立っていた。二人とも、モニターの列の前に座る技師の肩越しに身を乗り出している。サフィアが室内に入ると、全員が顔を向けた。

「ドクター・サフィア・アル＝マーズ、ケンジントン・ギャラリーの学芸員です」紹介しながら、フレミングは腰を伸ばして彼女を手招きした。

フレミングはサフィアが博物館での地位を得る前からスタッフの一員だった。サフィアが初めて会った当時は警備員の一人だったが、熱心な働きぶりで主任にまで登りつめたのだ。四年前、サフィアのギャラリーからイスラム以前の時代の彫刻を盗難しようとする計画を、フレミングは未然に防いだ。この手柄によって、彼は今の地位を得たのだ。ケンジントン家は、一族のために貢献してくれた人間に対して報いる術を心得ている。その時以来、フレミングはサフィアと彼女のギャラリーを何かと気にかけてくれていた。

サフィアは彼らに合流してモニター群の前に立った。サミュエルソン警部補も後に続く。フレミングはサフィアの肩に手を置いた。目がつらそうだ。「お気の毒なことに。あなたのギャラリーが、あなたの仕事が……」

「どのくらい失われたのでしょうか？」

フレミングは青白い顔をしていた。彼は黙ってモニターの一つを指差した。サフィアは身を乗り出した。今の映像だ。北ウイングのメインホールのモノクロ映像。煙が揺らめいている。

保護衣に身を包んだ人々が、北ウイング全体で作業をしていた。そのうちのかなりの人数が、ケンジントン・ギャラリー入口の防犯ゲートの前に集まっていた。格子に貼りついた、人の形をしたものを見上げている。痩せ衰えた骨と皮だけのような姿。貧相な案山子《かかし》のように見える。

フレミングが首を左右に振った。「もうじき検死官が入って遺体の身元確認をするだろうが、間違いなくハリー・マスターソンだろう。うちのスタッフの一員だ」

骨からはまだ煙が上がっていた。これがかつては人間だったのだろうか？　サフィアは足もとが大きく傾いたように感じ、後ろによろめいた。フレミングが支えてくれる。骨から肉を焼き払ってしまうほどの猛火は、サフィアの理解を超えていた。

「どういうことなの」サフィアはつぶやいた。「ここで何が起きたのですか？」

青い軍服姿の男性がそれに答えた。「我々があなたから手がかりをいただけるのではないかと期待しているのがその点でね」男性は技師の方を向いた。「一時ちょうどまで戻して」

技師がうなずいた。

技師が操作を始めると、軍人はサフィアの方を振り返った。厳しく冷たい表情だ。「私はランドルフ中佐、国防省のテロリスト対策本部所属だ」

「テロリスト対策？」サフィアは周囲を見回した。「これは爆弾事件なのですか？」

「それはまだ断定できていない」中佐は答えた。

技師が声を上げた。「準備ができました」

ランドルフはサフィアをモニターの前へと手招きした。「これをご覧いただきたいのだが、これから見る映像は機密情報だ。意味はわかるね?」

よくわからなかったが、サフィアはうなずいた。

「再生してくれ」ランドルフが指示を出した。

モニターの画面上に、ケンジントン・ギャラリーの奥の部屋が映し出された。特に異常はない。ただし、内部は暗く、非常灯の光しかない。

「これは一時少し過ぎに撮影されたものだ」中佐は説明した。

サフィアが見ているうちに、隣の部屋から別の光が宙を舞いながら入ってきた。最初は誰かがカンテラをかざして侵入してきたのかと思った。だが、そうではない。光源は自力で動いている。「これは何ですか?」サフィアは訊ねた。

技師が答えた。「このテープをいろいろなフィルターにかけて調べました。どうやら球電と呼ばれる現象らしいです。暴風雨から吐き出されて浮遊するプラズマの球体です。こいつが映像でとらえられたのは、これが初めてということになりますが」

そのような光の話はサフィアも聞いたことがあった。帯電した空気の球が、光を発しながら地面の上を水平に漂うという。広い平野でも、家や飛行機の中でも、さらには潜水艦の内部でも出現したことがある。だが、その現象が何らかの被害を与えたという話はほとんど聞いたことがない。サフィアは今の映像が流れているモニターに視線を移し、煙に包まれた死体安置所と化した光景を見た。球電がこんな大爆発の原因であるはずはない。

考えを巡らせているうちに、新しい人影がモニターに映った。警備員だ。

「ハリー・マスターソンです」フレミングが言った。

サフィアは大きく息を吸い込んだ。フレミングの推測が正しければ、別のモニターで骨がくすぶっているのと同じ人物ということになる。サフィアは目を閉じたいと思ったが、できなかった。

警備員は光る球体の後を追っている。この部屋にいる人たちと同様に、彼も当惑しているようだ。無線を口元に当てて報告を入れているが、このビデオに音声は入っていない。

そのうちに光る球体はある展示キャビネットの上で静止した。鉄の像が収められているキャビネットだ。球体はキャビネットの中に落ちるとふっと消えた。サフィアは思わず身構えたが、何も起こらない。

警備員はまだ無線に向かって話している……そのうち、何かに驚いたような動きを見せた。警備員が体の向きを変えると同時に、展示キャビネットが砕けて飛び散る。その直後、二度目の爆発が白い閃光となって現れ、画面は真っ暗になった。

「止めて、四秒前に戻してくれ」ランドルフ中佐が指示する。

ビデオが停止して、巻き戻された。フレームごとにカチカチと音を立てながら映像が戻っていく。閃光《せんこう》の中から再び部屋が現れ、キャビネットの破片も元に戻って鉄の像を覆った。

「そこで止めてくれ」

映像が停止した。画面がかすかに揺れている。ガラスケースの中に収められた鉄の像をはっきりと見ることができる。いや、はっきりと見えすぎる。鉄の像は自らの光で輝いているかのようだ。

「いったいこれは何なのですか？」中佐が訊ねた。

サフィアは古代の遺物をじっと見つめた。なぜ自分がこの場に呼び出されたのか、ようやく納得がいく。この場の誰も、何が起きたのか理解できていない。意味がわからないのだ。

「これは彫刻なのかね？」中佐は訊ねた。「いつからここにあるのかな？」

サフィアは中佐の考えが手に取るようにわかった。疑念を隠そうともしない。彫刻に見せかけた爆弾を何者かが博物館内に持ち込んだのか？　そうだとすれば、そのような策略に手を貸しそうな人物は誰だろう？　内部の人間以外にない。過去に爆破事件と関係のあった人物。

サフィアはかぶりを振った。質問に対しても、疑いに対しても。「これは……彫刻ではありません」

「じゃあ何だね？」

「この鉄の像は、隕石《いんせき》のかけらなんです……十九世紀末にオマーンの砂漠で発見されたものです」

サフィアはこの収蔵品の歴史を、そのさらに以前までさかのぼって知っている。何世紀にもわたって、アラビアの神話では入口を鉄のラクダで守られた都市のことが伝えられている。その失われた都市は想像を絶するほど豊かだったと言われる。その豊かさは、無数の黒真珠が都市の入口にまるでごみのように散乱していたほどだったそうだ。その後、十九世紀になって、ベドウィンの猟師がイギリス人の探検家をその場所へと案内したが、失われた都市は見つからなかった。発見されたのは砂に埋もれた隕石の破片で、膝をついたラクダの姿に見えないこともない。黒真珠も見つかった。後にそれは、隕石が高温で砂と接触した際にできた単なるガラスの破片と判明するのだが。

「このラクダの形をした隕石は」サフィアは説明を続けた。「設立当初から大英博物館に所蔵されていました……ただ、長く保管庫の中で忘れ去られていたのですが、私が目録でそれを発見し、コレクションに加えたんです」

サミュエルソン警部補が沈黙を破った。「その移動はいつ頃のことですか?」

「二年前です」

「ということは、かなりの間あそこに置かれていたわけだな」そう言うと、警部補はあてつけるように中佐の方をちらっと見た。二人の間での論争にこれで決着がついたようだ。

「隕石だって?」中佐は頭を振りながらつぶやいた。陰謀説が否定されて失望したのだろう。

「まったくわからん」

物音が聞こえて全員が入口に注意を向けた。サフィアは博物館館長のエドガー・タイソンが人を押し分けながら警備室へと入ってきたことに気づいた。いつもは身ぎれいな彼のスーツにはしわが寄っていて、顔に浮かんだ沈痛な表情と調和している。館長は白い短い顎ひげを引っ張った。その時になって初めて、サフィアは今まで館長の姿が見えなかったことを不思議に思った。博物館は彼の人生であり、生きがいでもあるのに。

しかし、館長が不在だった理由はすぐ明らかになった。理由が館長のすぐ後ろからついてきていたからだ。女性がつかつかと部屋に入ってきた。嵐の前に高波が押し寄せるように、その女性の存在感は姿が見える前から感じ取ることができる。身長は百八十センチを優に超える。長い丈のタータンチェックのコートから雨を滴らせているが、肩の長さで切り揃えたサンディブロンドの髪は乾いていて、緩やかなカールにセットされている。室内にいるのに、髪がかすかな風にそよいでいるかのように見える。どうやら彼女は傘を忘れなかったようだ。

背筋を伸ばして前に一歩踏み出したランドルフ中佐は、急に礼儀正しい声になった。「レディ・ケンジントン」

中佐を無視すると、女性は室内を見回し、サフィアに目を留めた。たちまち安堵《あんど》の色が浮かぶ。「サフィ……ああよかった！」女性は走り寄るとサフィアをきつく抱き締め、かすれた声で耳元にささやいた。「知らせを聞いた時は……あなたはよく遅くまで働いていたし、電話もつながらないし……」

サフィアも女性を抱き締めた。相手の肩が震えているのがわかる。二人は幼馴染みで、姉妹以上に仲がよい。「私は大丈夫よ、キャラ」彼女の肩に向かってサフィアは小声で返した。いつもは強い彼女が心の底から恐怖に怯えていたことに、サフィアは驚いていた。こんなふうに愛情を表してくれることは長い間なかった。大人になってからは、キャラの父親が亡くなってからは、ほとんどなかった。

キャラは体を震わせた。「あなたがいなくなってしまったら、私はどうしたらいいかわからないわ」再び腕に力が込められる。慰めを得るためであり、必要に駆られたからでもある。サフィアの目に涙がこみ上げた。かつて同じように抱擁され、同じような言葉をかけられたことを思い出す。〈あなたと離れ離れにはなりたくない〉

サフィアは四歳の時、母を交通事故で亡くした。父はすでになく、サフィアは孤児院に預けられたが、そこは混血の子供にとってつらい場所だった。一年後、ケンジントン家がキャラの遊び友達としてサフィアを受け入れ、個室まで与えてくれた。サフィアはその日のことをほとんど覚えていない。背の高い男の人が迎えにきてくれた記憶だけはある。

それがレジナルド・ケンジントン、キャラの父親だった。

年齢が近く、二人ともお転婆だったことから、キャラとサフィアはすぐに仲良しになった……夜には秘密を打ち明け合い、ナツメヤシやシュロの木の下で遊び、こっそり映画館に潜り込み、ベッドカバーの下で夢を語り合った。楽しい夏が永遠に続くかのような、幸福な日々。

ところが十歳の時、恐ろしい知らせが入った。外国で二年間勉強するために、キャラがイギリスに旅立つことになったとケンジントン卿から告げられたのだ。動揺したサフィアは、席を外すことを一言断る余裕すらなかった。自室に駆け込み、パニックを起こして胸が張り裂けそうだった。また孤児院に逆戻りだ。自分はおもちゃのように片付けられるのだ。けれども、キャラが探しにきた。〈あなたと離れ離れにはなりたくない〉キャラは泣きながら抱き締めて約束してくれた。〈二人で一緒に行けるように、お父様にお願いするから〉

キャラはその約束を守った。

サフィアはキャラとともにイギリスに渡り、二年間を過ごした。姉妹として、親友として、一緒に勉強した。オマーンに帰国した頃には、互いになくてはならない存在になっていた。二人は首都マスカットで学校教育を終えた。すべてが幸せそのものだった。キャラがある年の誕生日に出かけた狩猟旅行から、日焼けし、取り乱して帰宅するまでは。

父は娘と一緒に帰ってこなかった。

表向きは「陥没穴に落下した」と発表されているが、レジナルド・ケンジントンの遺体はいまだに発見されないままだ。

その日から、キャラはどこか変わってしまった。それまで通り、サフィアをそばに置いていたが、それは心からの友情からというよりも、慣れ親しんだ人がそばに必要だという理由からのように思えた。キャラは早く学業を終え、父の様々な事業を継ぐことだけを考えるようになった。彼女がオックスフォード大学を卒業したのは十九歳の時だった。

若くして彼女は経営に非凡な才能を発揮し、すでに大学在学中に父の純資産を三倍にしていた。ケンジントン石油株式会社は成長を続け、コンピューター関連、海水淡水化の特許、テレビ放送など、新たな分野にも進出した。それでも、キャラは一族の富の源泉である石油を軽視することはなかった。昨年も、ケンジントンはハリバートンを上回り、石油事業で最も高い収益をあげている。

ケンジントンの石油事業と同様、サフィアも忘れられることはなかった。キャラはサフィアの学費を出し続けてくれた。オックスフォード大学で六年間学んだサフィアは、考古学の博士号を取得する。卒業と同時に、サフィアはケンジントン石油株式会社に雇用される身となった。やがて、大英博物館でキャラが熱心に行なっていたプロジェクトを監督することになる。レジナルド・ケンジントンが始めた、アラビア半島の遺物の収集だ。父親のほかの事業と同じく、このプロジェクトもキャラの手によって成功を収め、世界最大の単独コレクションとなった。二カ月前、サウジアラビアの王族がコレクションを買い取って、アラビアの地に戻そうと試みた。数十億ポンドが提示されたという噂だ。

キャラはその申し出を断った。これらの所蔵品はお金以上の意味がある。父親の形見なのだ。遺体は見つからなくとも、父親の墓所はここにある。大英博物館のこのウイングの、アラビアの富と歴史に囲まれた中にある。

サフィアは友人の肩の向こうにあるライブ映像のモニターを見つめた。自らの労作が灰燼《かいじん》に帰している。この損失がキャラにとってどれほどの意味を持つか、想像することすらできない。父の墓を冒瀆《ぼうとく》されたも同然なのだから。

サフィアは同じ情熱を分かち合った者から知らせを伝えることで、少しでもショックを和らげようとした。「キャラ、ギャラリーが……だめになったの」

「知ってる。もうエドガーから聞いたわ」キャラの声からためらいは消えていた。急にきまり悪くなったかのように体を離す。キャラはそこに集まっている人たちを見回した。いつもの命令口調が戻っている。「何が起きたの？　誰の仕業なの？」

サウジからの申し出を断って間もなくコレクションを失ったことで、キャラは明らかに疑念を抱いている。

例のテープがレディ・ケンジントンのためにただちに再生された。サフィアはテープの内容の機密性について自分が釘をさされたことを思い出した。そのような警告はキャラに対してはなされなかった。富める者の特権というものだろう。

サフィアは再生されるモニターの映像には目を向けず、代わりにキャラを観察した。キャラがどれほどのショックを受けるかと思うと心が痛む。目の端に最後の爆発の閃光が映り、続いてモニターの画面が暗くなる。映像を見ている間、キャラの表情には変化が見られなかった。大理石のレリーフのように、思いに沈む女神アテナのように、まったく動きがない。

しかし、最後にキャラはゆっくりと目を閉じた。衝撃や恐怖のせいではない——サフィアはキャラの気質ならよく知っている。キャラは深く安心して目を閉じたのだ。その唇からかすかなささやき声が漏れた。その一言が聞こえたのはサフィアだけだった。

「やっと……」

2 キツネ狩り

十一月十四日　東部標準時午前七時四分
コネティカット州レッドヤード

獲物を仕留める鍵は忍耐だ。

ペインター・クロウは祖先の土地の上に立っていた。父方の部族はマシャンタケット。「森深い土地」の意味だ。しかし、今ペインターが待機している場所には、木々もなければ、鳥のさえずりも聞こえず、頰をなでるそよ風も吹いていない。スロットマシンの鳴る音、コインのじゃらじゃらいう音、タバコの煙のにおい、絶えず換気されている生命のない空気だけだ。

フォックスウッズ・リゾート・アンド・カジノは世界最大のギャンブル総合施設で、ラスベガスのどんな施設より大きく、モンテカルロさえも凌駕《りょうが》する。コネティカット州レッドヤードのつつましい集落の外れ、マシャンタケット特別保留地の深い森の中に、建物が忽然《こつぜん》とそびえている。六千台のスロットマシンと数百の賭博用テーブルのあるギャンブル施設のほかに、このリゾートには超一流ホテルが三棟も建っている。施設全体をアメリカ先住民のピクォート族、この地で過去一万年にわたって狩猟生活を送ってきた「キツネの人々」が所有する。

しかし、今の狩りの対象はシカやキツネではない。

ペインターの獲物は中国人コンピューター科学者の張新《ジャン・シン》。

「カオス」の別名で知られる張は、中国有数の天才的なハッカー兼暗号破りだ。彼についての調査書を読んだペインターは、ラルフ・ローレンのスーツに身を包んだこのスリムな男に対して一目置くようになった。この三年の間に、彼はアメリカ合衆国内でコンピュータースパイとして立て続けに成功を収めていた。その最新の戦利品が、ロスアラモスから盗み出したプラズマ兵器技術だ。

ペインターの獲物は、ようやくパイゴウ・ポーカーのテーブルからすっと立ち上がった。

「大きいチップに両替いたしますか、ドクター張？」ピットの責任者が訊ねた。船首に立つ船長のように、テーブルを見下ろしている。朝の七時とあって、お客は一人しかない……それとボディーガードたちだ。

人がいないため、ペインターは獲物から十分な距離を保たなければならなかった。悟られてはいけない。特にゲームの終盤とあっては。

張は黒いチップの山を退屈そうな目つきの女性ディーラーの方へと押しやった。ディーラーが勝ち分を積み上げている間、ペインターは獲物を観察した。

張は中国人によくいるタイプで、表情が読み取れない。そのポーカーフェイスはよい手が来ても悪い手が来ても、わかりやすい動きや特有の癖を見せない。淡々とゲームを続けるだけだ。ちょうど今のように。

この男の外見から、彼が十五カ国で指名手配されている大物犯罪者だと想像するのは難しい。服装は典型的な欧米のビジネスマン風だ。地味なピンストライプの、きっちりと仕立てられたスーツ、シルクのネクタイ、プラチナのロレックス。だが、どこかに厳しい美学のようなものが感じられる。黒い髪は耳のまわりと後ろを刈り上げ、頭頂部にだけきれいに残されている。修道僧に見えなくもない。こぢんまりした眼鏡の丸いレンズは青みかがった色をしており、学者めいた風貌だ。

ディーラーが積み上げたチップの上で両手をさっと振り、天井の黒く反射するドームに隠された監視カメラに向けて、指にも手のひらにも何も隠されていないことを示した。

「五万ドルちょうどです」ディーラーは伝えた。

ピットの責任者がうなずいた。ディーラーは千ドルのチップでその額を数え上げた。「さらなる幸運を」責任者が声をかけた。

うなずき一つせずに、張は二人のボディーガードを引き連れてテーブルを離れた。彼は一晩中賭けていた。すでに夜はしらじらと明けている。サイバー犯罪フォーラムは三時間後に再開の予定だ。会議では個人情報盗難やインフラ保護をはじめ、数々の安全対策の最新の傾向が話し合われる。

二時間もすれば、ヒューレット・パッカード社主催の朝食シンポジウムが始まる。張はそのシンポジウムの間にデータの受け渡しを行なうはずだ。アメリカ側の接触相手の正体はまだ判明していない。この作戦の主眼の一つがその点だった。兵器のデータを確保する一方で、合衆国側の張の連絡員を暴く。軍事機密と技術を売買する裏の組織に関係した人物だろう。

任務の失敗は許されない。

ペインターは一行の後を追った。彼はＤＡＲＰＡに抜擢されてこの任務に就いていた。マイクロサーベイランスとコンピューター工学の知識が買われたこと以上に、フォックスウッズの土地に溶け込むことのできる点が大きい。

血は半分しか入っていないものの、ペインターはピクォート族として通用するだけの容貌を父から受け継いでいる。日焼けサロンに何度か通って肌の色を濃くし、茶色のコンタクトレンズで母譲りの青い瞳を隠す必要はあったものの、それだけで十分だった。肩まである漆黒の髪を後ろで束ねた姿は、父によく似ている。変装の仕上げとしてカジノのスーツを着用した。ポケットにはピクォート族のシンボル、青空を背景に枝を伸ばした丘の上の木が刺繡《ししゅう》されている。そもそもスーツ以外に目を向ける者がいるとも思えない。

ペインターは抜かりなく張を尾行した。視線を直接向けることは決してしない。視界の端で姿をとらえながら、自らの容姿を最大限に利用する。点滅するスロットマシンのネオンの森を抜け、緑のフェルトのテーブルの間を通りながら、ペインターは獲物を追った。一定の距離を保ちつつ、歩く速度と方向を絶えず変える。

ペインターのイヤホンに中国語が入ってきた。マイクロトランシーバーがとらえた張の声だ。張は自室のスイートルームへと向かっている。

ペインターはスロートマイクに手を触れ、サブヴォーカライジングで無線にささやいた。

「サンチェス、通信状態はどうだ?」

「ばっちり聞こえるわよ、隊長」

この任務でペインターのパートナーを務めるカサンドラ・サンチェスは、廊下を挟んで張の部屋の向かいにあるスイートルームにこもり、監視装置を操作している。

「皮下の機械の具合はどうだ?」ペインターは訊ねた。

「早くコンピューターにアクセスしてもらわないと。盗聴器のバッテリー残量が少なくなっているわ」

ペインターは顔をしかめた。盗聴器は昨日、マッサージに紛れて張に仕込んだものだ。ラテン系のサンチェスは、先住民と言っても通用するほど浅黒い肌をしている。彼女は昨夜、深部組織マッサージの最中に皮下トランシーバーを埋め込んだのだった。親指を深く押し込みながら挿入したので、軽い痛みは感知されなかったはずだ。小さな傷穴には外科用接着剤の麻酔を塗りこんである。マッサージが終わった頃には、穴はふさがり、接着剤も乾いていたはずだ。

ただし、デジタルマイクロトランシーバーの寿命は十二時間しかない。

「あとどのくらいもつ？」

「長く見積もっても……十八分かしら」

「まずいな」

ペインターは再び獲物の会話に全神経を集中した。

張はごく低い声で話している。ボディーガードだけに聞こえるようにしているのだろう。中国語に堪能なペインターは聞き耳を立てた。張がプラズマ兵器のファイルをいつ読み出すのか、何か手がかりをつかめるのではないかと思ったのだが、期待は裏切られた。

「シャワーを浴びている間に女を準備しておけ」張の声が聞こえる。

ペインターは拳を握り締めた。「女」というのはまだ十三歳の少女、北朝鮮から連れてこられた奴隷だ。少しでも疑問を持たれそうな時には、張は「私の娘です」と先回りして紹介している。本当に娘だとしたら、張の数多くの犯罪容疑のリストに、近親相姦を付け加えなければならないだろう。

尾行しながらペインターは両替ブースを避け、スロットマシンの列に沿って獲物と平行に歩いた。一ドルを元手に賭けるスロットマシンから、ジャックポットの音が鳴り響く。大当たりを出したのはジョギングスーツを着た中年男性で、にんまり笑うと、この幸せを誰かと分かち合いたいとでも言うかのように周囲を見回した。あいにく、ペインターしかいない。

「勝ったぞ！」男性はうれしそうに叫んだ。目が充血している。夜通し遊んでいたのだろう。

ペインターはうなずいた。「さらなる幸運を」とピットの責任者の言葉を借りて答えながら、男をやり過ごす。ここには本当の勝者などいない——勝つのはカジノの側だけだ。スロットマシンだけで、去年は八億ドルの利益を出している。細々と砂利事業を営んでいた一九八〇年代から比べると、ピクォート族は大いに発展したものだ。

残念なことに、ペインターの父はこの急成長の波に乗ることができなかった。特別保留地を離れた父は、成功を求めて一九八〇年代初めにニューヨークに出た。そこでペインターの母と出会ったのだ。だが、イタリア系で気性の激しかった母は、七年間の結婚生活で息子をもうけながら、最後は夫を刺し殺した。母が死刑囚になると、ペインターは里親のもとを転々としながら育った。その時、ペインターは学んだ。口数を少なくし、目立たないのがいちばんだということを。

それが彼にとって最初の隠密行動の訓練だった……それは今も続いている。

張たちがグランド・ピクォート・タワー・ホテルのエレベーターホールに入り、警備員にスイートルームの鍵を見せている。

ペインターもホールに入った。九ミリ口径のグロックを背中の低い位置に留めたホルスターに入れ、カジノのジャケットで隠してある。グロックを取り出し、張の後頭部を処刑スタイルで撃ち抜いてやりたいという衝動を必死に抑える。

ここで殺してしまっては目的が達成できない。軌道プラズマ砲の図面と研究成果を取り返す必要がある。張は堅牢な連邦政府のサーバーからデータを盗み出しただけでなく、ワームを残したのだ。次の朝、ロスアラモスのハリー・クラインという技術者が問題のファイルにアクセスした際、そうとは知らずにワームを作動させてしまった。ワームは兵器に関するデータを食い尽くしたばかりか、クラインに罪を着せる偽の手がかりを置いていった。この巧妙な仕掛けのおかげで、誤った情報に惑わされた捜査官は二週間を無駄にしてしまったのだ。

ＤＡＲＰＡの職員が十人以上かかってこのワームの残したごみを取り除き、ようやく真犯人にたどり着くことができた。名前は張新。上海にある通信関連の新興企業シャンネットの科学者という身分を持つスパイだ。ＣＩＡからの情報によると、盗まれたデータは張のスイートルーム内にあるスーツケース型コンピューターの中に保存されているという。ハードディスクは複雑な暗号の罠で守られている。アクセスを試みて一つでも間違えば、コンピューター内のデータはすべて消去されてしまう。

そんなリスクは冒せない。ロスアラモスのデータはワームによって消滅した。データを失ったことで、開発計画は十カ月遅れると推測されている。いちばんの問題は、盗まれた研究成果によって中国の計画が五年は進んでしまうことだ。ファイルには画期的な新発見や最先端の技術革新が含まれている。それを食い止めるのがＤＡＲＰＡの任務だ。目的は張のパスワードを入手して、コンピューターを奪還することにある。

だが、時間切れが迫っている。

ペインターはホイール・オブ・フォーチュンのスロットマシンに反射した張とボディーガードたちの姿が、最上階にあるスイートルームに通じる直通エレベーターに乗り込むのを確認した。

スロートマイクに触れてささやく。「連中が上に行くぞ」

「了解。こちらは準備できています、隊長」

エレベーターの扉が閉まると、ペインターはその隣のエレベーターへと駆け寄った。明るい黄色のテープがX字型に貼ってあり、黒字で「故障中」と書いてある。ペインターはテープを剝ぎ取りながらボタンを叩いた。扉が開くと同時にエレベーターへと飛び込む。ペインターはスロートマイクに触れた。「乗ったぞ。始めてくれ！」

サンチェスが答えた。「覚悟はいい？」

エレベーターの扉が音もなく閉まると、ペインターはマホガニーの壁に背中を預け、両足を踏ん張った。

籠が急上昇を始め、体が床の方にぐっと押しつけられる。ペインターは筋肉に力を込めた。階数を示す数字がものすごい速さで上昇していく。サンチェスがこのエレベーターに細工して、加速度を最高に設定したのだ。同時に、張の乗ったエレベーターの速度を二十四パーセント遅らせてある。その程度なら気づかれるおそれはない。

ペインターの籠はがたがたと揺れながら減速し、三十二階に到着した。一瞬、足が床を離れて体が宙に浮く。扉が開くと、ペインターは貼られたテープに触れないように注意しながら廊下に出た。隣のエレベーターを確認する。張の籠は三階下を上昇中だ。

急がなければ。

ペインターはスイートルームの並ぶ廊下を走った。張の部屋番号を発見する。「状況は？」

ペインターはささやいた。

「少女はベッドに手錠で固定されているわ。護衛の二人はメインルームでトランプ中」

「わかった」サンチェスは事前にペン型カメラを張の部屋の暖房吹き出し口内部に仕込んでいた。ペインターは廊下を横切り、カードキーを使って向かい側のスイートルームに入った。

カサンドラ・サンチェスは電子監視装置やモニターに囲まれて座っていた。まるで巣の中のクモのようだ。ブーツからブラウスまで、全身黒でかためている。革のショルダーホルスターやベルトまでも、お揃いの色だ。拳銃は四十五口径のシグ・ザウエル・オートマチック。ホーグのラバーグリップを装着し、左利き用に弾倉が右に外れるように改装してある。拳銃の腕は恐ろしいまでに正確だ。ペインターと同じく、カサンドラも特殊部隊で訓練を積んだ後にシグマへとスカウトされている。

カサンドラの目は作戦が大詰めを迎えた興奮から輝いていた。

カサンドラの姿を見て、ペインターの呼吸は速まった。ショルダーホルスターをしっかりと留めているため、彼女の胸が薄いシルクのブラウスに押しつけられていたからだ。きちんと顔を見るために、意識して視線を上に向けなければならなかった。二人はこの五年間パートナーを組んでいたが、彼女に対するペインターの感情が深まったのは最近のことだ。ビジネスランチが仕事帰りの一杯になり、やがて長い時間をかけて楽しむディナーとなった。それでも、まだいくつかの線を越えることはなく、一定の距離が保たれている。

カサンドラはペインターの心の内を読み取ったかのように目をそらした。だが、ペインターのことを責めたりはしない。「あいつがそろそろ部屋に来る頃よ」カサンドラはモニターに注意を戻した。「あと十五分くらいの間にあのファイルを焼いてくれないと——まずいわ！」

「どうした？」ペインターは彼女のそばに近づいた。

カサンドラはモニターの一つを指差した。グランド・ピクォート・タワー・ホテルの上層階の3D断面図が映っている。その中に小さな赤い×が点滅していた。「下に戻っているわ！」×のマークはマイクロトランシーバーに組み込まれた追跡機だ。それがタワーの階下へと向かっている。

ペインターは拳を握り締めた。「何かにびびったんだな。エレベーターに乗ってから部屋との交信は？」

「まったくないわ」

「コンピューターはまだ部屋にあるのか？」

カサンドラは別のモニターを指差した。張のスイートルームがモノクロで映っている。スーツケース型のコンピューターはコーヒーテーブルの上に置かれたままだ。暗号化さえされていなければ、部屋に侵入してコンピューターを奪うだけだから話は簡単だ。しかし、暗号解読には張のパスワードが必要になる。トランシーバーが張の打ち込むキーをすべて記録して、パスワードも読み取れる手筈になっていた。パスワードさえ手に入れれば、張や手下の身柄を確保することもできるのだが。

「すぐに下りなければならない」ペインターは告げた。追跡装置は超小型のため、有効範囲が二百メートルしかない。誰かが常時近くに張りついている必要がある。「見失うわけにはいかない」

「もしあいつが我々に感づいていたら――」

「わかっている」ペインターは扉へと向かった。その時は張を消すことになる。ファイルは失われてしまうが、少なくとも兵器のデータが中国側に渡ることはない。この代替案も事前に準備されていた。安全策の上にも安全策を築いた作戦なのだ。張のスイートルームの通風孔《こう》には、小型の電磁手榴弾《しゅりゅうだん》まで仕掛けてある。いつでも作動可能で、放出された電磁パルスがコンピューター内のデータをすべて消去してしまう。研究成果が中国の手に渡るようなことはあってはならない。

ペインターは廊下を走り、テープの貼られたエレベーターへと戻った。中に乗り込むと、無線のスロートマイクに向かって話す。「あいつより早く下に到着するようにできるか？」

「急所を守った方がいいわよ」答えが返ってくる。

彼女のアドバイスに従うより前に、エレベーターの床がすっと消えたように感じた。しばらく無重力状態となり、胃が喉元までせり上がってくる。エレベーターはワイヤーが切れたかのような速度で落下していく。ペインターはパニックに陥りそうになるのを抑え、逆流してくる胆汁をこらえた。次の瞬間、エレベーターの籠の床が急に近づいてきた。立っているのは無理だ。ペインターは両膝をついた。降下速度が落ち、エレベーターは滑るように停止した。

扉が静かに開く。

ペインターはよろめきながら立ち上がった。三十階分を五秒かけずに下りたのだ。新記録に違いない。扉を抜け、ペインターはエレベーターホールに出た。張が乗っている直通エレベーターの上に表示された数字を見上げる。

すぐ上の階まで迫っている。

ペインターは数歩下がり、扉をカバーできると同時に怪しまれない程度の距離に立つと、再びカジノの警備員を装った。

到着したエレベーターの扉が開く。

直通エレベーターの向かい側には別のエレベーターがある。ペインターは磨き上げられた真鍮の扉に映った光景を確認した。〈馬鹿な……〉ペインターは振り返り、直通エレベーターの正面へと駆け寄った。中には誰もいない。

張は別のフロアで降りたのか？　ペインターは空っぽの籠に一歩足を踏み入れた。そんなはずはない。これは直通エレベーターだ。ここと最上階のフロアとの間に止まる階はない。非常停止レバーを引いて、扉をこじ開けて逃げたというなら別だが。

その時ペインターは気づいた。エレベーターの奥の壁にテープで何かが留めてある。小さなプラスチックと金属の破片がきらりと光った。マイクロトランシーバー。盗聴器だ。

エレベーターに乗り込むペインターの心臓は、大きな音を立てていた。視界には壁に貼られた電子機器しか映らない。ペインターは盗聴器を剝がして仔細に観察した。張はペインターをおびき寄せたのだ。

〈まずいぞ……〉

ペインターはスロートマイクに触れた。「サンチェス！」

心臓が激しい鼓動を続けている。応答はない。

ペインターは扉へと向き直り、エレベーター内の「スイート」とだけ書かれたボタンを押した。扉がのろのろと閉じる。ペインターは狭いエレベーターの中を、檻《おり》に閉じ込められたライオンのように歩き回った。再び無線を試す。やはり応答はない。

「くそっ……」直通エレベーターが上昇を始める。ペインターは拳で壁を叩いた。マホガニーの壁材にひびが入る。「とっとと動け！」

だが、ペインターはすでに手遅れだと悟っていた。

グリニッジ標準時午後二時三十八分
イギリス　ロンドン

ケンジントン・ギャラリーからほんの数歩離れたホールに立つサフィアは、息ができなかった。呼吸困難は木材の煙や焦げた断熱材、電気系統の燃え残りの悪臭のせいではない。待つことがつらいからだ。午前中ずっと、サフィアはイギリスのあらゆる機関の捜査官や調査官が出入りするのを見つめていた。しかし、彼女は中に入れてもらえなかった。

当局者以外立ち入り禁止。

一般市民は、黄色いテープやバリケード、油断のない目つきをした警備の兵士の先へと入ることが認められなかった。

半日もたった頃、やっとサフィアは中に入り、被害の状況を直に見ることが許された。だが、ようやくその時が来ると、胸が巨大な石の拳で握られているかのように感じる。心臓はあわてふためいたハトのように、肋骨の内側で暴れている。

何を見ることになるのだろう？　救えるものはあるのだろうか？

自分が芯まで打ちのめされ、絶望し、ギャラリーと同じくらいぼろぼろになっているような気がする。

ここの仕事はただの学術的な成果以上の意味がある。テルアビブの後、サフィアはここに自分の心を再構築したのだ。アラビアの地は離れたものの、捨てたわけではない。自分はやはり母の娘だ。だからここロンドンにアラビアを再建したのだ。テロリストが暗躍する以前の、故国の歴史の目に見える記録を、その偉大さを、古代とその謎を。これらの遺物に囲まれたギャラリーを歩いていると、足もとの砂が立てる音を聞き、顔に当たる暖かい太陽の光を、採れたてのナツメヤシの甘さを感じることができた。ここは彼女の家であり、安全な場所であった。

いや、それ以上の意味がある場所だ。サフィアの悲しみが深くなる。

サフィアがここに家を作った本当の理由は、自分のためだけではない。ほとんど記憶のない母のためでもあった。夜遅くまで残って仕事をしている時、サフィアはかすかなジャスミンの香りを感じることがあった。子供の頃の、母の記憶。母とともに生きることはできなかったが、この場所を、この小さな家を、分かち合うことはできた。

だが、それももうなくなってしまった。

「入れてくれるそうだよ」

サフィアはぎくりとした。ライアン・フレミングの方を見る。昨夜はほとんど寝ていないはずなのに、警備主任はずっとサフィアに付き添っていてくれた。

「私も一緒に行くから」フレミングは声をかけた。

サフィアは大きく息を吸い込んでからうなずいた。彼の親切な申し出への精いっぱいの感謝だ。サフィアは博物館のほかの職員に続いてギャラリーへと入った。彼らはギャラリーの展示物の目録と書類の作成を手伝うことに同意してくれた。何週間もかかる作業になるだろう。

ギャラリーの状態を見たいという気持ちと、見るのが怖いという気持ちの間で揺れながら、サフィアは前へと進んだ。最後のバリケードを迂回《うかい》する。防犯ゲートは検死官によってすでに撤去されていた。サフィアは安堵した。ハリー・マスターソンの遺体まで見たいとは思わない。

サフィアは入口へと進み、中をのぞき込んだ。

心の中で覚悟はしていたし、ビデオカメラの映像で一部を見てはいたものの、実際に目の当たりにした時の衝撃に対しては心の準備ができていなかった。

かつての明るいギャラリーは、焦げた五つの石室から成る黒い洞窟と化していた。

サフィアの胸が詰まる。背後で息をのむ声が聞こえる。

猛火はすべてを破壊していた。壁板はその下のコンクリートが見えるまで焼き尽くされている。ギャラリーの中央部にあるバビロニアの花瓶のほかには、立っているものはない。腰までの高さがある花瓶は、焼け焦げてはいるものの、しっかりと立っていた。竜巻が発生した時にも似たような現象が起こったという記事を読んだことがある。竜巻で一帯が壊滅したにもかかわらず、スタンドで立てられた一台の自転車だけが、そのまま残っていたそうだ。

理解できない。何もかも。

あたりにはまだ煙のにおいが残り、床には消防のホースからの大量の放水が、すすで汚れて数センチもたまっている。

「ゴム長がいるよ」そう言うと、フレミングはサフィアの腕を取り、長靴が並んだ場所まで連れていってくれた。呆然としたままサフィアは長靴を履いた。「それに安全帽も」

「どこから始めりゃいいんだ?」誰かがつぶやいた。

必要な装備を整えて、サフィアはギャラリーへと足を踏み入れた。まるで夢を見ているかのような気分だ。まばたき一つせずに、ただ周囲を見回すことしかできない。ギャラリーの奥に達した時、何かが長靴の下で音を立てた。しゃがんで水の中を探り、床から石を拾い上げる。表面にいくつかの楔形《くさびがた》文字が彫られている。古代メソポタミア時代にまでさかのぼる、アッシリアの石板の破片だ。サフィアは体を起こしてケンジントン・ギャラリーの廃墟を見渡した。

その時になって初めて、ほかの人間がいることに気づいた。自分の家の中に、見たことのない人たちがいる。

何人かのグループごとに作業をしており、まるで墓地にいるかのような抑えた声で話している。建築の専門家が基礎構造を調べるかたわらで、火災調査官が手に持った装置で数値を測定している。自治体のエンジニアたちが隅に固まって予算だの入札だのについて議論しているかと思えば、数人の警察官が崩壊した外壁のそばで警戒に当たっている。すでに作業員たちが隙間をふさぐための板を張っていた。

その隙間から、通りを挟んで向かい側の非常線の奥に、大勢の見物人の姿が見える。午前中の小雨が午後にはみぞれに変わったというのに、こんなにも多くの人がまだ集まっているなんて。暗がりでカメラのフラッシュがぱっと光った。観光客だ。

無感覚だったサフィアの心に怒りの炎が燃え上がった。全員まとめてここから放り出してやりたい。ここは自分のウイング、自分の家だ。怒りのおかげで集中力が戻り、目の前の状況へと意識を向ける。自分にはしなければならないことが、果たすべき義務がある。

サフィアは博物館のほかの学者や研究員に注意を戻した。瓦礫《がれき》の間をそろそろと歩き始めている。いつものつまらない職業上のライバル心が、今日に限っては脇に追いやられているのを見ると励みになる。

サフィアは手助けを申し出てくれた人たちをまとめるため、入口へと向かった。ところが、最初の部屋まで戻った時、さらに大勢の人たちが入口に姿を現した。先頭を切って歩いているのはキャラだ。作業服を着ていて、赤いヘルメットにはケンジントン石油のマークが付いている。キャラは二十人ほどの男女をギャラリーへと案内していた。全員同じ服装で、同じヘルメットをかぶっている。

サフィアはキャラの前へ出た。「キャラ?」今朝からこの友人の顔を見ていなかった。館長と一緒にどこかへ姿を消したきりだった。消防や警察の様々な調査チームの調整をしていたのだろう。こういう時には数十億ポンドの資産がものを言う。

キャラは男女のチームに手を振ってギャラリーに入れた。「さあ始めて！」そう言ってからサフィアに顔を向ける。「自前の科学捜査チームを雇ったの」

サフィアは二十人ほどの人たちが小編成の部隊のようにぞろぞろと部屋に入っていくのを見つめた。武器の代わりにあらゆる種類の計器や機器類を手にしている。「いったいどういうこと？　なぜこんなことをするの？」

「何が起きたのか突き止めるためよ」キャラはチームが仕事に取りかかるのを見守っている。その目は熱っぽく輝き、決意に燃えていた。

サフィアが友人のそんな表情を見るのは久し振りのことだった。何年もの間、ずっと失われていた意欲を、何かが呼び覚ましたのだ。そんな熱意をもたらすことができるのは一つしかない。

お父さんのことだ。

サフィアはビデオ映像を見ていた時にキャラの目に浮かんだ表情を思い出した。奇妙な安堵感。口から漏れた一言。〈やっと……〉

キャラがギャラリーの内部へと入ってきた。彼女のチームはすでにあちこちの表面からサンプルを掘り出している。プラスチック、ガラス、木片、石。キャラは金属探知機を持って床を調べている二人の男性に近づいた。一人が瓦礫の中から溶けた青銅のかけらを拾い上げ、脇に置いた。

「あの隕石の破片を全部、見つけてちょうだい」キャラが指示した。

二人はうなずき、探索を続けた。

サフィアもキャラに合流した。「本当に探しているのは何なの？」

キャラはサフィアの方へ振り向いた。その目は強い決意に燃えている。「答えよ」

サフィアはきつく結んだ友人の唇から希望を読み取った。「あなたのお父様のこと？」

「父の死についてよ」

午後四時二十分

キャラはホールで折りたたみ椅子に座っていた。ギャラリー内の作業はまだ続いている。ファンが回り、かたかたと音を立てる。ウイングで働く作業員たちの低い話し声は、キャラの座っているところまではほとんど聞こえてこない。彼女はタバコを吸うために出てきたのだった。もう長いことやめていた習慣だが、手に何かを持っていないと落ち着かない。さっきから指の震えが止まらなかった。

自分にはこれに耐えられる強さがあるのだろうか？　希望を持つ強さが。

ギャラリーから出てきたサフィアがキャラを見つけ、こちらに来ようとする。

キャラは手で追い払う仕草をして、タバコを示した。「ちょっとの間、一人にさせてくれる？」

サフィアは足を止めてキャラをじっと見つめてから、うなずくとギャラリーへと戻っていった。

キャラはもう一度タバコを一口吸い、胸を冷ややかな煙で満たしたが、それでも落ち着くことができなかった。心身のバランスが崩れている。夜の間に湧き出たアドレナリンは切れかけていた。ギャラリーの脇のプレートを見上げる。創設者である父の顔がブロンズに刻まれている。

ため息とともに一条の煙が流れ、視界をくもらせる。〈お父様……〉

ギャラリーの方で何かが落下して大きな音を立てた。銃声のように響いたその音が、過去の記憶を、砂漠での狩りの記憶を呼び起こす。

キャラは知らず知らずのうちに過去へと思いを馳せた。

あれは十六歳の誕生日のこと。

狩りは父からのプレゼントだった。


〜〜〜〜〜

アラビアオリックスは砂丘の斜面を駆け上がって逃げた。レイヨウの一種で、純白の毛皮が赤い砂の中で際立って見える。雪のような白い体表にほかの色があるのは二カ所だけだ。尻尾の先端と、マスクのように目と鼻を覆う黒。今はそれに加えて、臀部《でんぶ》の傷口から湿った深紅の筋が垂れている。

ハンターたちから逃がれようと必死なオリックスの蹄《ひづめ》が、やわらかな砂の中に深く埋もれる。稜線《りょうせん》を目指して力強く蹴ると、おびただしい量の血が飛び散る。苦しそうに歩を進めるごとに首の筋肉がよじれ、先端のとがった二本の角が静かな空気を切る。

五百メートルほど後方にいるキャラは、サンドバイクのエンジン越しに、砂漠にこだまする動物の叫び声を耳にした。四輪の全地形対応車には、太くごつごつとしたタイヤが付いている。いらだったキャラは、巨大な砂丘の峰を飛び越えるバイクのハンドルを強く握り締めた。稜線を越えたバイクが宙に浮いた瞬間、キャラの体もシートから離れて宙に浮く。

きつく結んだキャラの唇に浮かんだ怒りの表情は、スカーフの下に隠れて見えない。スカーフの色はカーキ色のサファリスーツと同じだ。背中まであるブロンドの髪は結ばれ、野生の雌馬の尻尾のように後方ではためいている。

キャラの父も別のバイクに乗り、彼女の速度に合わせて走行している。父はライフルを背中に留めていた。スカーフを首まで垂らしている。日に焼けたその肌はサドルの革と同じような色をしており、髪はやや茶色がかった白髪が混じっている。父は娘の視線に気づいた。

「近いぞ！」バイクのエンジン音に負けない声で叫ぶと、父はエンジンの出力を全開にして、風上側へと砂丘を下っていく。

キャラは父に合わせてスピードを上げ、バイクのハンドルにくっつかんばかりに体を折り曲げた。その後ろからベドウィンのガイドがぴったり続く。この獲物まで導いてくれたのはガイドのハビブだった。オリックスに最初の傷をつけたのも、ベドウィンの正確な射撃だ。バイクを走らせながらオリックスに命中させたその腕前には感嘆したものの、殺さないようあえて傷をつけただけだと知って、キャラは激しい怒りを覚えていた。

「スピードを緩めました……お嬢様のために」ハビブはそう説明した。

残酷なやり方にキャラは憤慨した……これは自分に対する侮辱でもある。狩りなら六歳の頃から父と一緒に経験を積んでいる。腕に覚えがあるし、一発で仕留める方が性に合っている。わざと急所を外して動物を傷つけるなんて、どうしてそんな残酷なことをするのだろうか？

キャラはスロットルを開いた。タイヤが砂を巻き上げる。

彼女の育ち方に眉をひそめる人もいる。特に母国のイギリスではそうだ。じゃじゃ馬なのは、母親がいないせいだという人もいる。けれども、キャラは身をもって経験していた。世界の半分を旅しながら、男性と女性の区別など関係なく育てられたのだ。自分の身を守る術も、素手やナイフで戦う方法も知っている。

砂丘の麓に達し、キャラとガイドが追いついた時、父のバイクは「ラクダの風呂」にはまっていた。やわらかい砂がたまった場所で、流砂のように引き込まれてしまう。二人は砂煙を上げて父を追い越した。

父はバイクを強引に砂だまりから引き出し、二人を追って次の砂丘へと向かった。高さが二百メートル近くもある巨大な赤い砂の山だ。

キャラはバイクのスピードを落としながら、ハビブとともに先に頂上へと到達した。頂上の先の地形を確認する必要がある。スピードを落としたのは賢明だった。頂上の向こう側は崖のような急斜面で、斜面の下には平らな砂地が広がっている。下手をすれば真っ逆さまに転がり落ちていただろう。

ハビブが手を振って止まるように合図した。キャラは指示に従った。無視して進むような無茶はしない。バイクをアイドリングさせる。バイクの動きが止まると熱気が肩に重くのしかかってくるように感じたが、キャラは暑さをほとんど意識していなかった。畏怖《いふ》の念とともに長いため息が口から漏れる。

砂丘の頂上の先には壮大な風景が広がっていた。日没間近の太陽が、平らな砂をガラスのように輝かせている。ゆらゆらと揺れる蜃気楼《しんきろう》が、いくつもの巨大な湖の幻影を作っている。過酷な地形に浮かぶ、偽りのオアシスだ。

しかし、キャラの目を釘付けにしたのは別の光景だった。平原の中央付近から漏斗《ろうと》型の砂が巻き上がり、はるか頭上の砂塵《さじん》の雲へと消えている。

「砂の悪魔《サンドデビル》」と呼ばれる塵旋風《じんせんぷう》だ。

キャラがこの自然現象を見るのは初めてではなかった。忽然と現れたかと思うと忽然と消えてしまう、もっと激しい砂嵐も見たことがある。それでも、目の前の光景はキャラの心を強く打った。塵旋風のどこか寂しげな様子、平原の中央で止まっているかのようなその静けさ。何か謎めいた、この世のものではないような雰囲気を持っている。

横でハビブが何かをつぶやいているのが聞こえる。祈りを捧げるかのように、頭を垂れている。

ちょうどその時、父が二人に合流した。キャラは父に注意を向けた。「あそこにいるぞ!」父は息を切らしながら、険しい斜面の下を指差した。

オリックスは広々とした砂の平原を苦労して進んでいる。足を引きずっているのがここからもはっきり見て取れる。

祈りから我に返ったかのように、ハビブが片手を上げた。「いいえ、この先には行けません」

父は顔をしかめた。「何を言っているんだ?」

ガイドは平原の方を見たまま顔を動かさない。その表情は、第二次世界大戦中のドイツアフリカ軍団が使用していたような濃いゴーグルと、「シャマグ」と呼ばれるオマーンの毛織のストールに隠れているために、読み取ることはできない。

「この先には行けません」ハビブは低い声で繰り返した。「ここはニスナスの国、禁断の砂地です。引き返さなければいけません」

父は笑った。「馬鹿なことを言うなよ、ハビブ」

「お父様？」キャラは問いかけた。

父は首を左右に振ってから説明した。「ニスナスというのは砂漠の奥深くにいるお化けさ。黒い精霊、砂にとりついている幽霊だ」

キャラは振り返った。ガイドの方を見るが、表情は読めない。「アラビアの空虚な一角」を意味するルブアルハリは、世界最大の砂漠で、その面積はサハラ砂漠さえも上回る。そこから生まれた不思議な物語は無数にあり、その多くは荒唐《こうとう》無稽《むけい》な内容だ。しかし、そうした物語をいまだに信じている人もいる。

どうやらこのガイドもその一人のらしい。

父はエンジンを減速させた。「キャラ、この狩りは前からの約束だったし、がっかりさせたくない。だが、おまえが戻りたいと言うのなら……」

キャラはためらった。ハビブと父を交互に見つめながら、恐怖と決意、伝説と現実との狭間で心が揺れる。この荒涼とした砂漠の奥深くでは、どんなことでも起こりうるような気がする。

キャラは逃げていく動物に目を向けた。熱い砂の上で脚を引きずりながら、必死に前へと進み、砂地の上に苦痛の足跡を残していく。キャラは何をするべきかわかっていた。この血と苦しみは、自分のために始まったものだ。自分が終わらせなければいけない。

キャラはスカーフを引き上げると、エンジンをふかした。「もっと楽に下りられるルートがあるわ。左に迂回するのよ」尾根に沿ってバイクを進め、砂丘の表面のいくらか傾斜が緩やかな部分を目指す。

わざわざ振り向いて見なくても、父の顔いっぱいに浮かんだ満足と誇りの笑みが感じられた。その笑顔が太陽のように明るくキャラを照らしてくれる。もっとも、今は太陽が二つもあったら暑くてたまらないが。

キャラは平原へと目をやった。ぽつんと見えるオリックスの姿のさらに先、寂しげな砂の渦巻きを凝視する。塵旋風そのものは珍しくない現象だが、目の前の渦はどこかおかしい。さっきからまったく移動していないのだ。

緩やかな斜面の上に達すると、キャラはバイクを平原に向けて傾けた。いくらか緩やかとはいえ、それでもかなり険しい傾斜だ。バイクは砂の表面を滑るように下りていくが、キャラは不安定な砂の上でバイクの姿勢を保った。かたい平地に着地するとタイヤのグリップ力が強まり、スピードが上がる。

父のバイクもすぐ後ろからついてくる。バイクの音は獲物にも届いたようだ。オリックスは苦しそうに頭を振りながら足を速めた。

距離は五百メートルもない。それほど時間はかからないだろう。平地なら二人のバイクは動物に追いつくことができる。素早くとどめを刺せば、苦しみから解放してやることができ、狩りは終わる。

「隠れようとしているぞ!」父が叫びながら腕を伸ばした。「砂嵐の方へと向かっている」

父が一気にキャラを追い抜いた。キャラも体をかがめて後を追う。二人が追う傷ついた獲物は、最後の力を振り絞りながら走っている。

オリックスはよろけながら砂嵐の縁へと近づき、その中心へと向かった。

父がだみ声で悪態をついたが、スピードは落とさない。

キャラは父のタイヤの跡を追った。

砂嵐に近づくと、二人は砂が深い窪地になっていることに気づいた。二人は窪地の縁でバイクを止めた。塵旋風はその窪地の中心から発生している。砂漠を深く掘り進みながら、砂を空中高く舞い上げているかのようだ。砂の柱の高さは約五十メートル、窪地の直径も優に四百メートルはある。

砂漠の中に出現した、砂を噴き上げる火山のようだ。

青いエネルギーの筋が、気味が悪いほど静かなぱちぱちという音とともに砂塵を貫いている。オゾンのようなにおいがする。乾燥した砂漠の砂嵐特有の静電気だ。

そんな目の前の光景を無視して、父はすり鉢状の窪地の底を指差した。「あそこにいるぞ!」

キャラは視線を落とした。オリックスは窪地の底でよろめきながら、砂の濃い方へ、中心近くにある渦の方へと向かっている。「ライフルを構えろ!」父が呼びかける。

だが、キャラは凍りついたかのように動けなかった。

オリックスは塵旋風の縁に達した。脚が震え、今にも膝から崩れ落ちそうだ。それでも、渦巻く砂の中に隠れようとしている。

父は小声で悪態をつきながら、斜面をバイクで下り始めた。

恐怖を覚えたものの、キャラは下唇を嚙み、バイクで縁を乗り越え、父の後に続いた。斜面を下り始めるとすぐに、窪地の中に静電気が閉じ込められているのを感じた。皮膚の毛が服に触れて乾いた音を立て、恐怖に拍車をかける。スピードを落とすと、後輪が砂の斜面にめり込んだ。

父が窪地の底に到達すると、倒れそうな勢いでバイクをスキッドさせながら停止した。父はバイクにまたがったまま、ライフルを肩の高さに構えて体をひねった。

父のマーリンのライフルの大きな銃声が響いた。オリックスの方を見るが、すでに砂嵐に入っていて、ぼんやりとした影にしか見えない。その影が傾き、倒れた。

とどめの一発。父が射止めたのだ!

キャラは不意に自分の愚かさを強く意識した。怖気づいてしまい、狩りにおける自分の役割を忘れてしまっていたのだ。「お父様!」キャラは呼びかけた。現実をしっかりと見据える父の姿を誇りに思い、賞賛するつもりだった。

だが、突然の悲鳴にそれ以上の言葉はかき消された。塵旋風の中からだ。地獄の底から響くような恐ろしい苦痛の叫びが聞こえる。砂塵の中心でのたうつオリックスの黒い影は、渦を巻く砂に遮られてぼんやりとしか見えない。苦しい咆哮《ほうこう》が喉を裂いて出た。オリックスは何かになぶり殺しにされている。

父はバイクにまたがったまま、方向転換しようともがいている。キャラを見上げた父の目は大きく見開かれていた。「キャラ！　ここから出ろ！」

キャラは動けなかった。いったい何が起きているの？

オリックスの鳴き声が途切れた。それに代わっておぞましいにおいが漂い始める。肉と毛が焼ける悪臭だ。窪地の底から湧き上がるにおいにのみ込まれ、キャラは激しくむせた。父がまだバイクと格闘しているのが見えたが、タイヤが砂に埋まってしまっている。動けないのだ。

父の目はまだ同じ場所にとどまっている娘の姿をとらえた。「キャラ！　行きなさい！」言葉だけでは足りないとでも言うかのように、腕を大きく振る。日焼けした顔が死人のように青ざめている。「逃げるんだ！」

その時、キャラは感じた。砂の中の動き。最初は軽く引っ張られるような、急に重力が強まったかのような感覚。砂粒が舞い上がって落ち、たちまち小川のような流れとなって弧を描きながら、塵旋風へと向かっていく。

父もそれを感じていた。エンジンを全開にしたが、砂の中で車輪が空回りし、砂煙を巻き上げるだけだ。父はキャラに向かって絶叫した。「逃げろと言っているだろう！」

その悲痛な叫び声はキャラにとって衝撃的だった。父が大声を出すなんてめったにないことだ――しかも、パニックに陥っている父は見たことがない。

キャラはエンジンの回転数を上げた。不可解な砂の流れが集まるにつれて、砂塵の柱が太くなっている。キャラは恐怖に襲われた。塵旋風は父が砂にはまっている場所へと近づいている。

「お父様！」警告しようとキャラは叫んだ。

「早く行きなさい！」決してあきらめようとしなかった父は、ようやくバイクを砂から解放した。バイクにまたがったまま方向転換すると、砂がタイヤに押しつぶされる。

キャラも父のやり方にならった。方向転換し、エンジン全開で斜面を登り始める。タイヤに砂が吸いつき、まるで渦巻く水にのみ込まれているかのように体が下へと引っ張られる。キャラは運転技術のすべてを駆使して砂と格闘した。

ようやく窪地の縁に達すると、キャラは後ろを振り返った。父はまだ窪地の底の近くにいる。砂と汗にまみれた顔で、神経を集中して目を凝らしている。その背後には渦巻く砂が迫り、高くそびえ、静電気の閃光が走る。すでに窪地の底はすっかり覆い尽くされている。

キャラはどうしても目をそらすことができなかった。砂塵の中心の黒い影が大きくなり、外へと広がり、さらに暗さを増し、巨大化していく。静電気の光も黒い影を照らすことはできない。焼けた肉のにおいがまだあたりに漂っている。ガイドの警告を思い出し、キャラの心は恐怖に包まれた。

黒い幽霊……ニスナスだ。

「お父様!」

しかし、父はより深く、より強い渦の流れにはまっていて、脱出することができない。砂の円柱がふくれ上がり、その端が父をかすめる。父と娘の目が合った。父は自分のことより娘のために必死だった。

「行きなさい」口の動きしか見えない――そして父は消えた。塵旋風を満たす暗黒の中へと。

「お父様……!」

恐ろしい悲鳴が続いた。

それに反応するよりも先に、砂の柱は激しい勢いで外側へと爆発した。キャラはバイクのサドルから吹き飛ばされ、宙を舞った。体が回転し、上も下もわからない。時間の感覚が失われる。やがて地面が近づき、キャラは体をしたたかに打った。腕のどこかの骨が折れたが、突き刺すような痛みもほとんど感じない。キャラは砂の上を転がり、うつぶせの姿勢で止まった。

動くことができず、キャラはしばらくの間そのまま横たわっていた。父はどうなったのだろうか? キャラは脇腹を下にして体を半分起こした。砂漠に出現した砂の火山の方を振り返る。

塵旋風はなくなっていた。跡形もなく消えていた。微量の砂が舞っているだけだ。キャラは何とか上体を起こした。うめき声をあげながら、折れた腕をもう片方の手で抱える。いったいどういうことなの? キャラは周囲を見回した。

目に映るのは平らな砂地だけだ。轍《わだち》も足跡も残っていない。すべて消えてしまった。砂の窪地もなければ、血まみれのオリックスも、砂で汚れたバイクもない。

キャラは何もない砂地を見つめた。「お父様……」

〜〜〜〜〜

ギャラリーの方から聞こえた大声で、キャラは我に返った。手にしたまま忘れていたタバコは、フィルターの部分まで燃えている。キャラは立ち上がり、タバコを踏み消した。

「こっちだ！」声が再び聞こえた。彼女が連れてきた技術者の一人だ。「何かあるぞ！」

東部標準時午前八時二分
コネティカット州レッドヤード

エレベーターに乗ったペインター・クロウは、低い姿勢で身構えた。グランド・ピクォート・タワーの最上階に達し、エレベーターの扉がゆっくりと開く。待ち伏せに備え、弾を込めたグロックを前に向け、引き金に指をかけている。

エレベーターの周辺には誰もいない。

呼吸を止めて耳を澄ます。人の声も、足音も聞こえない。遠くからテレビの音が聞こえる。『グッドモーニング・アメリカ』のテーマ曲だ。とてもじゃないが、いい朝とは言えない。

少し緊張を緩めると、ペインターは武器を構えながら扉の外へと顔を出した。何もない。靴を脱ぐと、急いで戻らなければならない事態が起きた場合に備えて、一つを扉に挟んで開けたままにする。靴下だけになって三歩で反対側の壁に達し、周囲の様子をうかがう。

人影はない。

ペインターは人手不足を恨んだ。ホテルの警備員と地元の警察の協力を得て、すべての出口が監視下に置かれているとはいえ、先住民の特別保留地であることを配慮して、連邦政府の追加要員の人数は限られている。

しかも、今回の任務は単純な身柄確保だと考えられていた。最悪の場合でも、研究データを破壊して中国側の手に渡らないようにすればいいだけのことだと。

だが、今や最悪の想定を超えた事態になっている。ペインターは自らが用意した装置によって惑わされたのだ。しかし、現時点ではそれよりも大きな懸念材料がある。

カサンドラ……

自分の考えが間違っていることを祈るものの、希望の持てるような状況にはない。

ペインターはエレベーターホールの壁に沿って移動した。廊下のちょうど中央部に出る。部屋番号の振られたスイートルームが両側に並んでいる。ペインターは体勢を低くしたまま左右を確認した。誰もいない。張やボディーガードの気配すらない。

ペインターは廊下を移動した。

かみそりの刃のように神経が研ぎ澄まされる。背後で扉のロックの解除される音がして、ペインターは身を翻した。片膝をつき、銃を構える。だが、それはホテルの宿泊客の一人だった。廊下のかなり先の方で、バスローブ姿の年配の女性が姿を現した。扉の前の床に置かれたホテルのサービスの新聞『USAトゥディ』を手に取ると、同じフロアに銃を持った男がいることに気づきもせず、室内に戻った。

ペインターは上体をねじって背後に目を向けた。素早く十歩ほど移動して、自分のスイートルームの扉へと近づく。取っ手に手をかけたが、鍵がかかっている。片手でカードキーを探りながら、もう片方の手に握ったグロックの銃口を向かい側にある張の部屋に向ける。電子錠にカードを通す。緑のライトが点灯した。

廊下の壁に背をつけたまま、ペインターは素早く扉を開いた。

銃声は聞こえない。叫び声も聞こえない。

ペインターは室内へと飛び込んだ。入って一メートル半のところで止まり、両足を開いて拳銃を構える。メインルームと寝室が見渡せる。

誰もいない。

部屋の奥へと進み、寝室とバスルームをチェックする。敵はいない……カサンドラもどこにもいない。ペインターは電子機器が並んだ前へと戻った。モニターを点検する。廊下の向かい側にある張のスイートルーム内の複数の映像が表示されている。彼らはすでに引き払っていた。コンピューターもない。ただし、一人だけスイートルームに残っている人物がいる。

「何てことだ……」

ペインターは扉から飛び出した。警戒している場合ではない。廊下を横切り、ホテル内のすべての部屋を開けることができる警備員用の合鍵を手に取る。張のスイートに押し入ると、ペインターはメインルームを駆け抜け、寝室へと飛び込んだ。

彼女は裸で、天井のファンから下がったロープの先に吊るされていた。締まったロープの上の顔は、皮膚が赤紫に変色している。さっきモニターで見た時はまだばたばたと動いていた足が、今はだらんと垂れ下がったままだ。

銃をホルスターに収めてから、ペインターはジャンプして椅子を飛び越えた。手首の鞘《さや》から短剣を取り出し、一振りでロープを切断する。床に着地するとナイフを捨て、落ちてくる体を受け止めた。

上体をよじって彼女をベッドに下ろしながら、ペインターは床に両膝をついた。締まった結び目を指でさぐる。

「くそっ！」

ロープは彼女の細い首に深く食い込んでいたが、どうにかほどくことができた。ペインターはロープを引きはがした。指でそっと首を調べる。骨は折れてはいない。

まだ息はあるだろうか？

その疑問に答えるかのように体が震え、喘ぎ声が口から漏れた。

ペインターは安堵のため息をつきながら首を垂れた。

彼女の目がくるりと開いたが、パニックになって何もわからない様子だ。少女は激しく咳き込んだ。見えない敵と戦うかのように腕が動く。

ペインターは落ち着かせようと中国語で話しかけた。「大丈夫だよ。寝ていなさい。もう大丈夫だから」

少女は十三歳よりも幼く見えた。裸の体には、子供にあってはならない場所に青あざができている。張は少女の体をもてあそんだ。用済みになると、ロープに吊るして部屋に置き去りにした。ペインターを足止めし、追跡を妨げるためだ。

ペインターは腰を落としてしゃがんだ。少女は体を丸めて泣き出した。こんな時は手を触れたりせずに、そっとしておいた方がいい。

ラッシュ社の通信機が耳の中で鳴った。「クロウ隊長」ホテルの警備主任の声だ。「タワーの北出口で銃撃戦です」

「張か？」起き上がってバルコニーの窓に駆け寄る。

「はい。あなたのパートナーを盾にしているとの報告です。撃たれているかもしれません。今、加勢を送っています」

ペインターは窓を押し開けた。宿泊客の安全のため、どうにか頭を出せる程度にしか開かない。「バリケードを張らないと」

「ちょっと待ってください」

タイヤのきしる音がペインターの耳に届いた。リンカーン・タウンカーがホテルの駐車場から飛び出し、タワーへと向かっている。張の専用車だ。やつを迎えにいくのだろう。

警備主任の声が無線に戻ってきた。「タワーの北出口を突破されました。あなたのパートナーを道連れにしています」

タウンカーはタワーの一角に達した。

ペインターは部屋の中央へと戻った。「早くバリケードを張ってくれ！」しかし、その時間はないだろう。緊急の連絡を入れてから四分もたっていない。ここの警察が扱う事件と言えば、酔っ払いの喧嘩《けんか》や飲酒運転、こそ泥くらいで、国家の安全に関わる問題ではない。

張を阻止するのはペインターの役目だ。

ペインターは体をかがめ、床から短剣を拾った。「ここにいるんだよ」中国語で少女に優しく声をかける。ペインターはメインルームに戻り、短剣を使って換気孔の格子をこじ開けた。大きな音とともにねじが飛び、格子が開く。ペインターは中に手を入れ、隠してあった黒い装置を取り出した。電磁手榴弾はアメフトのボールのような大きさと形状をしている。

装置を手のひらに握りながら、ペインターはスイートルームから廊下へと走り出た。靴を回収している余裕はない。ペインターはカーペットの敷かれた廊下を疾走した。頭の中でホテルの見取り図を思い浮かべながら、今の自分の場所から見て北出口がどの辺に位置するのかを推測し、だいたいの当たりをつける。

ペインターは八つ先の扉の前で止まり、再び警備員用の合鍵を使用した。カードを電子錠にかざし、緑のランプが点灯すると同時に扉を開く。「警備員です！」ペインターは怒鳴りながら室内に駆け込んだ。

先ほど見たのと同じ年配の女性が、椅子に座って『ＵＳＡトゥディ』紙を読んでいた。その新聞を宙に放り出し、女性はローブの襟元をしっかりと押さえた。「いったい何ごとです？《ヴァス・イスト・ロース》」女性はドイツ語で訊ねた。

ペインターは女性の脇をすり抜けて窓へと向かいながら、何でもないと女性をなだめた。「何も《ニヒツ》心配ありませんよ《ズィヒ・ウンゲフェア・ツー・ゾルゲン》、お嬢さん《フロイライン》」

窓を開く。やはり頭を出すのが精いっぱいだ。ペインターは下に目をやった。

リンカーン・タウンカーが眼下でアイドリングしている。後部扉が勢いよく閉じた。銃声が響く。甲高い音を立てたタイヤから煙が上がる中、車の側面に銃弾が降り注ぐ。だが、あの車は防弾仕様で、米軍の戦車と同じくらいの強度を持っている。

ペインターは体をひねり、フットボール型の手榴弾を窓の外へと突き出した。起動ボタンを押し、肩にありったけの力を込めて、真っ直ぐ下に向かって投げ下ろす。一発逆転のロングパスの成功を祈るクォーターバックの心境だ。

ペインターは腕を窓の外から引き戻した。タウンカーが加速するとともに、タイヤのきしる音は聞こえなくなっている。ペインターは先祖の霊に祈った。電磁パルスの有効範囲は二十メートル程度しかない。ペインターは固唾《かたず》をのんだ。昔の人が言ったじゃないか。「蹄鉄《ていてつ》投げと手榴弾だけは、近くまで飛べば何とかなる」と。

息を殺して待つうちに、手榴弾のくぐもった破裂音が聞こえた。距離は大丈夫だっただろうか？

ペインターは頭を外に出して様子をうかがった。

タウンカーはタワーの角に達しようとしていた。だが、きれいにカーブするのではなく、ハンドルを取られたかのように蛇行し、駐車した車の列に頭から突っ込んだ。タウンカーはフロント部分をフォルクスワーゲン・パサートのボンネットに乗り上げて停止した。

ペインターは安堵のため息をついた。

これが電磁パルスのいいところだ。破壊するコンピューター・システムのえり好みをしない。リンカーン・タウンカーに装備されたコンピューターも例外ではない。

地上では制服を着た警備員が出口から次々に姿を現し、動けなくなった車を取り囲んだ。

「ヴァス・イスト・ロース?」ドイツ人女性がペインターの背後で繰り返した。

ペインターは踵《きびす》を返して、急ぎ足で部屋を横切った。「エトワス・アプファール・ゲラーデ・エントレーエン」〈ちょっとごみを片付けただけですよ〉ペインターは廊下を小走りで戻り、エレベーターホールへとたどり着いた。扉に挟んでおいた靴を回収し、一階のボタンを押す。

張の脱出は何とか食い止めることができたが、張が持っていたコンピューターの中身を消去し、研究データを破壊してしまったことは確かだ。ただ、ペインターの当面の心配はそのことではない。

カサンドラだ。

彼女を見つけないと。

扉が開くと同時にペインターはエレベーターから飛び出し、大混乱に陥っているカジノを横切った。銃撃戦の音が聞こえなかったはずはない。それでも、何人かの客はスロットマシンの前に静かに座ったまま、粘り強くボタンを押していた。

ペインターは北出口へと向かったが、身分証明書を振りかざしながら何カ所ものバリケードを通らねばならず、そのたびに通行を妨げられることにいらだった。ようやく警備主任のジョン・フェントンを見つけ、声をかける。フェントンは破壊された出口からペインターを外に誘導した。安全ガラスが足の下で砕ける。空中に漂う火薬の臭気がはっきりと感じられる。

「どうしてあの車はぶつかったんですかね？」フェントンは訊ねた。「こちらにとっては運がよかったということになりますが」

「運だけではない」ペインターは電磁手榴弾と二十メートルの有効範囲のことを説明した。「今朝は車をなかなか始動できないお客さんが出るだろうな。あと、一階ではテレビが何台か壊れたんじゃないかと思う」

外では地元の警察が現場を掌握していた。そのほかにも、チャコールグレーのパトカーが回転灯を光らせながら列を成して駐車場へと進入し、周囲を取り囲んでいる。部族警察だ。

ペインターは現場の様子を調べた。張のボディーガードたちは両膝をつき、両手を頭の後ろに回している。二体の死体が地面に横たわり、警備員の上着で顔を覆われていた。どちらも男性だ。ペインターは死体に近づき、片方の覆いをめくった。ボディーガードの一人だ。顔の半分が吹き飛ばされている。もう一方は確認するまでもない。きれいに磨かれた革靴には見覚えがある。張だ。

「自殺したの。捕まりたくなかったのね」数人の警備員と二人の救命隊員の間から、聞き覚えのある声がした。

ペインターが顔を向けると、カサンドラが前へと進み出た。顔面は蒼白で、はにかんだような笑みを浮かべている。上半身はブラジャーしか身に着けていない。左肩には包帯が巻かれていた。

彼女は一メートルほど離れた場所にある黒いスーツケースの方に顎をしゃくった。張のコンピューターだ。

「データは失われてしまったわけだな」ペインターは言った。「電磁パルスが中身をきれいに消去してしまった」

「そうでもないかも」カサンドラはにやりと笑った。「スーツケースは銅のファラデーケージで遮蔽《しゃへい》されているわ。パルスからも保護されているはずよ」

ペインターは安堵のため息を漏らした。〈それならば、データは無事だ。すべてが失われたわけではない……ただし、パスワードがわかればの話だが〉ペインターはカサンドラへと歩み寄った。彼女は瞳を輝かせながら、笑みを浮かべている。ペインターはグロックを抜くと、カサンドラの額に押し当てた。

「ペインター、いったい何を――」カサンドラは後ずさりした。

ペインターもその動きに合わせて前進し、銃を下ろさない。「パスワードは？」

フェントンがそばに近づいた。「隊長？」

「離れていろ」ペインターは警備主任の言葉を遮った。サンチェスから注意をそらさない。「四人のボディーガードと張。ここに全員が揃っている。張がこちらの監視に感づいていたら、会議での接触相手に警告した可能性が高い。取引を完了するために、一緒に逃げたはずだ」

カサンドラは死体に目を向けようとしたが、ペインターの銃がそれを阻んだ。「まさか、私がその相手だと思っているわけじゃないでしょう？」その声は笑いを含んでいる。

ペインターは武器を下ろさずに、空いている方の手で死体を指差した。「四十五口径の仕事はすぐわかる。例えば、君の持っているシグ・ザウエルみたいな」

「張に奪われたのよ。ペインター、あなた被害妄想なんじゃないの？　私は――」

ペインターはポケットに手を入れ、エレベーターの壁に貼られていた盗聴器を取り出した。それをカサンドラに突きつける。

カサンドラは体をこわばらせた。だが、盗聴器を見ようとしない。

「血がついていないんだよ、カサンドラ。一滴も。つまり、君は指示に従わず、盗聴器を体内に埋め込まなかったということだ」

カサンドラの顔つきが険しくなった。

「コンピューターのパスワードは？」

カサンドラはペインターを見つめ返すだけだ。冷静で落ち着き払っている。「答えられないことぐらい、わかるでしょう？」

ペインターは目の前にいる女の中にかつてのパートナーを探そうとした。だが、まったくの別人にしか見えない。後悔も罪悪感もない。ただ決意があるだけだ。自分にも、彼女を落とす時間も気力もない。ペインターはフェントンの方を向いてうなずいた。「部下に言って手錠をかけさせろ。厳重な監視下に置くように」

身柄を拘束されながら、カサンドラはペインターに呼びかけた。はっきりとした物言いだ。

「ペインター、気をつけた方がいいわよ。自分がたった今、どれほどの泥沼に足を踏み入れたか、あなたはわかっていないわ」

ペインターはコンピューターの入ったスーツケースを拾い上げ、その場を離れた。

「あなたは深みにはまったのよ、ペインター。サメがたくさん泳いでいるわ。あなたのまわりをぐるぐると」

ペインターはカサンドラを無視して北出口へと戻った。改めて痛感したことがある。女というのはまったく理解できない生き物だ。

建物の中に戻ろうとしたペインターの前に、保安官の帽子をかぶった背の高い男性が立ちはだかった。部族警察の一人だ。「クロウ隊長ですか?」

「そうだが」

「我々のオフィス経由で緊急の連絡が入っています」

ペインターは眉間にしわを寄せた。「誰からだ?」

「レクター中将からです。我々の無線を使って話ができます」

ペインターは顔をしかめた。「タイガー」のニックネームで知られるトニー・レクター中将はDARPAの長官で、ペインターにとっては最高指揮官に当たる人物だ。これまで一度も話をしたことがなく、連絡のメモや手紙でその名前を見たことがあるだけだ。ここでのごたごたが、もうワシントンにまで届いたのだろうか？

　警官の後について、ペインターは駐車しているチャコールグレーの車に向かった。屋根の上ではまだライトが回っている。ペインターは無線を受け取った。「クロウです。どのようなご用件でしょうか？」

「隊長、至急アーリントンに戻ってくれ。君の乗るヘリコプターがそっちに向かっている」

　その言葉を待っていたかのように、ヘリコプターのローターの回転音が遠くから聞こえてきた。

　レクター中将は話を続けている。「ジャイルズ隊長が君の任務を引き継ぐ。作戦の現在の状況を彼に報告した後、ダレス空港に向かい、到着したらすぐに出頭してほしい。空港に車を迎えにやる」

「わかりました」ペインターは答えたが、すでに通信は切れていた。

　ペインターはパトカーから表に出て、周囲の森の上空を、先祖の土地の上空を飛行する灰色がかった緑色のヘリコプターを見上げた。胸の奥から不信の念が湧き上がる。父はよく、「白人の目は信じられない」と言っていた。それと同じような感覚だ。レクター中将はなぜこんなにも突然に自分を呼び戻したのか？　それほどの緊急事態が発生したのだろうか？　カサンドラの言葉がペインターの脳裏によみがえった。

〈あなたは深みにはまったのよ、ペインター。サメがたくさん泳いでいるわ。あなたのまわり

をぐるぐると〉

3　心臓

十一月十四日　グリニッジ標準時午後五時五分
イギリス　ロンドン

「こっちだ！　何かあるぞ！」

サフィアが振り向くと、金属探知機を扱っていた男性の一人が相方に呼びかけている姿が目に入った。〈今度は何？〉二人はこれまでに、ブロンズ像のかけら、鉄の香炉、銅貨などを見つけ出している。サフィアは水を跳ね散らしながら、二人の方へと近づいた。何か重要なものが見つかったのかもしれない。

ギャラリーの向こうにいたキャラも声を聞きつけ、ウイングの入口に姿を現した。彼女もサフィアたちのもとへと近づいてきた。

「何を見つけたの？」キャラの声は冷静で、威厳が感じられる。

「よくわからないんですが」男性は探知機に向かってうなずいた。「非常に強い反応が出ています」

「隕石の破片？」

「はっきりとは言えません。この石の塊の下にあります」

　その塊は砂岩の彫像の胴体と脚の部分が、仰向けに倒れたものだった。腕や頭は吹き飛んでいたが、サフィアには見分けがつく。かつてサラーラの墓所を守っていた等身大の彫像だ。年代は紀元前二〇〇〇年にまでさかのぼり、縦長の物体を肩の位置に持つ男性の姿をかたどっている。ライフルのように見えるという人もいるが、男性が肩に掲げているのは葬儀用の香炉だ。

　この彫像が破壊されてしまったのは痛ましい損失だった。残存しているのは胴体部分と折れた二本の脚しかない。それらも爆発時の高熱で砂岩が溶け、表面がガラス状に固まってしまっている。

　赤いヘルメットをかぶったキャラの調査チームのほかのメンバーも、まわりに集まってきた。発見者の男性が金属探知機を破壊された彫像に向けた。「この塊を転がして移動させないといけません。下に何があるか調べましょう」

「やってちょうだい」キャラはうなずいた。「バールが必要ね」

　二人の男性が工具類の置かれた場所へと向かった。

　サフィアが彫像を守るかのように一歩踏み出した。「キャラ、待って。この彫像がわからないの？」

「どういう意味？」

「よく見て。これはあなたのお父さんが発見した彫像よ。あのサラーラの墓の近くに埋まっていたものじゃない。修復可能なものは救わないといけないわ」

「関係ないわ」キャラは肘でサフィアを押しのけた。「重要なのは、父に何が起こったのかを知る手がかりが、この下にあるかもしれないということよ」

サフィアは声を落としながら、キャラを脇に引き寄せた。「キャラ……まさかこの爆発が本当にあなたのお父さんの死と関係があると思っているわけじゃないでしょう?」

キャラはバールを持ってきた男性に手を振った。「私にも一本ちょうだい」

サフィアはその場から動けなかった。ギャラリーのほかの展示室を見回しながら、新たな視点で収蔵物を眺める。自分の仕事のすべて、このコレクション、研究に費やした何年もの日々……キャラにとって、それらはレジナルド・ケンジントンの追悼以上の意味があったということなのか? 謎解きのためでもあったのだろうか? 調査資料を一カ所に集めるために、かつて砂漠で父親の身に何が起きたのかを突き止めるために。

サフィアは二人がまだ十代だった頃、キャラが涙ながらに語った話を思い出した。キャラは何らかの超自然的な力が父親を殺したと思い込んでいた。サフィアも詳しく話を聞いている。

ニスナス……砂漠の奥深くに住む幽霊。

少女の頃から二人はこうした物語を研究して、ニスナスにまつわる神話をできる限り学んでいた。伝説によると、彼らはかつて砂漠にあった巨大都市の住民の生き残りだという。その都市はいくつもの名前で呼ばれている。イラーム、ワバール、ウバール。千の柱の都。その都市の崩壊については、コーランでも触れられているし、『アラビアン・ナイト』の物語やアレクサンドリア図書館所蔵の文献にも見ることができる。聖書に登場するノアの曾孫《そうそん》たちによって築かれたウバールは、豊かながらも退廃した都市で、怪しげな術に手を染める輩《やから》が多く住んでいたという。その王がフードという預言者の警告を一笑に付したために、都市は神の怒りを買って砂漠に埋もれてしまい、地上から姿を消した。砂漠版のアトランティスとなってしまったのだ。その後、いろいろな言い伝えが残った。都市はまだ砂の下に存在している。街中には死者がうろついている。市民は石の中に閉じ込められている。その周辺には、邪悪な精霊《ジン》や、魔術を使うさらに邪悪で残忍なニスナスが住みついている。

だが、キャラはとっくにそんな伝説はただのおとぎ話だと片付けていたはずだ。少なくとも、サフィアはそう思っていた。調査官たちだって、彼女の父親は砂漠に突然現れた陥没穴に落ちて死亡したと結論づけているのだから。そのような死の罠の出現はその地域では珍しいことではなく、トラックや用心の足りない旅行者がのみ込まれてしまうことがある。砂漠の下の岩盤は大部分が多孔質《たこう》の石灰岩で、地下水の水位が下がるにつれて削られた空洞があちこちに開いている。こうした空洞の崩壊は頻繁に発生し、しばしばキャラが語ったのとそっくりな現象――渦を巻く砂の窪地の上に高く舞い上がった太い砂塵の柱が見られる。

数歩離れたところで、キャラは一本のバールをつかんだ。自らこの彫像を撤去しようとしている。かつて地質学者たちから受けた説明にも、これまでずっと納得していなかったのだろう。サフィアもそのことに気づくべきだった。キャラは古代アラビアに執着し、過去の探索、あらゆる時代の遺物の収集、サフィアも含めた最も優秀な人材の雇用に、大金を惜しみなくつぎ込んでいたのだから。

サフィアは目を閉じ、自らの人生のどのくらいがこの無益な探求に導かれていたのだろうかと思いを巡らせた。自分の研究テーマを決めるうえで、キャラからどれだけ影響を受けただろうか？　ここでの調査プロジェクトには？　サフィアは頭を振った。今はそんなことを考えている場合ではない。後で整理して考えよう。

サフィアは目を開くと彫像に歩み寄り、ほかの人たちの前に立ちはだかった。「こんなことはさせないわ」

キャラはどきなさいとでも言うかのように手を振った。その声は相変わらず冷静で、説得力がある。「ここに隕石のかけらがあるのなら、それを回収することの方がすでに壊れた彫像にちょっとすり傷をつけることよりも大事だわ」

「大事って、誰にとって？」サフィアはキャラのような無関心さを装おうとしたが、口をついて出た質問は非難めいていた。「この彫像はあの時代のアラビアの数少ない遺物よ。たとえ壊れていたとしても、計り知れない価値があるわ」

「隕石が——」

「――それは後でもいいでしょう」サフィアは恩人の言葉を遮った。「この彫像を安全に移動させる方が先よ」

キャラは鋼鉄のような眼差しをサフィアに据えた。たいがいの男性なら屈してしまうだろう。だが、サフィアはひるまなかった。その奥にある子供時代のキャラを知っているからだ。

サフィアはキャラへと歩み寄った。バールをつかむ。キャラの指が震えていたのはサフィアにとって予想外だった。「あなたの望んでいることはわかるわ」サフィアはささやいた。二人ともラクダの形をした隕石の来歴を知っている。発見したイギリス人探検家の話も、砂に埋もれた失われた都市の入口を守っていたと伝えられていることも。

ウバールと呼ばれた都市。

その隕石が、非常に奇怪な状況で爆発したのだ。

「何か手がかりがあるはずだわ」キャラは先ほどの言葉を繰り返した。

サフィアはそんな希望を打ち砕く術を知っていた。「でも、ウバールはもう発見されているじゃないの」自分の言葉の意味が相手に伝わるのを待つ。

一九九二年、伝説の都市はアマチュア考古学者のニコラス・クラップにより、衛星地中レーダーを使って発見された。紀元前九〇〇年頃に建設され、数少ない水場の近くに位置していた古代都市は、オマーン沿岸部の山々に広がる乳香《にゅうこう》の木の林と北の豊かな都市の市場とを結ぶ「乳香の道」の重要な交易所であった。何世紀にもわたってウバールは繁栄し、拡大した。ところがある日、都市の半分が巨大な陥没穴の中へとのみ込まれ、迷信深い住民たちは砂に埋もれた街を放棄した。

「普通の交易所だったでしょ」サフィアは続けた。

キャラは首を横に振ったが、サフィアにはそれが今の自分の言葉を否定する意味なのか、それとも現実を受け入れようとする仕草なのか、測りかねた。キャラがクラップの発見を聞いた時の喜びようを、サフィアはよく覚えている。発見の知らせは世界各国の新聞で大きく報道された。「失われたアラビアの伝説の都市、発見される！」キャラは自分の目で確認し、発掘作業の立ち上げを援助するため、自ら現地に駆けつけた。しかし、サフィアの言ったように、二年間をかけて陶器のかけらや台所用品などを掘り出した結果、その遺跡は遺棄された交易所にすぎないことがはっきりしたのだった。

宝の山もなく、千の柱もなく、黒い幽霊もいない……そこにあったのは、かつてその地で暮らしていた人々の生活を物語る品物ばかりだった。

「レディ・ケンジントン」金属探知機を持った男性が再び口を開いた。「ドクター・アル＝マーズの言う通りかもしれません。この像は動かさない方がよさそうです」

サフィアとキャラは倒れた彫像の方へと注意を戻した。彫像は金属探知機を持った二人の男性に挟まれている。彼らは大きな胴体の両側に装置をかざしていた。二台の探知機が競うように音を鳴らしている。

「私の間違いでした」最初に発見を知らせた男性が言った。「機械が探知したものは、この石の下にあるのではありません」

「じゃあ、どこなの？」キャラはいらだちを隠そうともせずに訊ねた。

もう一人がそれに答えた。「中にあるんです」

思わぬ返事に、誰もすぐに言葉を返すことができなかった。やがてキャラが沈黙を破った。

「中ですって？」

「そうなんです。すみません。最初に三角測量を行なうべきでした。でも、まさか石の中に入っているとは思ってもいなかったものですから」

サフィアは前に踏み出した。「中に鉄鉱石が少し混じっていただけじゃないかしら」

「そんな程度の数値ではありません。強い反応が出ています」

「壊して中を見ないといけないわ」キャラは言った。

サフィアは顔をしかめて彼女を見た。〈冗談じゃないわ〉ズボンが濡れるのもかまわず、彫像のそばに膝をつく。「懐中電灯をお願い」

チームの別のメンバーが手渡してくれた。

「何をするつもりなの？」キャラが訊ねた。

「中をのぞくのよ」そう言いながら、サフィアは高熱にさらされた彫像の表面に手を触れた。砂岩の表面は溶けたガラス状になっている。懐中電灯を真下に向けて彫像に当てると、サフィアはスイッチを入れた。

ガラス状になった彫像の表面全体が光に照らされた。黒っぽく結晶化した塊があって、細部まではよく見ない。特に変わった様子は見えないが、ガラスの厚さはほんの五センチほどだ。彼らが探しているものは石のもっと深いところにあるのかもしれない。

キャラが背後で息をのんだ。サフィアの肩越しに何かを凝視している。

「どうしたの?」サフィアは懐中電灯の向きを変えようとした。

「だめよ。中心の方に光を向けて」

サフィアは言われた通り、懐中電灯の光で彫像の中心部を照らした。影が現れた。彫像の中心部に塊があり、ガラスと石との境目のあたりの深さに埋まっている。明かりに照らされて、塊は深紅に輝いていた。その形は間違えようがない——胴体でのその位置を考えればなおさらだ。

「心臓だわ」キャラがささやいた。

サフィアは唖然《あぜん》として腰を落とした。「人の心臓よ」

午後八時五分

数時間後、キャラ・ケンジントンは古代中東部門の外にある専用トイレの中にいた。

〈あともう一つだけ……〉

容器を振って手のひらにオレンジ色の錠剤を出す。アンフェタミン処方薬のアデロール、二十ミリグラム。キャラは手のひらで錠剤の重みを確かめた。こんな小さな粒だが、効き目は絶大だ。それでも、十分ではないかもしれない。キャラはもう一粒、錠剤を足した。昨夜はほとんど眠れなかったし、この先もしなければいけないことがたくさんある。

錠剤を口に放り込み、水も飲まずに嚥下《えんげ》すると、キャラは鏡に映る自分の姿を眺めた。肌は紅潮し、目はやや大きく開きすぎている。髪に指を入れて少しふくらみを出そうとしたのだが、うまくいかなかった。

蛇口の方にかがみ、冷水の栓をひねって両手を冷たい水に浸してから、頬に押し当てる。キャラは大きく息を吸った。ブラックヒースの村にあるケンジントン家の屋敷のベッドで寝ているところを起こされ、爆発の知らせを聞き、運転手付きのリムジンで嵐の中を博物館まで駆けつけてから、まだ二十四時間もたっていないのに、もう何日も経過したような気がする。

これからどうしたらいいのだろう？

長い一日を通して、いくつもの科学捜査チームがギャラリーから必要なサンプルをすべて集めていた。焦げた木材、プラスチック、金属、そして骨までも。隕石の小さな破片も、わずかだが瓦礫の中から見つかった。現時点の証拠から、隕鉄の塊の中に含まれていた揮発《きはつ》性の成分が、放電により引火したのではないかと推測されている。その成分が何なのかについては、誰も意見を述べようとしない。ここから先は、イギリス国内や海外の研究室で調査が続けられることになるだろう。

キャラは失望を隠すことができずにいた。ビデオに残された輝く雷の玉を目撃したことで、キャラの心は父が似たような青っぽい電光を放つ砂塵の雲の中へと消えてしまった日に引き戻された。それに続いた爆発……もう一人の犠牲者。過去と現在との間に何らかのつながりがあるはずだ。

でも、どんなつながりなのだろうか？　これまでに何度もあったように、今回の調査も行き詰まってしまうのだろうか？

扉をノックする音で、キャラは鏡の中の自分から注意を引き戻した。

「キャラ、検査を始めるわよ」サフィアだった。友人の声からは心配の色がうかがえる。サフィアだけが、心にのしかかっている重さを理解してくれる。

「すぐ行くわ」

キャラは薬の入ったプラスチックの容器をバッグに戻し、口をしっかりと閉じた。早くも薬の効果で気力が湧き上がり、絶望感を和らげてくれる。最後にもう一度、効果がないと知りつつも髪に手ぐしを入れ、キャラは扉へと近づいた。鍵を外し、より整然とした研究用のスペースへと足を踏み出す――大英博物館の有名な「アーチの間」だ。

一八三九年に建造された丸天井の二階建ての部屋は、博物館の西側に位置している。初期ヴィクトリア様式の設計で、図書の棚の連なる二つのギャラリーが並行し、飾り穴の開いた通路と階段、壁のアルコーブへと通じるアーチ状の窓間壁《まどあい》がある。チャールズ・ダーウィン、スタンリーとリヴィングストン、王立協会の科学者たちの時代のままの姿を残すここには、かつては燕尾服を着用した研究者たちが集まり、積み上げられた本や古代の石版に囲まれて研究に励んでいた。この部屋は一般に公開されたことはなく、現在は古代中東部門が研究センターおよび予備の保管庫として使用している。

しかし今夜、少数の人だけを残して誰もいなくなったその場所は、即席の安置所となっている。キャラは部屋の奥へと目を向けた。車輪付きのストレッチャーの上に、頭も腕もない石の死体が横たわっている。北ウイングで発見された古代の彫像の破壊されずにすんだ部分だ。サフィアがこれを瓦礫から運び出し、安全なこの場所へと移すように主張したのだった。

ハロゲンランプが二つ、彫像を照らしている。その隣の図書室用のベンチの上には道具が広げられていて、メスや鉗子《かんし》類が並んだ外科の手術台のようだ。様々な大きさのハンマーや刷毛《はけ》もある。

足りないのは外科医だけだ。

サフィアがラテックスの手袋をはめた。保護ゴーグルを着け、エプロンの紐をしっかりと締めている。「用意はいい？」

キャラはうなずいた。

「このじいさんの胸をかち割ろうぜ」若い男性がいつものアメリカ人らしい鈍感な陽気さで声をあげた。自分のギャラリーで働くスタッフ全員をよく知るキャラは、クレイ・ビショップのこともちろん知っている。彼はノースウェスタン大学の大学院生だ。三脚に取り付けたデジタルビデオカメラを、集合写真でも撮影するかのように操作している。

「少しは敬意を払ってね、ビショップさん」サフィアが注意した。

「失礼」彼は口を歪めて笑った。真剣に反省しているとは思えない。ひょろりと痩せたアメリカ版の新人類で、それなりにハンサムな顔立ちをしている。ジーンズと、ビンテージもののクラッシュのコンサートTシャツといういでたちだ。履いているリーボックは、かつては白い色をしていたという話だが、定かではない。体を起こして伸びをした拍子に腹の一部が見える。クレイは短く刈り込んだ赤毛を手でこすった。この学生の研究者らしいところといえば、分厚い黒ぶち眼鏡だけだが、そのダサい感じが今は逆にお洒落《しゃれ》らしい。「こっちは準備完了です、ドクター・アル＝マーズ」

「よろしい」サフィアはハロゲンランプの下へと移動し、道具の並んだベンチの脇に立った。

反対側から作業を見守ろうと考えたキャラは、解剖に立ち会うもう一人の人物へと近づいた。ライアン・フレミング、警備主任だ。キャラがトイレに行っている間にやってきたのだろう。

彼は会釈《えしゃく》をしたが、キャラが近づくと体をややこわばらせた。多くの博物館の職員同様、彼女がそばにいると緊張するのだろう。

フレミングはサフィアが寸法を測っている間に咳払いをした。「この発見の話をうかがって、ここに来たのです」フレミングはキャラに向かってつぶやいた。

「なぜなの？」キャラは訊ねた。「セキュリティの関係？」

「いえ、単に好奇心からです」フレミングは影像の方を見ながらうなずいた。「中にハートのある影像なんて、めったにお目にかかれませんから」

確かにそうだが、フレミングがここに引きつけられたのは別のハートの問題もあるのではないか、キャラはそんな気がしていた。彼の目は不思議な影像よりも、サフィアを見つめている時間の方が長い。

フレミングの子犬のような片思いは放っておくことにして、キャラは横たわった影像へと注意を向けた。熱で溶けてガラス化した膜の下に、ランプの明かりを浴びて濃い赤い色の輝きが見える。

ハートがある。人間の心臓だ。

キャラは身を乗り出した。心臓は実物大で、解剖学的にも正確なように見えるが、調査チームの探知機が探し当てたからには、何らかの鉱石を彫ったものであるはずだ。そう思いながらも、じっと見つめていると目の前の心臓が今にも動き始めそうな気がする。

先端にダイヤモンドの付いた工具を手に持ったサフィアが、影像の上に身をかがめた。注意深くガラスに切れ目を入れ、埋め込まれた心臓の表面に正方形を描く。「なるべく多くを保存したいから」

次にサファイアは切れ目を入れた正方形の上に吸盤の付いた器具を置き、柄の部分を握った。

「ガラスと下の砂岩との境目はもろくなっているはずよ」

サファイアはゴム製の槌《つち》をつかみ、正方形の内側に沿ってしっかりと叩き始めた。あらかじめ付けた切れ目沿いに、細かいひび割れができる。叩く音が響くたびに、全員が身構える。キャラでさえも、いつの間にか手を握り締めていた。

サファイアだけが落ち着いていた。ストレスにさらされるとこの友人がパニックの発作を起こしがちであることをキャラは知っていたが、こと自分の専門分野に関しては、サファイアはガラスカッターのダイヤモンドのように強くなる……鋭さでも負けていない。サファイアは禅僧のような冷静さと集中力で作業を進めていた。しかし、キャラは友人の瞳に浮かんだ輝きにも気づいていた。サファイアは高揚している。キャラがサファイアのそんな表情を見るのは久し振りのことだった。かつての友人の姿が戻ってきたかのようだ。

彼女にもまだ希望はあるのかもしれない。

「これで大丈夫なはずよ」サファイアは言った。槌を片付けて小さな刷毛を手に取ると、散らかった切りくずを掃いて作業台の表面をきれいに保つ。それが終わると、キャラは吸盤の柄を握って少し力を入れ、最初は一方向に、それから反対の方向へと、静かに正方形を揺すった。

最後に吸盤を引き上げると、正方形のガラス片がきれいに外れた。

キャラは近くに寄り、彫像の開かれた胸部をのぞき込んだ。心臓は想像していたよりもずっと精密に作られている。それぞれの心室が区別されているし、表面の細かい動脈や静脈もわかる。砂岩のなかにすっぽりと収まっていて、まるで牡蠣《かき》の中の真珠のようだ。心臓が先にあり、そのまわりに彫像が自然とできあがったかのように思える。

サフィアは慎重にガラスを吸盤から外すと、裏返した。ガラスの中に心臓の上部の表面の跡が残っている。サフィアはカメラの方を向いた。「クレイ、ちゃんときれいに撮れてる?」

カメラの横にしゃがんでいたクレイは、腰を落とした姿勢のままぴょんぴょんと飛び跳ねた。

「まいったな、こいつはすげえや」

「それはイエスという意味ね」サフィアはガラスをテーブルの上に置いた。

「この心臓は何なのですか?」フレミングが質問した。

サフィアは開いた胸部へと向き直り、中をのぞき込んだ。小さな刷毛の柄で心臓を軽く叩く。甲高い音は全員に聞こえた。「金属なのは確かかね。赤い色から推測すると、ブロンズかしら」

「中が空洞みたいな音だったな」クレイは胸の穴がよく映る場所に三脚を移しながら言った。

「もう一回やってみて」

サフィアは首を横に振った。「やめた方がいいと思うわ。ところどころ砂岩の縁が心臓にかぶさっているのがわかるでしょう。中にきっちりはまっているのよ。これはそっとしておいた方がいいわ。私たちがいじる前に、ほかの研究者たちにもこのままの姿で見てもらうべきよ」

キャラはこの一分間ほど、呼吸をするのもはばかっていた。心臓の音が耳の中でがんがん鳴っているが、アンフェタミンのせいではない。〈誰も気がつかなかったのだろうか?〉

その質問を発するより先に、アーチの間の奥で大きな音を立てて扉が閉まった。全員がぎくりとする。足音が近づいてくる。二人の男性だ。

サフィアはハロゲンランプの角度を変えて奥を照らした。「タイソン館長だわ」

「エドガー」キャラは一歩踏み出した。「何をしているの?」

博物館の館長が脇にどくと、同行している人物の姿が見えた。ロンドン市警殺人課の警部補だ。「この素晴らしい発見のニュースを聞いた時にサミュエルソン警部補も一緒にいてね。ちょうど仕事のきりもよかったので、その驚異をご自分の目で確かめたいそうだ。こんなにお世話になっているのに、断るわけにはいかないからね」

「もちろんよ」キャラは募るいらだちを抑えて口調を取り繕った。「ちょうどいい時にいらしたわ」手で彼らを即席の安置所へと招き、場所を空ける。自分の発見を知らせるのはもう少し後でいい。

フレミングが上司に挨拶した。「私はもう十分に拝見させていただきましたので、夜勤の様子を確認してきます」フレミングは帰りかけたが、サフィアの方に一言告げるのを忘れなかった。「見学させてくれてありがとう」

「いつでもどうぞ」露出した心臓に気を取られていたサフィアは、うわの空で応じた。

警備主任は名残惜しそうにサフィアへ視線を向けていたが、やがて傷ついたかのように目をそらし、その場を離れた。サフィアはいつも仕事以外のことが目に入らない。フレミングよりもいい男が何人も思いを寄せたにもかかわらず、サフィアはそれに気づくことなく、いまだに幸せを手にすることができずにいる。

警備主任に代わってサミュエルソン警部補がキャラの隣に立った。上着を脱いで腕にかけ、シャツの袖をまくっている。「お邪魔でなければいいのですが」

「もちろん、かまいませんよ」サフィアは答えた。「これが見つかったのは幸運でした」

「まったくですな」

警部補は彫像をのぞき込んだ。彼がここにやってきたのには単なる好奇心以上の動機があるに違いないとキャラは踏んでいた。偶然の発見も捜査の理由となる。

エドガーは警部補と肩を並べた。「実に素晴らしいじゃないか。この発見は世界中の注目を集めるよ」

サミュエルソンは体を起こした。「この彫像はどこから来たものですか?」

「私の父が発見したのです」キャラは答えた。

サミュエルソンは片方の眉をつり上げてキャラを見た。

キャラはエドガーがちょっと後ずさりし、靴のつま先に視線を落としたことに気づいた。この問題に関しては慎重に話を進めなければならない。

保護ゴーグルを押し上げたサフィアが、キャラに代わってそこから先の説明を引き継いでくれた。「オマーン沿岸部にあるサラーラの町で、墓所に新しい霊廟《れいびょう》を建設する際、発掘作業を監督する考古学者のチームにレジナルド・ケンジントン卿が資金を提供しました。その時、古い墓の近くに埋まっている彫像を発見したのです。イスラム以前の、紀元前二〇〇年頃の像が完全な姿のまま見つかるという、極めて珍しい発見でした。その墓は二千年にわたって崇拝されてきました。そのため、荒らされたり略奪の被害に遭ったりすることがほとんどなかったのです。あれほど完全な状態で保存されていた遺物が破壊されてしまったのは、悲劇としか言いようがありません」

サミュエルソンはそう思っていないようだった。「けれども、破壊されたことで新たな発見があったわけですな。うまいこと釣り合いが取れているものだ。もっとも、気の毒なハリー・マスターソンにとってはそんなことは関係ないが」

「もちろんそうです」サフィアはすぐに答えた。「そんなことを言いたいのではありません……彼の死が悲劇でないなんて、思っていません。警部補のおっしゃる通りです」

サミュエルソンは集まった人々を一瞥《いちべつ》した。大学院生のクレイ・ビショップに対してだけ、視線を向けていた時間がやや長い。だが、そこに何を見たにしろ、求めているものとは違ったようだ。サミュエルソンは視線を彫像へと戻した。「墓とおっしゃいましたよね、この彫像が見つかった近くにあったと」

「ええ。ナビー・イムラーンの墓です」

「ファラオか何かですかな?」

サフィアは微笑んだ。「エジプトの墓ではありません」キャラだけではなく、サフィアにも警部補が知らないふりをしているのはわかったようだ。「アラビアでは、最も有名な墓は聖書やコーランに出てくる人物のものです。この場合は、その両方に当てはまる人物ですけれど」

「ナビー・イムラーンが? 聖書の時間にそんな名前は教わらなかったな」

「とても重要な人なんですよ。聖母マリアのことはご存じでしょう?」

「おぼろげにですが」その言い方があまりに真面目だったため、サフィアは再び笑みを浮かべた。

小出しにするのをやめて、サフィアはとうとう明かした。「ナビー・イムラーンは聖母マリアの父親です」

東部標準時午後一時五十四分
ヴァージニア州アーリントン

ペインター・クロウはシルバーのベンツS500セダンの後部座席に乗っていた。車はダレス国際空港から州道六十六号線を静かに東へと走行し、ワシントン方面に向かっているが、目的地は市内ではない。ラインバッカーのような体型をした口数の少ない運転手は、アーリントンのグレーブ出口で州道を下りた。もうすぐDARPAの本部だ。あと一キロもない。

ペインターは腕時計を確認した。ほんの二、三時間前にはコネティカット州にいて、五年間信頼してきたパートナーと対峙《たいじ》していた。カサンドラのことは考えまいと思っても、どうしても頭の中から振り払うことはできない。

二人は同じ時期に特殊部隊から採用された。ペインターは海軍の特殊部隊シールズ、カサンドラは陸軍のレンジャー部隊出身だ。DARPAは二人を、組織の中に新設された極秘チーム、コードネーム「シグマフォース」の一員として選抜した。DARPAの内部でもその存在を知る人間は少ない。シグマの目的は調査と奪取にある。科学技術に関する専門教育を受けた隊員から成る秘密軍事チームが、最新の研究やテクノロジーの入手または保護のために、危険度の高い状況へと送り込まれる。デルタフォースが対テロリスト部隊として設立されたのに対して、シグマフォースはアメリカ合衆国の技術的優位の保護と維持を目的として誕生した。

目的のためには犠牲をいとわない。

そして今、ペインターは本部に呼び戻されている。

新しい任務なのは間違いない。しかし、なぜこれほどまでに急を要するのか?

セダンはノースフェアファックス・ドライブを進み、駐車場に入った。検問所をいくつも通過した後、空いていた駐車スペースに停止する。胸板の厚い無表情な男性が車へと近づき、扉を開けた。

「こちらへどうぞ、クロウ隊長」

ペインターは彼の後について本館へと入った。長官のオフィスまで案内された後、ペインターが到着したことを長官に伝えるのでしばらく外で待つようにと指示される。ペインターは閉まった扉をじっと見つめた。

トニー・レクター中将はペインターがシグマに所属する以前から、DARPAの長官を務めている。それ以前は、DARPAの情報収集部門に当たる情報認知局の局長だった。9・11以降、コンピューター・ネットワーク内に飛び交うデータを監視し、テロリストの計画や活動、資金の動きなどを探るのに重要な役割を果たしている組織だ。中将は知性と専門知識、公正な管理が評価され、DARPA長官の地位に就任したのだった。

扉が開いた。ここまでペインターを案内した男性が、扉の脇にどきながら、ペインターに対して入るように合図する。ペインターが室内に入ると、背後で扉が閉まった。

部屋の壁は色の濃いマホガニー材で、ほのかにパイプのタバコのにおいがする。中央には壁と同じ色のマホガニーの机が据えられている。その向こうでトニー・「タイガー」レクターが立ち上がり、握手をするために手を差し出した。大柄な男性だが、太っているわけではない。

かつては筋肉隆々だった体が、六十の坂を越えてやや緩んだという感じだ。しかし、多少なりともやわらかな印象を与えるのはそれだけだった。目は青いダイヤモンドのようで、髪はつややかな銀色。ペインターの手を握るその手のひらは力強い。レクターは二つ並んだ革の椅子の一つに座るように手で示した。

「かけたまえ。ドクター・マクナイトも呼んだ。すぐ来るはずだ」

ドクター・ショーン・マクナイトはシグマの創設者であり司令官でもある。ペインターの直属の上司に当たる人物だ。シールズを辞してから、物理学と情報科学の両方で博士号を取得している。ドクター・マクナイトが呼ばれたならば、大物二人が顔を揃えるということになる。かなりの重大案件なのは確実だ。

「どのような件なのか、うかがってもよろしいでしょうか?」

レクターも自分の椅子に腰を下ろした。「コネティカットでちょっと面白くないことになったという話は聞いたよ」レクターは質問を避けるように言った。「先進技術研究室ではスパイの持っていたスーツケース型コンピューターが届くのを待っている。うまくいけば、プラズマ兵器のデータを回収できるだろう」

「申し訳ありません。我々——いえ、私がパスワードを入手することができず」

レクターは肩をすくめた。「少なくとも、中国人の手にデータは渡らない。あの困難な状況を考えれば、君はよくやってくれたよ」

ペインターはかつてのパートナーのことを訊ねたい気持ちを抑えた。カサンドラは尋問のため、警備の厳重な場所へと移送されている最中だろう。そこからさらにどこへ送られることになるのかは、誰にもわからない。グアンタナモか、レヴェンワースか、それとも別の軍事刑務所か。いずれにせよ、もう自分の関知するところではない。それでも、ペインターの胸の痛みは治まらない。ただの消化不良だと思おうと努めた。これからカサンドラの身に降りかかるであろう運命に、自分が心を痛める必要などない。

「君の質問に関してだが」話を続ける中将の声で、ペインターは我に返った。「ある事件について、防衛科学研究室から我々のもとに連絡が入っている。昨夜、大英博物館で爆発が起きた」

ここに来る途中でCNNのニュースを聞いていたペインターはうなずいた。「落雷ですね」

「そのように報道されている」

ペインターは言葉の裏に隠された真実に気づき、姿勢を正した。質問をしようとしたところで、扉が開く。ドクター・ショーン・マクナイトがものすごい勢いで室内に飛び込んできた。顔を真っ赤にして、額に汗を浮かべている。ここまで走り通しでやってきたかのようだ。

「確認されました」マクナイトは早口で中将に伝えた。

レクター中将はうなずいた。「それでは座りたまえ。あまり時間がない」

残った椅子に座る上司を、ペインターは横目でうかがった。マクナイトはDARPAで二十二年間にわたって勤務し、特別技術研究室の室長を務めていた時期もある。彼が携わった「特別技術プロジェクト」のうちの最初期の一つが、シグマフォースの創設だった。マクナイトは、科学技術に精通すると同時に軍事訓練を受けた——彼が好んで使う言葉を借りれば、「知力と体力」を兼ね備えた工作員のチームを構想した。機密技術の確保と保護のために正確無比な行動のできる隊員たちだ。

その構想から生まれたのがシグマフォースだった。

ペインターは第一期の採用隊員の一人だ。イラクでの作戦で脚を骨折し、療養していたペインターは、マクナイト直々のスカウトで引き抜かれた。療養生活を送るペインターに対して、マクナイトは肉体だけでなく心の鍛錬の重要性を教え込み、シールズの一員になるための基礎水中爆破訓練よりも過酷な学問分野の集中訓練を課した。ペインターはマクナイトを地球上の誰よりも尊敬している。

その彼がこれほどまで動揺しているとは……

マクナイトは椅子に浅く腰かけ、背筋を伸ばしている。チャコールグレーのスーツを着たまま寝ていたようで、五十五歳という今の年齢が表れていた。目尻には心痛のせいでしわが寄り、唇はきつく結ばれ、白いものが混じったサンディブロンドの髪にはくしが入っていない。

とんでもない事態が起きていることだけは間違いない。

レクター中将は机の上に置かれたプラズマモニターを回転させ、ペインターの方へと向けた。

「クロウ隊長、まずこの映像を見てもらいたい」

ペインターは答えを得るために、画面へと顔を近づけた。画面いっぱいにモノクロの映像が映っている。

「これは大英博物館の監視カメラだ」

ビデオの映像が再生されるのを、ペインターは無言で見守った。警備員が一人、画面に姿を現し、博物館のギャラリーへと入っていく。それほど長い映像ではない。爆発でテープが終わり、画面が白くなると、ペインターは深く座り直した。二人の上司は彼の反応を観察している。

「この光る球体ですが」ペインターはゆっくりと口を開いた。「確か球電と呼ばれる現象のはずです」

「その通りだ」レクター中将は同意した。「ロンドンにいる防衛科学研究室の二人の研究員も同じ判断を下し、不審に思った。これまで球電が映像に収められたことはない」

「これほどの破壊力を見せた例もない」マクナイトが付け加えた。

ペインターはシグマフォースで電気工学の訓練を受けていた際の講義を思い返した。球電は古代ギリシアの時代から報告されていて、多くの目撃例があり、各地に記録が残っている。発生例が少ないために、まだ十分に解明されていない。それが形成される原理には諸説あり、雷雨の中で電離した空気によって生じる浮遊性のプラズマという説や、雷が地面に落ちた際に土壌中から蒸発した二酸化ケイ素だとする説などがある。

「それで、大英博物館では何が起こったのですか？」ペインターは訊ねた。

「これだ」レクター中将は机の引き出しからある物体を取り出し、吸い取り紙の上に置いた。黒ずんだ岩の破片のように見える。ソフトボールほどの大きさだ。「今朝、軍用機で届けられた」

「いったい何ですか？」

レクターが顎をしゃくった。持ち上げてみろという意味らしい。その物体を手に取ったペインターは、かなりの重量があることに気づいた。これは岩ではない。鉛と同じくらいの比重がありそうだ。

「隕鉄だよ」ドクター・マクナイトが説明した。「さっきの映像の中で爆発した展示品の一部だ」

ペインターは塊を机の上に戻した。「よくわからないのですが、隕石が爆発を引き起こしたとおっしゃるのですか？　球電ではなく？」

「イエスでもあり、ノーでもある」マクナイトの答えは曖昧だ。

「君はロシアのツングースカ大爆発に関して、どの程度知っているかね？」レクターが訊ねた。

突然話題が変わったため、ペインターは面食らった。顔をしかめながら、歴史に関する知識を掘り起こす。「あまり多くは。隕石の衝突と思われる事件で、起きたのは一九〇八年。シベリアのどこかで大きな爆発が起こった、という程度です」

レクターは椅子に背中を預けた。「『大きな』というのはかなり控えめな表現だな。この爆発で中心から半径三十キロメートルの範囲の森が壊滅した。ロードアイランド州の半分以上に当たる面積だ。爆発による放出エネルギーは原子爆弾二千個分。六百キロも離れた場所にいた馬もなぎ倒されたほどだ。『大きな』ではとてもじゃないがその規模を形容できない」

「それ以外の影響もあった」マクナイトが続けた。「磁気嵐が約一万キロ四方に大きな渦を引き起こした。その後何日にもわたって、巻き上げられた大量の塵で夜空は明るく輝き、新聞が読めるほどだったと言われている。電磁パルスが地球の半分を覆ってしまったのだ」

「すごいな」ペインターはつぶやいた。

「数百キロ以上も離れた場所から目撃した人によると、空に太陽のような明るさのまぶしい光の帯が現れて、虹色の尾を引いていたそうだ」

「隕石ですね」ペインターは応じた。

レクター中将は首を左右に振った。「それは一つの可能性だ。ごつごつした小惑星や彗星の類だな。しかし、その説にはいくつかの問題がある。まず、隕石のかけらが一つも発見されていない。証拠になるイリジウムの塵すら見つかっていない」

「通常、炭素系の隕石はイリジウムの痕跡《こんせき》を残す」マクナイトがその先を引き継いだ。「だが、ツングースカでそのようなものはまったく見つかっていない」

「それにクレーターも存在しない」中将が付け加えた。

マクナイトもうなずいた。「爆発の衝撃は四十メガトンに達した。それ以前に、これに近い規模の隕石が落ちた最も新しい例は、五万年ほど前のアリゾナだ。ツングースカとは比べ物にならないほど小さい、たった三メガトンの衝撃だったが、それでも直径約一・五キロ、深さ約百五十メートルの巨大なクレーターを残している。それならば、なぜクレーターが見つからないのか？　しかも、ツングースカの場合、樹木が爆心地を中心に外側へと倒れたために、爆発の中心地点がはっきりと判明しているというのに」

ペインターはそれに対する答えを持ち合わせていなかった。さらに、頭に浮かんでいるもっと差し迫った疑問への答えも。〈これが大英博物館と何の関係が？〉

マクナイトは続けた。「爆発があった時以来、この地域では興味深い生物学的な影響も見られている。ある種のシダ類の成長が早まったり、マツの木の種子や葉、さらにはアリにまでも遺伝子の異常が見られるなどの突然変異が増加したりした。人間もその影響から逃れることはできなかった。この地域に住むエヴェンキ族の間では、血液のRh因子に異常が見られた。いずれも放射線被曝《ひばく》による影響だ。ガンマ線由来の放射線の可能性が高い」

ペインターは考えをまとめようとした。クレーターのない爆発、不可解な大気圏への影響、ガンマ線の後遺症。「では、何が原因なのですか？」

レクターが答えた。「非常に小さいものだ。重さにして約三・五キロになる」

「ありえない」ペインターの口からつい言葉が漏れた。

中将は肩をすくめた。「それが通常の物質ならばそうだが……」

その先を二人とも説明しようとしない。

マクナイトがようやく口を開いた。「一九九五年の最新の研究によると、ツングースカに激突したのは確かに隕石だった——ただし、反物質から成る隕石だったということだ」

ペインターは目を見開いた。「反物質？」

自分がこの場に呼ばれた理由を、ペインターはようやく理解した。多くの人にとって反物質はまだSFの世界の話だが、反物質の素粒子が実験室内で生成されるなど、この十年ほどの間で現実のものとなりつつある。この研究の最先端を行くのが、スイスのジュネーブにある欧州原子核研究機構、CERNの研究所だ。研究所では地下にある低エネルギー反陽子リングにおいて、ここ二十年近くの間、反物質の生成を行なっている。しかし、現在の技術をもってしても、CERNが一年間で生成した反陽子を集めて、やっと電球を一瞬光らせるくらいのエネルギーしか得ることができない。

それでも、反物質には大きな魅力がある。反物質が一グラムあれば、原子爆弾一個分に相当するエネルギーを生み出すことができる。そのためには、誰かが安くて使いやすい反物質の塊を発見する必要がある。現時点ではそれが不可能なのだ。

ペインターはレクター中将の机の上に置かれた隕鉄の塊に視線を落とした。地球の上層大気には常に、宇宙線に含まれる反物質の粒子が降り注いでいる。しかし、それらは大気中の粒子状物質に触れるとたちまち消滅してしまう。真空の宇宙空間内には、ビッグバンの名残である反物質でできた小惑星や彗星が存在するのではないかとの仮説もある。

ペインターの頭の中でいくつかの点がつながり始めた。「大英博物館の爆発が……？」

「破壊されたギャラリーの瓦礫をいくつか検査してみた」マクナイトが言った。「金属と木材だ」

ペインターはこの部屋に入ってきた時のマクナイトの言葉を思い出した。〈確認されました〉

……ペインターは腹部に冷たい塊のような違和感を覚えた。

マクナイトは話を続けている。「爆発の残骸には、低レベルの放射線の痕跡が残っていた。ツングースカの痕跡と一致する放射線だ」

「大英博物館の爆発が反物質の対消滅《ついしょうめつ》によるものだとおっしゃるんですか？　あの隕石が実際に反物質だと？」

レクター中将は残骸のかけらを指で転がした。「もちろん違う。これは普通の隕鉄だ。それ以上の何ものでもない」

「それなら、どういうことなのですか？」

マクナイトがはっきりとした口調で告げた。「放射線の痕跡の一致を無視することはできない。単なる偶然では、あそこまで正確な一致を説明できない。何かが起こったのだ。隕石の中に反物質が、未知の安定した形で閉じ込められていたと考えれば説明がつく。あの球電からの放電でそれが不安定になり、反応を誘発し、大爆発に至った。だが、存在していた反物質は、爆発の間に消費されてしまったのだ」

「この抜け殻だけを残してね」そう言いながら、中将は石をつついた。

沈黙が部屋を支配した。このことは途方もない意味を持っている。

レクター中将は鉄のかけらを手に取った。「もし我々の推測が正しいとしたら、そのことが持つ重要性を想像できるかね？　ほとんど無尽蔵のエネルギー源だ。その可能性の手がかりがあれば――いや、それよりもそいつのサンプルがあるとするならば、それがほかの組織の手に落ちてはならん」

ペインターは思わずうなずいていた。「では、次のステップは？」

レクター中将はペインターを厳しい目で見つめた。「このことに関する情報が外に漏れてはならない。それは味方に対しても例外ではない。知る人間が増えれば、話をする人間も増えるからな」そこまで言うと、レクター中将はマクナイトの方を向き、話を続けるように促した。

マクナイトは大きく息を吸った。「隊長、君がリーダーとなって少人数のチームで大英博物館へと赴いてもらいたい。君の身分は雷を専門に研究するアメリカの科学者という設定になっている。必要に応じて現地での接触を試みてもらいたい。ロンドンでの任務の目的は、聞き耳を立て、何か新たな発見があった場合に情報を得ることにある。こちらでも総力を挙げて調査を続ける。ロンドンでさらなる調査が必要になった場合には、君のチームが中心となって行なう」

「了解しました」

一瞬、レクター中将とドクター・マクナイトが視線を交わした。まだ言葉にしていない疑問がある。

ペインターは背中を冷たい指が這っているかのように感じた。

中将が再びうなずいた。

マクナイトはペインターに向き直った。「もう一点ある。この角度から動いているのは我々だけではないかもしれない」

「どういうことですか?」

「ロンドンに防衛科学研究室の研究員が二人いると、長官が言ったのを覚えているかね」

「球電現象の目撃を調査した人たちですね」

「そうだ」もう一度、上司たちは視線を交わした。続いて、マクナイトがペインターに険しい視線を向けた。「四時間前のことだが、二人とも部屋で処刑スタイルで射殺されているのが発見された。現場は荒らされていた。何点か盗まれたものがある。ロンドン警視庁は強盗殺人だと考えている」

レクター中将は机の向こうで身じろぎした。「しかし、私は偶然という考え方は消化できないのだ。胸焼けを起こすのでね」

マクナイトもうなずいた。「二人の殺人が我々の行なう調査と関係があるのかはわからない。だが、君とチームには、あるという前提で任務を遂行してほしい。お互いに気をつけて、警戒を怠らないことだ」

ペインターはうなずいた。

「あとは、そうだな」レクターが言った。「君たちが大西洋を越える間に、海の向こうで重大な発見がなされないことを祈ろう」

グリニッジ標準時午後九時四十八分
イギリス　ロンドン

「心臓を取り出してちょうだい」

小さな銀色のカリパスで測定中だったサフィアは視線を上げた。博物館のアーチの間はすべて闇に沈んでいる。残っているのは三人だけだ。キャラとクレイ、そして彼女自身。エドガーと警部補は二十分前に帰っていった。厳密さを要求される測定と細かい記録の作業は、眺めていて面白いものではなかったようだ。聖母マリアの父の墓を守っていたという彫像の来歴が、一時的には強い興味を引いたものの、それも薄れてしまった。

サフィアは計測作業に戻った。「そのうちね」

「いいえ、今夜やって」

サフィアは友人を仔細に観察した。キャラの顔はハロゲンライトの光を浴びている。強い光線はその顔からすべての色を奪っていたが、サフィアの目は銀色に輝く肌と、大きく広がった瞳孔をとらえた。キャラはハイになっている。またアンフェタミンのせいだ。三年前のレディ・ケンジントンの一カ月にわたる「外国での休暇」が、実はケント州にあるプライベートな高級クリニックでのリハビリだったという事実を知っているのは、サフィアを含めて少人数しかいない。いつからまた使い始めたのだろうか？　サフィアはクレイに視線を向けた。今はキャラを問い詰める時ではない。

「なぜそんなに急ぐの？」サフィアは別の質問をした。

キャラは部屋の中を急いで見回した。声を落として語りかけてくる。「警部補が来る前に、気づいたことがあるの。あなたにあれが見えなかったなんて意外だわ」

「何のこと？」

キャラはかがみこむと、心臓の露出した部分の右心室を指差した。「この線が盛り上がっているところを見て」カリパスの先でその線をなぞる。

「冠状動脈か静脈の一本でしょう」サフィアは彫刻家の腕に感心しながら応じた。

「そうかしら？」キャラは線を指し示した。「上の部分が完全に水平になっているじゃない。

それから両側の線がどちらも九十度に曲がっている」キャラは血管を示す線をたどった。指がアンフェタミンに特有の震えを起こしている。

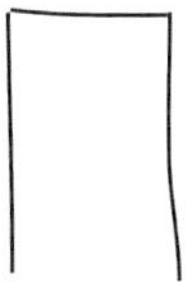

キャラは説明を続けた。「この心臓はすべて本物に忠実に彫られているわ。ダ・ヴィンチをもってしても、これほどまで解剖学的に正確なものを作るのには苦労したはずよ」キャラはサフィアを見つめた。「でも、自然界で九十度という角度はまず見られないわ」

サフィアもよく見ようと上体をかがめた。点字を読むように、指で線を丹念にたどる。疑いが次第に驚愕《きょうがく》へと変わる。「両方の先端部分が……急に途切れているわ。その先につながっていない」

「これは文字よ」キャラが言った。

「古典南アラビア語ね」サフィアも同意して、その地域の古い表記文字の名前をあげた。「ヘブライ語やアラム語よりも古いとされている文字だ。「これはBという文字だわ」

「上の部分も見て」

「右心房ですね」背後からクレイの声がした。

二人は同時に振り向いた。

「僕、前は医学部だったんです。でも、そのうちに血を見ると、その……昼に食べたものに悪影響を及ぼすことがわかったので」

キャラは彫像へと向き直り、カリパスの先端を向けた。「右心房はまだかなりの部分が砂岩に隠れていて見えないけれど、この下にも別の文字が隠されていると思うわ」

サフィアは顔を近づけた。指で触れてみる。見えている部分の血管の先端が、さっきと同じように急に切れている。「慎重に作業しないといけないわ」

サフィアはピックやのみ、小型のハンマーなどが並べられたベンチへと手を伸ばした。適切な道具を手に取ると、外科医のような正確さで作業に取りかかった。ハンマーとのみでもろい砂岩を大きめの塊に砕き、ピックと刷毛を使って取り除く。ものの数分で、右心房がはっきりと見えるようになった。

サフィアは冠状静脈のように見えた線が縦横に走っているのをまじまじと見つめた。はっきりとある文字を表している。

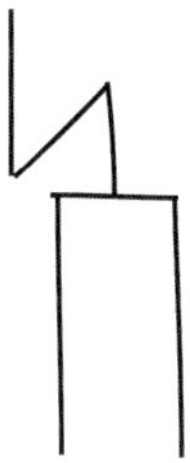

ただの偶然でこんな形ができるはずがない。

「それは何の文字ですか？」クレイが訊ねた。

「英語には直接対応する文字がないわ」サフィアは答えた。「この文字を発音するとｗａに近い音で、翻訳ではよくＷ-Ａと書かれたり、時には発音される時の音に近いＵと表記されたりすることもある。でも、本当は古典南アラビア語には母音を表す文字はないんだけれど」

キャラがサフィアの目を見つめた。「心臓を取り出さなくてはだめよ」キャラは繰り返した。

「もし、まだ文字があるとしたら、反対側だわ」

サフィアはうなずいた。心臓の左半分はまだ石の胸の中に閉じ込められている。彫像をこれ以上傷つけたくないという気持ちはあるものの、好奇心には勝つことができず、サフィアは素直に工具を手に取り、作業を開始した。心臓の周囲を固めている砂岩を取り除くのに、たっぷり三十分はかかった。最後に吸盤を取り付けて、両手で柄の部分を握る。古代のアラビアの神々に祈りながら、サフィアは肩の筋肉を総動員して均等な力で引き上げた。

最初は貼りついたまま動かないかと思ったが、心臓が予想より重かっただけだった。表情を歪ませながらさらに力を込め、サフィアはやっと心臓を胸から取り外した。砂岩のかけらや砂粒がぱらぱらと落ちる。両腕を伸ばしたままサフィアは体を回転させ、貴重な心臓を図書テーブルの上に移した。

キャラがテーブルへと駆け寄ってくる。サフィアは心臓を四角いやわらかなセーム革の上に乗せて傷がつかないようにしてから、吸盤を取り外した。吸盤の外れた心臓がわずかに揺れる。それと同時に、内部で水の動く音が聞こえた。

サフィアはほかの二人を見た。今の音が聞こえただろうか？

「ほらね、中が空洞みたいだって、言ったでしょう」クレイがささやいた。

サフィアは手を伸ばしてセーム革の上の心臓を揺らしてみた。揺れが大きくなると、重心も移動する。どういうわけか、サフィアは占い用おもちゃの「マジック・エイト・ボール」を思い出した。「中に何か液体が入っているわ」

クレイは後ずさりした。「うわっ、血じゃないといいんだけど。死体は乾燥してミイラみたいにぐるぐる巻きになっているやつに限るよ」

「密封されているわよ」サフィアはクレイを安心させながら、心臓を調べた。「どこから開けたらいいかもわからないわ。水を中心にしてブロンズの心臓が鋳造されたみたい」

「謎の中にまた謎ね」そう言いながら、キャラは自分でも心臓を揺らしながら調べた。「それで、ほかに文字は？」

サフィアはキャラの隣に並んだ。心臓の位置を確認して残りの二つの部分を探し当てるのは造作ない。いちばん大きい左心室に指を触れてみる。表面はつるつるしていて何もない。

「ないわね」キャラは驚いた様子で首をかしげた。「すり切れちゃったのかしら」

サフィアは微量のイソプロピル・アルコールで表面をぬぐい、もっと丁寧に調べた。「線も、その痕跡すらもない。不自然なまでに滑らかだわ」

「左心房はどうです?」クレイが訊ねた。

サフィアはうなずいて心臓をごろりと回転させた。左心房の表面に曲線が描かれていることにすぐ気づく。


「Rに当たる文字だわ」キャラのささやきには、いくらか恐怖が混じっていた。彼女は崩れ落ちるように椅子に座りこんだ。「まさかそんな」

クレイは顔をしかめた。「わからないな。Bと、WAあるいはU、それにR。何の単語?」

「この古典南アラビア語の三つの文字は、あなたにもわかるはずよ、ビショップさん」サフィアは言った。「順番は違うかもしれないけれど」彼女は鉛筆を手に取り、正しい順番に並べた。

クレイは顔をしかめたままだ。「古典南アラビア語はヘブライ語やアラビア語と同じように、右から左に読む。英語と逆だから……ワブル……あるいはウブル。でも、子音の間の母音が抜けているんだから」若い大学院生は目を大きく見開いた。「U、B、A、R。ウバールだ。アラビアの失われた都市、砂漠のアトランティスじゃんか」

キャラはただ首を左右に振るばかりだった。「最初はウバールを守っていたと言われる隕石の破片が爆発……今度はその都市の名前がブロンズの心臓に記されているのを見つけるなんて」

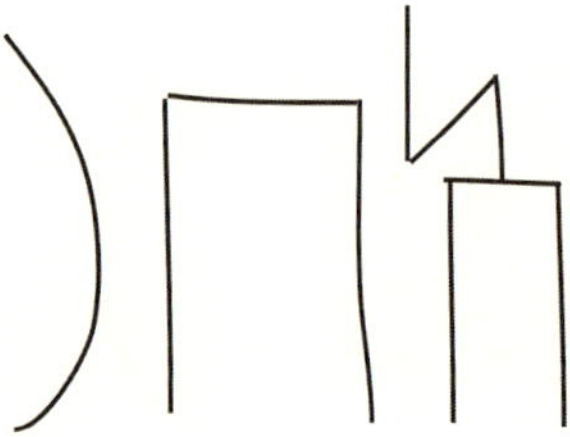

「ブロンズだと決まったわけではないわ」サフィアは心臓の上にかがみこんだまま言った。

キャラははっと我に返った様子でサフィアを見た。「どういう意味？」

サフィアは心臓を両手で持ち上げた。「彫像からこの心臓を引き抜いた時、重すぎるように感じたの。しかも、中は空洞で液体が入っているだけなのよ。左心室のアルコールでふいたところを見て。母材の赤みが強すぎるわ」

キャラが立ち上がった。その目を見れば、彼女もわかりかけているようだ。「鉄だと考えているのね。あの隕石の破片のような」

サフィアはうなずいた。「同じ隕鉄の可能性もあると思うわ。検査してみないといけないけれど。でも、どちらにしても不可解だわ。この彫刻が製造された当時のアラビアでは、これほどの品質の鉄を鋳造したり加工したりする方法は知られていなかったし、このようなすぐれた美術品を作る技術なんてなかったはずよ。謎が多すぎて、どこから手をつけたらいいかわからないわ」

「あなたの言う通りなら」キャラの言葉に力が込められる。「一九九二年に砂漠から発掘されたちっぽけな交易所は、まったく不釣り合いだということになるわ。まだ発見されていない何かがあるのよ」キャラは鉄の心臓を指差した。「例えば、ウバールの本当の心臓部とか」

「でも、どうすればいいの？　次のステップは？　ウバールに関して何か新しいことがわかったわけじゃないのよ」

クレイも心臓を調べていた。「左心室に何も文字がないのはちょっとおかしいな」

「ウバールの綴りは三文字でしょ」サフィアは説明した。

「それだったら、何で四つに分かれている心臓を使って、血液の流れに沿って文字を並べたのかな？」

サフィアはさっと振り向いた。「どういうこと？」

「血液は大静脈を通って右心房から心臓に入る。Uの文字がある場所さ」クレイは右心房へとつながっている上を断ち切られた太い血管を指でつつき、その先をたどりながら解剖学の講義を続けた。「それから房室弁を通って右心室に入る。Bの文字だ。そこから血液は肺動脈を通って肺へと向かい、酸素をたくさん含んで肺静脈から左心房に戻る。Rの文字。これでウバールという綴りになる。でも、どうしてここで止まるのかな？」

「本当ね、どうしてかしら」サフィアはつぶやき、顔をしかめた。

サフィアはこの謎に関して頭を巡らせた。ウバールの名は血液の流れに沿ってつづられている。どうやら方向を示唆しているようだ。何かへと通じる流れだ。サフィアの頭の中にアイデアの種のようなものが生まれた。「血液は心臓を出たらどこへ行くの？」

クレイは最上部にある太い血管を指差した。「大動脈を通って脳へ、さらに体全体へと」

サフィアは重たい心臓を転がすと、大動脈をたどってその先端部分に目を向けた。切り株のように断ち切られた内部を見ると、砂岩の塊が栓のように詰まっている。心室の表面にばかり気を取られていて、そこまできれいにする暇がなかったのだ。

「何を考えているの？」キャラが訊ねた。

「この文字はどこかを示しているみたい」サフィアは心臓をテーブルに戻し、大動脈の末端に詰まった砂岩を取り除き始めた。簡単にぽろぽろと崩れ落ちる。砂の奥にあるものをよく見ようと、サフィアは椅子に深く腰を下ろした。

「何ですか、それ？」クレイはサフィアの肩越しにのぞき込みながら訊ねた。

「古代アラビアの人々の間では、血液よりも貴重とされたものよ」サフィアはピックを使い、乾いた樹脂の透明な粒をテーブルの上にかき出した。何世紀にもわたって保存されていたその結晶から、甘い香りが漂っている。キリスト生誕以前の時代から存在する芳香だ。

「乳香ね」キャラの声からは畏怖の念が感じられる。「いったいどういうことなの？」

「道しるべよ」サフィアは答えた。「血液が流れるように、ウバールの富も巡っているということだわ」サフィアは友人の方へと向き直った。「この手がかりはウバールを指し示しているはずよ、その入口に向かうための次のステップを」

「でも、どこを指しているのよ？」キャラは訊ねた。

サフィアは首を横に振った。「確信があるわけではないけれど、サラーラの町は有名な乳香の道の始点でしょう」そう言いながら、乳香の粒を指でつつく。「そして、ナビー・イムラーンの霊廟はその都市にある」

キャラは背筋を伸ばした。「それじゃあ、そこから探索開始ね」

「探索って？」

「調査隊を今すぐ結成しないといけないわ」キャラは目を見開き、早口で話し始めた。だが、彼女が興奮しているのはアンフェタミンのせいではない。希望のせいだ。「一週間以内ね。それ以上は先延ばしにできないわ。オマーンでのコネを使えば、必要なことはすべて手配してもらえる。最高のメンバーが必要だわ。もちろんあなたと、あとはあなたが適任だと考える人ね」

「私が？」サフィアの心臓が跳び上がった。「私は……無理よ……何年も実地調査をしていないし」

「あなたは行くのよ」キャラはきっぱりと言い切った。「こんなほこりっぽい展示室にこもってばかりいるのは、いい加減にやめた方がいいわ。外の世界に戻るのよ」

「ここでもデータをまとめることができるし。私が現地に行く必要はないわ」

キャラはサフィアを見つめた。今までそうだったように、あきらめるかのように見えた。だが、キャラは声を落とし、かすれた声でささやいた。「サフィ、私にはあなたが必要なのよ。もし、そこに本当に何かあるのなら……答えがあるのなら……」キャラは今にも泣き出しそうな顔で首を振った。「一緒に来て。私一人では無理なの」

サフィアは息をのみ、自らと闘っていた。これほど頼んでいる友人の願いを断れるだろうか？　キャラの瞳には恐怖と希望が浮かんでいる。しかし、サフィアの頭の中では、今も昔の叫び声がこだましている。消すことはできない。子供たちの血が、今もサフィアの手にこびりついている。「私……無理だわ……」

サフィアの表情が何かを告げていたのか、キャラはとうとう首を縦に振った。「わかったわ」だが、そのきびきびとした口調が、本心はそうではないと告げている。誰も納得していない。

キャラは続けた。「でも、あなたの言うことも一理ある。実地調査の経験豊かな考古学者を仲間に加えないとね。あなたが行かないのなら、ちょうどいい人間を知っているわ」

キャラが誰のことを言っているのか、サフィアには察しがついた。〈まさか……〉

キャラはサフィアの動揺を感じ取ったようだ。「だって、あの地域での実地調査でいちばん経験があると言ったら彼じゃないの」彼女はバッグの中をかき回して、携帯電話を取り出した。「調査を成功させるためには、インディ・ジョーンズがぜひとも必要よ」

4　激流

十一月十五日午前七時二分
中国　長江

「俺はインディ・ジョーンズじゃねえよ！」衛星電話のヘッドホンマイクに向かって、ジェットボートのモーター音に負けない声で怒鳴る。「名前はオマハ……ドクター・オマハ・ダンだ！　キャラ、知ってんだろう！」

いらだちまじりのため息がそれに答えた。「オマハ？　インディ？　何が違うっていうのよ。あなたたちアメリカ人の名前なんて、みんな似たようなものじゃない」

オマハは操舵輪にかじりつき、湾曲した川の隘路《あいろ》を疾走していた。泥で濁った長江は、両側に崖が迫る中を縫うように流れている。このあたりが「峡《きょう》」と呼ばれるゆえんだ。数年後には三峡ダムが完成して、周囲一帯は七十メートル近い穏やかな深みに沈んでしまう。しかし、激しい流れが川幅の狭い部分を駆け抜けている今は、水面下に隠れた岩や厄介な急流といった危険で気を抜く暇がない。

しかも、危険は岩や急流だけではなかった。

銃弾が一発、ボートの船体に当たって跳ね返る。警告だ。二隻の黒いシミター170バウライダーに乗った追跡者たちは、急速に距離を縮めつつある。めちゃくちゃ速いボートだ。

「おい、キャラ、どういう用件なんだ?」オマハのジェットボートは大きな波に乗り上げ、一瞬宙を舞った。シートから浮き上がったオマハは、片手でボートの操舵輪を握り締めた。

背後で甲高い悲鳴があがる。

オマハは肩越しに叫んだ。「しっかりつかまってろよ!」

ボートは大きな衝撃とともに着水した。

うめき声が聞こえる。「もっと早く言ってくれよ」

オマハは素早く振り返った。弟のダニーは大丈夫のようだ。船尾に手足を投げ出して、頭は後部座席の下の備品キャビネットに突っ込んでいる。船尾の先に目を向けると、二隻のスピードボートは追跡を続けていた。

オマハは電話を手で覆った。「ショットガンを頼む」

ダニーは備品入れの中から転がり出て、武器を引っ張り出した。手の甲の付け根で眼鏡を押し上げる。「あったよ!」

「弾は？」

「ああ、そうか」ダニーは再びキャビネットに頭を突っ込む。

オマハは頭を左右に振った。弟は二十四歳で博士号を取得して、すでに古生物学者として名高いのに、しょっちゅう天然ぶりを発揮してくれる。オマハは再び電話を口元に当てた。

「キャラ、どういうことなんだ？」

「そっちは何事なの？」キャラは答えずに質問を返した。

「何でもない、ちょっと取り込み中でね。電話の用件は？」すぐに答えが返ってこない。ロンドンと中国との間の衛星通信のタイムラグのせいなのか、それともキャラが考え込んでいるせいなのか。いずれにしても、そのおかげでオマハはたっぷり考える時間ができた。この前キャラ・ケンジントンに会ったのは四年前のことだ。サフィア・アル＝マーズとの婚約を解消してからは、一度も会っていない。気まぐれにかけてきた電話ではないことは察しがつく。キャラの口ぶりは真剣できびきびとしている。サフィアの身に何かあったのだろうか？　彼女が無事でやっているということを聞くまで、この電話は切れない。

キャラが口を開いた。「オマーンでの発掘調査隊を組織しているの。あなたに調査隊の指揮をお願いしたいのよ。興味ある？」

オマハはあわや電話を切るところだった。くだらない仕事の話だ。「いや、けっこうだ」

「とても重要なの……」キャラの声からは緊張の色がうかがえる。

オマハはうなった。「予定は？」

「一週間以内にマスカットに集合。電話では詳細は言えないけれど、すごい大発見よ。アラビア半島全体の歴史を書き換えることになるかもね」

オマハが答えるより先に、ダニーが横からぬっと顔を出した。「両方の銃に弾を込めたよ」

一方の銃をオマハに手渡す。「でもさ、岩塩弾しかないのに、兄さんはどうやってあいつらを撃退するつもり？」

「俺じゃないよ。おまえが撃つんだ」オマハは電話で後方を指し示した。「船体を狙え。連中をちょいと脅かして時間を稼いでくれ。こっちは今、手いっぱいなんだ」

ダニーはうなずくと背を向けた。

オマハが電話を顔に戻すと、キャラが大声でわめいている最中だった。「……ってどうかしたの？　銃とか撃つとか、何の話なの？」

「落ち着けよ。でっかい水生のネズミを追っ払って――」

ショットガンの銃声にオマハの声はかき消された。

「外れた」ダニーが背後で毒づいた。

キャラの声がする。「調査の件はどうなの？」

ダニーが次の弾を込めた。「もう一度、撃った方がいい？」

「いいに決まってるだろうが！」

「まあ、ありがとう」キャラはオマハの怒鳴り声を誤解した。「一週間後にマスカットで会いましょう。場所はわかるわよね」

「待てよ！　俺が言ったのは──」

すでに電話は切れていた。オマハは電話のヘッドセットを床に叩きつけた。調査に同意したわけではないことぐらい、キャラは百も承知のはずだ。いつものように、あの女はこっちの混乱を利用したのだ。

「ボートを操縦しているやつの顔面に命中したぞ！」ダニーが叫んだ。自分でも驚いているようだ。「岸辺の方に向かっている。でも、気をつけて！　もう一隻が右舷から接近してくる！」

オマハは右にちらりと視線を向けた。流線型の黒いシミターは速度を上げてぴったり横についてくる。古びた灰色の制服を着た四人の男たちは、兵士あがりだろうか、低い姿勢でしゃがんでいる。一人が拡声器を口に当てた。命令口調だ。おおざっぱに訳すと、「スピードを落とせ、さもないと殺す」という意味の言葉をわめいている。言葉だけでは不十分だとでも言うかのように、ロケットランチャーが現れ、ボートに向けられた。

「今度は塩をぶつけてもどうにもならないと思うな」そう言うと、ダニーは隣のシートに座り込んだ。

選択の余地はない。オマハはスロットルを絞り、ボートの速度を落とした。片手を振って降参の意思を示す。

ダニーがグローブボックスを開いた。中に入っているのは完全な状態で保存されていた三個のティラノサウルスの卵の化石で、同じ重量の金と等しい価値がある。ゴビ砂漠で発見されたこの化石は、北京の博物館へと送られる予定になっている。だが、そんな宝物を手に入れたいと望む者は少なくない。ブラックマーケットでは、多くのコレクターが法外な値段で取引しているような品物だ。

「しっかりつかまってろよ」オマハは弟にささやいた。

ダニーはグローブボックスを閉じた。「まさか、あれをやるつもりじゃあ……」

「俺から盗むことはできない。このあたりで墓泥棒ができるのは俺だけだ」

オマハはボタンが収容されているカバーを開いた。ハミルトン212ターボ・インペラーに組み込まれたパルスジェットに、亜硝酸添加剤を供給するボタンだ。このボートはニュージーランドのアウトドア用品店で手に入れたものだ。かつてはオークランド近郊のブラックロック・リバーで、観光客を運んでいた。

オマハは次の湾曲部分に視線を向けた。

距離は三十メートル弱。もし運がよければ……

オマハはボタンを押した。亜硝酸ガスがインペラーへと注入され、パルスジェットに点火する。二本の排気筒から炎が噴き出し、ジェットエンジンがかすれた悲鳴のような音を発する。ボートの船首が勢いよく前に進んだ。船尾が深く水に沈み込む。

相手のボートから叫び声があがった。不意を突かれたため、ロケットランチャーをしっかりと構えることができなかったようだ。

オマハはスロットルを全開にした。ボートはアルミとクロムでできた魚雷のように、水面を疾走していく。

ダニーはあわててシートベルトを締めようとしていた。「うわあぁ……!」

オマハはただ操舵輪の前に立っていた。膝を軽く曲げた姿勢を保つ。ボートのバランスを足で感じる必要がある。川の急カーブへとさしかかる。オマハは素早く背後に目を向けた。

相手のボートはスピードを上げて何とか追いつこうとしている。ただ、追っ手の側にも大きな強みが一つあった。ぱっと炎が上がる。ロケットランチャーが火を噴いたのだ。ブラックマーケットで入手可能な中国製の69式ロケットランチャー。着弾地点から半径二十メートルの範囲にダメージを与えるので、正確に狙いを定める必要がない。

オマハは操舵輪を大きく右に回した。ボートが傾き、左舷側が高く上がる。ボートは水面を滑走しながら、航跡を残してカーブを曲がった。

ロケット弾は船尾をわずかに外れて通過した。

カーブをすり抜けたオマハは、ボートの姿勢を立て直して川の中央部へと進んだ。反対側の崖で爆発音が響く。土煙を上げながら石や岩が落下する。

オマハはジェットエンジンの出力をさらに上げた。船体はほとんど水面に触れていない。まるで氷の上を滑走しているかのようだ。

　後方で敵のボートがカーブの土煙の中から姿を現し、追跡を続行する。ランチャーに新たなロケット弾を装塡《そうてん》しているところだ。

　障害物のないところで敵に発射の機会を与えるわけにはいかない。ありがたいことに、「峡」が味方してくれそうだ。川が曲がりくねっているおかげで、敵の視界から身を隠すことができる。しかし、それは同時に亜硝酸の供給を止めてボートの速度を落とさなければならないことも意味していた。

「逃げ切れるかな？」ダニーは訊ねた。

「ほかに選択肢はないだろ」

「卵を渡しちゃえば？　命を賭けるほどの価値はないんじゃない？」

　オマハは弟の世間知らずぶりにあきれた。こいつと兄弟だなんて信じられない。二人とも身長は一八八センチで、髪の色も同じサンディブロンドだが、ダニーは骨に針金を巻きつけただけのような外見だ。一方、オマハはもっと横幅があり、体つきもがっしりしている。世界中を飛び回るうちに鍛えられ、七つの大陸のうちの六つで太陽の光を浴び続けた肌は健康的に焼けている。弟との間の十歳という年齢の差が、オマハの顔に年輪のようなしわを加えていた。太陽の光が目尻に筋を描き、難しい顔ばかりしてあまり笑わないせいで、眉間には深い溝が刻まれている。

弟の顔はしわ一つなく滑らかで、これから書き込まれるのを待っているまっさらな紙も同然だ。ダニーは昨年、博士課程を修了したばかりだった。短距離競走でもするかのように、あっと言う間にコロンビア大学を駆け抜けた。そんなにも急いで学業を終えたのは、兄と一緒に広い世界に出たいという気持ちからではないか、オマハはそんな気がしていた。

その結果がこれだ。睡眠時間の少ない日々を送りながら、ろくにシャワーを浴びることもできず、くさいテントと体中の隙間に入り込んだほこりと汗にもすっかり慣れてしまっている。いったい何のために？　こそ泥どもに自分たちの発見をくすねさせるためか？

「卵を渡してやれば――」

「どっちにしろ殺されるんだよ」オマハは会話を打ち切り、次の急カーブに合わせてボートの針路を変えた。「こういう連中は一切の証拠を残さないのさ」

ダニーは船尾のさらに先をうかがった。「じゃあ、逃げなくちゃ」

「一目散にな」

追っ手のシミターのボートが後方のカーブを曲がり、エンジン音がさらに高くなった。距離が縮まっている。もっと速度を上げなければ。短くてもいいから、流れの真っ直ぐな地点が必要だ。亜硝酸を注入して引き離すことができる程度の長さがあり、なおかつ追っ手にロケットランチャーを撃つ機会を与えるほどの長さがなければちょうどいい。

オマハはボートをなだめすかしながら、狭いジグザグの水路を進んでいく。頭の中でいろいろと考えを巡らせていたせいで、水面下の岩に気づくのが遅れた。ボートは岩に乗り上げ、一瞬もたついた後、アルミのこすれる音とともに自由になった。

「今の、やばいんじゃない」ダニーがつぶやいた。

確かにやばい。オマハの眉間のしわがいっそう深くなった。足もとからボートの振動が伝わってくる。静かな水面を走っているのに。何かが剝がれたのか。

再びシミターのエンジンが甲高い咆哮をあげた。

次のカーブを曲がった時、オマハの目は一瞬、追っ手の姿をとらえた。約六十メートル後方。前に視線を戻した時、ダニーのうめき声が聞こえた。川の前方では白い水がしぶきをあげながら泡立っている。この付近は両岸を高い断崖に挟まれている。長い、真っ直ぐな部分だ――だが、長すぎるし、真っ直ぐすぎる。

ボートを岸につけることのできる場所があれば、陸上を逃げるチャンスに賭けていたかもしれない。しかし、そんな場所は見当たらない。オマハは引き続き隘路を進み、水流に目を配りながら岩を警戒した。頭の中で計画を立てる。

「ダニー、これからちょっと楽しくないことになるぜ」

「何だって？」

急流に突入する少し手前で、オマハはボートを急旋回させると小さな円を描き、船首を上流に向けた。

「何やってるの?」

「このボートはいかれちまった。あいつらを振り切ることはできない。こっちから仕掛けなくちゃだめだ」

ダニーはショットガンをつついた。「ロケットランチャーに岩塩で対抗するの?」

「サプライズを用意すればいいんだよ」それと、完璧なタイミングだ。

スロットルを前に倒しながら、オマハはゆっくりと、今度は上流に向かってボートを進めた。頭の中に描いた地図の通りにたどる。あの落差を避けて、あそこの深い淵を迂回、流れを分けている岩を慎重に回り込み、穏やかな側へと進入する。オマハは大きな石を乗り越えて流れる激しい波へと船首を向けた。絶えず水に洗われているため、石の表面は滑らかになっている。

追っ手のボートが近づき、モーター音が高くなってきた。

「来たよ……」ダニーは眼鏡の位置を直した。

オマハは波の先に見えるカーブを曲がってシミターの船首が現れたのを確認した。親指をずらして亜硝酸供給ボタンのカバーを外す。同時にノズルをひねって全開にする。一か八かだ。

シミターはカーブを曲がり、オマハたちの乗ったボートを発見した。厄介な渦か何かにつかまって後ろ向きになり、もがいているように見えるはずだ。

敵のボートは速度を落としたが、それまでのスピードと流れがシミターを急流の方へと運んだ。追っ手との距離は十メートルもない。この距離では近すぎるため、ロケットランチャーは使えない。爆撃の破片が自分たちのボートや命まで損なう危険があるからだ。

ほんの一瞬、両者は手詰まりに陥った。

見せかけだけの。

「しっかりつかまってろ！」オマハは警告しながら亜硝酸注入のボタンを押した。

船尾でＴＮＴ爆弾の箱に引火したかのような衝撃が走る。ボートは急発進し、激しい波へと突っ込むと、その下に隠れた石に乗り上げた。船首が滑らかな石の表面を登り、船尾が下に沈む。二筒のパルスジェットがアルミニウムの船体を真上に飛ばした。オマハとダニーの乗ったボートは波の上を越え、炎を噴きながら宙を舞った。

ダニーがわめき声をあげている——それはオマハも同じだった。

ボートはシミターの上まで達したが、飛行用に作られているわけではない。亜硝酸が尽き、炎も消え、ボートはグラスファイバー製のシミターの上に落下した。

衝撃でオマハは尻もちをついた。水が船べりを越えて入ってきてずぶ濡れになる。ボートがごぼごぼと水を吐いた。「ダニー！」

「僕は大丈夫」シートにくくりつけられたまま、ダニーは呆然としている。

這って前へと進み、オマハは周囲の様子をうかがった。

シミターの破片があちこちに浮かんでいた。残骸の間にうつ伏せの状態で一人浮かんでいる。濁った水の中に血が流れ、赤い筋を作っていた。あたりには燃料のにおいがたちこめている。

だが、川の流れがオマハたちのボートを残骸から引き離してくれているので、万が一爆発したとしても大丈夫だろう。

オマハは男が二人、漂流物につかまっているのを見つけた。その間に合わせの筏《いかだ》とともに、激しい急流へと向かっている。恐竜の卵への興味はもはや失ってしまったようだ。

シートに座り直すと、オマハはエンジンを点検した。エンジンは咳き込むような音を立てて停止した。完全におしゃかだ。アルミのフレームは折れ曲がり、竜骨に穴が開いているが、少なくとも水には浮かんでいる。オマハはオールを用意した。

ダニーはシートベルトを外し、オールを一本手にした。「それで次は？」

「もう一隻のボートが調べにくる前に助けを呼ぶのさ」

「呼ぶって誰を？」

グリニッジ標準時午前零時五分

サフィアが鉄の心臓を標本用中性紙で注意深く包んでいる最中に、ベンチの上の電話が鳴った。キャラの携帯電話だ。またトイレに行くと言って、置き忘れていったのだ。「ちょっと気分転換」そう言い残していったが、サフィアにはわかっていた。どうせまた錠剤だ。

携帯電話は鳴り続けている。

「僕が出ましょうか？」カメラの三脚をたたみながらクレイが訊ねた。

サフィアはため息をついて電話を手に取った。重要な要件かもしれない。「もしもし」サフィアは携帯電話を開いて答えた。

相手の声は聞こえない。

「もしもし？」サフィアは問いかけた。「どちら様ですか？」

咳払いが聞こえた。かなり遠くから電話をかけているようだ。「サフィアかい？」静かな、驚いたような声。サフィアのよく知っている声だ。

サフィアは両足から血の気が引いていくかのように感じた。「オマハ？」

「お……俺はキャラに電話したんだけど。君もそこにいるとは知らなかった」

あまりの衝撃で舌がもつれ、言葉がすんなりと出てこない。「キャラは今……すぐには電話に出られないの。ちょっと待ってくれたら、私が呼んで――」

「待てよ！　サフィア……」

電話を下ろそうとしたサフィアの手が固まった。使い方を忘れてしまったかのように、電話を握ったまま立ち尽くす。耳から外れた電話から、オマハの声がかすかに聞こえる。「俺……ひょっとしたら……」必死で言葉を探したものの、結局は当たり障りのない質問に決めたようだ。「キャラと一緒にいるのなら、君もこれが何の話か知っているんだろう。どういう調査隊に俺を引っ張り込もうとしているんだ?」

　サフィアは電話を耳元に戻した。仕事の話ならばできる。「こみいった話なんだけど、ここである物を見つけたの。驚くべき発見よ。ウバールの歴史を書き換える可能性があるの」

「ウバールだって?」

「そうなのよ」

　やや長い間が空いた。「それじゃあ、キャラのお父さんに関係することなんだな」

「ええ。今回ばかりは、何か重要な手がかりなのかもしれないわ」

「君もその、調査隊とやらに加わるのかな?」ぎこちない質問口調だ。

「いいえ、私はここにいる方が役に立てるから」

「馬鹿を言うな!」それに続いて大音量の言葉がほとばしる。サフィアは電話を耳から離さなければならなかった。「ウバールとその歴史については、この地球上で君がいちばん詳しいじゃないか。君も来なくちゃだめだ!　キャラのためでなくとも、自分のために」

　サフィアの背後から突然声が聞こえた。電話から響き渡るオマハの声が聞こえたのだろう。

「彼の言う通りよ」キャラがサフィアの前に立った。「この謎を解くためにも、これから出くわすであろう謎を解くためにも、あなたにもその場にいてもらう必要があるわ」

　サフィアは電話と友人を見比べた。どちらからも逃げることができない。

　キャラが手を伸ばして携帯電話を取った。「オマハ、サフィアも行くわよ」

サフィアは抗議しようと口を開きかけた。

「これはとても重要なの」キャラはサフィアを遮り、オマハと彼女の両方に向かって告げた。薬で誘発されたアドレナリンのせいで、その目はきらきらと輝いている。「ノーという答えは受け付けないわ……二人ともよ」

「この話、乗った」オマハの声が電子的に合成されたささやきのように聞こえる。「ところで、ここを出るに当たってちょっと助けてもらえないかな」

キャラが電話を耳に当てたため、会話は二人だけにしか聞こえなくなった。しばらく耳を傾けてから、キャラはうなずいた。「あなたが面倒に巻き込まれていない時なんかあるの、インディ？　そちらのＧＰＳの座標はわかったわ。一時間以内にヘリが迎えにいくはずよ」キャラは携帯電話を閉じた。「あなた、彼と別れて本当に正解だったわ」

「キャラ……」

「あなたは行くの。一週間後よ。そのくらいの貸しはあるでしょう」キャラはさっさと立ち去った。

しばらくきまりの悪い沈黙が続いた後、クレイが口を開いた。「僕も行ってもかまいませんけど」

サフィアは顔をしかめた。この大学院生は本当の世界というものをまったく知らない。世の中には知らない方がいいこともある。ずっと埋もれたままにしておくべきだった何かを発動させてしまったのではないだろうか……サフィアはそんな気がしていた。

5　綱渡り

十一月十五日　グリニッジ標準時午前二時十二分
イギリス　ロンドン

キャラに置き去りにされてから二時間後、サフィアは暗い自分のオフィスに座っていた。明かりはクルミ材の机の上に置かれたライムグリーンのバンカーランプだけだ。その光が大量の書類とページを開いて置かれた専門誌を照らしている。一週間でオマーン行きの準備ができるなんて、キャラは本気で思っているのだろうか？　ここで爆発があったばかりなのに。片付けなければならない作業が山積しているのに。

行くわけにはいかない。それで決まりだ。キャラには理解してもらわなければならない。もし理解できないとしても、知ったことではない。こっちは自分のためを考えて行動しないといけないからだ。セラピストからも繰り返し言わされている。四年間もかかってやっと、普通の暮らしと呼べるものを、日々の安心を、悪夢を見ない睡眠を取り戻すことができた。ここが自分の家だ。オマーンの砂漠の真ん中で、あるかどうかもわからないものを探すために家を捨てることはできない。

それに、いまだに胸の痛いオマハ・ダンの件がある……

サフィアは鉛筆の端に付いている消しゴムを噛んだ。この十二時間で口にしたものといえばそれだけだ。もう自宅に帰らなければいけないことはわかっている。近所のパブで遅い夕食を取って、せめて二、三時間は眠るようにしなければ。ビリーのこともずっとほったらかしにしていたから、少しはかまってやらないといけない。機嫌を損ねているだろうから、ツナでもあげないと。

それでも、サフィアは動けなかった。

オマハとの会話を何度も頭の中で繰り返す。古い痛みがみぞおちでうずく。あんな電話、出なければよかったのに……

オマハと出会ったのは今から十年前、ソハールでのことだ。サフィアは二十二歳、オックスフォード大学を卒業したばかりで、アラビア南部におけるパルティア人の影響についての論文を執筆するために調査を行なっていた。その海辺の都市にオマハも足止めを食っていた。人里離れた紛争地域へと入る許可がオマーン政府から下りるのを待っていたのだ。

「英語を話しますか？」というのがオマハからサフィアへの第一声だった。彼女はアラビア海を見下ろすこぢんまりとしたパブのテラス席で、小さなテーブルに着いて勉強中だった。値段が安いのと、唯一まともなコーヒーが飲める店ということで、その地域で調査をしている研究者たちのたまり場となっていた店だ。

仕事を邪魔されていらだったサフィアの返事は無愛想だった。「イギリス国民として、あなたよりはよい英語を話せるものと思いたいですわ」

目を上げたサフィアの視線に映ったのは若い男性だった。サンディブロンドの髪にヤグルマギクのような青い瞳。顎にうっすらとひげが伸びかけ、すり切れたカーキ色の服にオマーンの伝統的なマサルを頭に巻き、きまり悪そうな笑みを浮かべている。

「失礼」若い男性は答えた。「でも、あなたが『アラビア考古学と碑文研究』の五号を持っていたから。ちょっと見たいところがあるんで」

サフィアは学術雑誌を手に取った。「どこですか？」

「『プトレマイオス図におけるオマーンとアラブ首長国連邦』のところ。これから国境地域に向かう予定なんだ」

「本当に？　あの地域は外国人は立入禁止だと思っていたわ」

またあの笑みが浮かんだが、今度はいたずらっぽい表情ものぞいた。「ばれたか。国境地域に行きたいと思っているところなんだ、と言うべきだったかな。領事館からの回答待ちでね」

サフィアは椅子の背にもたれると、相手をまじまじと見つめた。言葉をアラビア語に切り替える。「あそこで何をするつもりなの?」

男性は少しもひるまず、アラビア語で返してきた。「国境紛争の解決を助けるのさ。あのあたりに住むドゥルー族が古代にたどったルートを証明して、歴史的な証拠を示してやるつもりだ」

サフィアはアラビア語で続け、相手がその周辺の地理をどのくらい理解しているか探りを入れた。「ウッム・アル・サミンでは気をつけた方がいいわよ」

「ああ、流砂だね」男性はうなずいた。「あの油断ならない地域の話は読んだことがあるよ」

男性の目がうれしそうに輝いた。

気持ちが和らいだサフィアは刊行物を手渡した。「これはアラビア研究協会に一冊しかないものなの。ここで読んでもらえます?」

「アラビア研協の?」男性はテーブルに近づいた。「それって、ケンジントン家の非営利組織だよね」

「そうだけど、何か?」

「あそこの責任者の人と連絡をつけようとしているところなんだ。オマーン政府との話を円滑に進めたくて。でも、電話にも手紙にも誰も返事をよこさない。あの組織は応対が悪いよね。スポンサーのレディ・キャラ・ケンジントンと同じだ。『お高くとまった』というのはああいう女のためにある言葉だな」

「なるほど」サフィアは曖昧に答えた。

お互いに自己紹介をすませると、男性は同じテーブルで文献を読んでもいいかと訊ねた。サフィアは椅子を彼の方に押してやった。

「ここのコーヒーはいけるんだってね」座りながら男性は言った。

「紅茶の方がもっといけるわよ」サフィアは返した。「でも、それは私がイギリス人だからかしら」

二人はしばらく無言のままそれぞれの文献を読み、時々相手の顔をちらちらうかがっては、飲み物を口に運んでいた。やがて男性の背後でテラスの扉が開いた。サフィアはそちらに向かって手を振った。

テーブルに新たな人物が近づいてきたことに気づき、男性は顔を上げた。そのまま目を大きく見開く。

「ドクター・ダン」サフィアは教えた。「こちらはレディ・キャラ・ケンジントン。彼女も英語を話しますから、どうぞご心配なく」

男性の頰がみるみるうちに赤く染まっていくのを、サフィアは面白がりながら眺めていた。いたずらを見つかった時のような心境だったのだろう。おそらく、そんな経験はほとんどなかったに違いない。その日の午後、三人はアラビアや自国の時事問題、アラビアの歴史について語り合いながら過ごした。キャラは地元の商工会議所と仕事がらみの早めのディナーがあるとかで日没前に席を立ったが、ドクター・ダンの調査については取り計らう、と約束してくれた。

「せめて夕食くらいおごらせてもらわないと」キャラが立ち去った後で男性は申し出た。

「お受けしなくちゃいけないようね」

その晩二人は、炭火で焼いたキングフィッシュに、「ルカール」と呼ばれるスパイスの効いた平たいパンを添えた食事をゆっくりと楽しんだ。太陽が海に沈み、夜空が星に満たされるまで、二人は語り合った。

それが初めてのデートだった。次の機会は六カ月後、オマハが許可なくイスラムの聖地に侵入したかどで投獄されたイエメンの刑務所から出所するまで待たなければならなかった。法律に邪魔されながらも、二人は七つの大陸のうちの四つをまたいでデートを重ねた。あるクリスマスイブ、ネブラスカ州リンカーンの彼の実家で、オマハはソファーのそばに片膝をついて、サフィアにプロポーズした。サフィアの人生で最も幸せな時間だった。

ところがその一カ月後、まばゆい閃光とともにすべてが変わってしまった。

サフィアはその最後の記憶を払いのけ、頭をすっきりさせるためにようやく立ち上がった。オフィスの中は空気がよどんでいる。歩くことが、体を動かすことが必要だ。顔に風を感じるのは、たとえ湿って冷たい冬のロンドンだとしても、気持ちがいいに違いない。サフィアはコートを手に取り、オフィスに鍵をかけた。

サフィアのオフィスは二階にある。一階に下りるための階段は、ウイングの向こうの端のケンジントン・ギャラリー近くにある。つまり、もう一度あの爆発現場を通り過ぎなければならない。気が進まないが、選択の余地もない。

サフィアは赤い安全灯がところどころにともるだけの真っ暗なホールを歩き出した。これまでは人気《ひとけ》のない博物館が好きだった。毎日の喧騒《けんそう》の後の、平穏な時間だからだ。サフィアはしばしばゲートの下りた後のギャラリーを歩き回り、キャビネットや展示品を眺め、歴史の重みに慰めを見出した。

もうそんな楽しみを味わうことはできない。今夜は無理だ。

北ウイングの全長にわたり、長い支柱の上に取り付けられた空気循環用のファンが見張り塔のように設置され、大きな回転音を立てながら焦げた木材や燃えたプラスチックの異臭を追い出そうとしている。だが、あまり効果はない。何本ものオレンジ色のコードにつながれた室内ヒーターも床の随所に置かれ、ポンプを使ってすすけた水の大部分が吸い出された後のホールとギャラリーを乾かそうとしていた。そのせいでホール内はひどく暑い。熱帯地方のむっとする熱気だ。並んだファンはのろのろと空気をかき回しているにすぎない。

大理石の床にヒールの音を響かせながら、サフィアは民族誌の展示ギャラリーを通り過ぎた。ケルト、ロシア、中国。自分のギャラリーへと近づくにつれて、爆発の被害が大きくなっていく。壁には煙の汚れが付着し、警察の立入禁止テープが張られ、剝がれ落ちた漆喰《しっくい》や割れたガラスが何カ所かに掃き集められている。

エジプトの展示への入口を通り過ぎた時、サフィアはガラスが割れるようなこもった金属音を耳にした。立ち止まって肩越しに振り返る。一瞬、ビザンチン・ギャラリーのあたりでかすかに光が瞬いたような気がした。じっと目を凝らす。だが、そのあたりは暗いままだ。

サフィアはパニックに陥りそうになる気持ちを必死に抑えた。この発作が起こるようになって以来、本物の危険と思い込みの危険とを見分けるのが難しくなっていた。心臓の鼓動が次第に大きくなる。近くにあるファンの羽根が苦しげな音を立てて頭上を通過した時、サフィアの両腕の産毛がぞくっと逆立った。

通りかかった車のヘッドライトに違いない。サフィアはそう自分に言い聞かせようとした。不安をのみ込んで前へと向き直ったサフィアは、ケンジントン・ギャラリーの外のホールに立つぼんやりとした人影を認めた。

サフィアは後ずさりした。

「サフィア?」その人影は懐中電灯を掲げてスイッチを入れた。まぶしい光で前が見えなくなる。「ドクター・アル＝マーズ」

サフィアは安堵のため息とともに、目をかばいながら小走りに駆け寄った。「ライアン」人影は警備主任のライアン・フレミングだった。「もう家に帰ったんだと思っていたわ」

フレミングは笑顔を浮かべて懐中電灯を消した。「その途中だったんだが、タイソン館長に呼び出されちゃってね。アメリカ人の科学者二人が、爆発現場をどうしても調べたいらしいんだ」彼はサフィアと一緒にギャラリーの入口へと向かった。

　ギャラリーの内部では、お揃いのつなぎを着た二人が暗い中で作業をしていた。各部屋に二つずつ置かれたスタンドライトだけが、弱い光を投げかけている。その暗がりで、調査をしている人たちの持つ道具が明るく輝いた。ガイガーカウンターのようだ。二人とも小型の装置を手にしていて、装置の画面が光っている。もう片方の手には長さ一メートルほどの長さの黒い棒を持ち、その棒がコイル状のコードで装置と接続されている。前後に並んだ二人はギャラリーの中の一つの部屋をゆっくり移動し、焦げた壁や積み上げられた瓦礫に棒をかざして調べている。

「マサチューセッツ工科大学の物理学者だそうだ」フレミングは続けた。「今夜アメリカから着いて、空港から直接来たらしい。よっぽど強力なコネがあるんだね。私も付き添うようにとタイソンが言い張るんだ。お偉い館長さんの話では、『最優先事項』なんだそうだ。君にも紹介しておかないといけないね」

　まだ神経が張り詰めたままのサフィアは、辞退しようとした。「もう家に帰らないといけないので」

　だが、フレミングはすでにギャラリーへと足を踏み入れてしまっていた。調査をしていた学者の一人、血色のよい顔色をした背の高い男性が、フレミングに、それからサフィアに気づいた。

男性は棒を下げて急ぎ足でやってくる。「ドクター・アル＝マーズ、光栄です」男性は片手を差し出した。「お話したいと思っていたのです」

サフィアはその握手を受けた。

「私はドクター・クロウ。ペインター・クロウです」

射るような視線を向けるラピスラズリのような青い瞳と、肩まで届く漆黒の髪。男性の顔は日に焼けている。サフィアはアメリカ先住民だろうかと思ったが、そうだとすると青い瞳が不思議だ。名前のせいかもしれない。クロウ。スペイン系だと言ってもおかしくない。あふれるような笑顔だが、押しつけがましい感じはない。

「こちらは同僚のドクター・コーラル・ノヴァクです」

女性はほんの少しうなずいて、機械的な握手をした。早く調査を続けたそうだ。

二人の科学者はこれ以上ないくらい対照的だった。浅黒くハンサムな男性に比べて、女性の方は色素というものが欠けているかのごとく、青白い影のように見える。肌は削り取ったばかりの雪のようにほんのり輝き、唇は薄く、目は氷のようなグレーだ。ナチュラルなプラチナブロンドの髪を短く切り揃えている。身長はサフィアと同じくらいで、手足はしなやかだが、どこか強靭《きょうじん》さも感じられる。それは握手の強さからもわかった。

「何を調べているのですか？」サフィアは一歩後ろに下がりながら訊ねた。

ペインターは棒を持ち上げた。「放射線の痕跡をチェックしています」

「放射線？」サフィアはショックを隠せなかった。

ペインターは笑ったが、決して見下すような調子はない。温かい声だ。「心配いりません。我々が探しているのは、落雷の後に残る特殊な痕跡なんです」

サフィアはうなずいた。「お邪魔しない方がよさそうですね。お二人にお目にかかれて光栄でしたわ。調査を進めるうえで何か私にできることがあったらお知らせください」そう告げると、サフィアは背を向けかけた。

ペインターが追ってきた。「ドクター・アル＝マーズ、あなたにお会いするつもりで来たのです。いくつかお聞きしたい事柄があるのですが。よかったらランチをご一緒しながらでも」

「すみませんがとても忙しいので」そう答えかけた時、青い瞳につかまった。サフィアは固まってしまい、目をそらすことができなかった。眉間にしわを寄せた男性の顔に、落胆の色が浮かんでいる。「あ、あの、もしかしたら、何とか時間を取ることができるかもしれません。明日の朝、オフィスに連絡してください、ドクター・クロウ」

ペインターはうなずいた。「ありがとうございます」

何とか彼から視線を外した時にライアン・フレミングが話しかけてきてくれたおかげで、サフィアは気恥ずかしさから免れることができた。「出口まで付き添うよ」

フレミングの後についてホールへと出たサフィアは、振り向くまいと自分を抑えた。自分がこんなにもまごつき、狼狽《ろうばい》するのは久しくなかったことだ……それも、男性のせいで。思いがけずオマハと話をしてしまった後遺症に違いない。

「階段を使わないといけない。エレベーターはまだ止まっていてね」

サフィアはフレミングと足並みを揃えて歩いた。

「妙なやつらだね、アメリカ人というのは」一階へと階段を下りながら、フレミングは話を続けた。「いつもやけに急いでいる。こんな真夜中に来るんだから。自分たちが探しているものの数値が減ってしまうんだそうだ。今でないとだめだって」

サフィアはただ肩をすくめた。二人は階下に達して、スタッフ用の出口へ通じる短い通路を歩いた。「アメリカ人だからってわけじゃないと思うわ。科学者だからよ。私も含めて、愛想のない、こうと決めたら言うことを聞かない人種」

フレミングは笑顔を浮かべてうなずいた。「そのようだね」警備主任は警報が鳴らないように、マスターキーを使って扉を開けた。肩で扉を押し開け、サフィアのために扉を押さえようと、先に外へと出た。

フレミングはどこかはにかんだような眼差しを向けた。「前から思っていたんだけど、サフィア。もし時間があったら……いつか……」

銃声はクルミを割った程度の音にしか聞こえなかった。ライアンの頭の右半分が扉へと吹き飛び、血と脳の塊が散乱する。頭蓋骨の破片が金属の扉に跳ね返り、廊下に転がった。

ライアンの体が地面に倒れるより先に、覆面で顔を隠して銃を持った男が三人、開いた扉から押し入ってきた。男たちはサフィアをつかんで奥の壁に押しつける。手で口をふさがれ、サフィアは息ができなくなった。

サフィアの額の真ん中に拳銃が突きつけられた。「心臓はどこだ？」


〜〜〜〜〜


ペインターはスキャナーの赤い針に目を凝らした。爆破されたキャビネットの上に検知ロッドをかざすと、針はぴくりと振れて目盛りのオレンジ色の領域を指し示す。高い数値だ。

ホワイトサンズの核物理研究所で設計されたラド・エックス・スキャナーは、低レベルの放射線を感知することができる。二人が使用している特殊な装置は、反物質の対消滅に特有な減《げん》衰《すい》を測定できるように較正《こうせい》されている。物質と反物質の原子が衝突して破壊されると、その反応により純粋なエネルギーが放出される。二人のスキャナーはそのエネルギーを検知できるように較正されていた。

「ここに特に高い数値が出ています」パートナーが彼を呼んでいる。ドライで事務的な声だ。

ペインターは彼女の方へと近づいた。コーラル・ノヴァクはシグマの中では新顔で、三年前にＣＩＡからスカウトされたばかりだ。しかし、採用されてからの短い時間で、彼女はすでに核物理学での博士号のほか、六種類の武術で黒帯を取得している。ＩＱは桁外れに高く、広い分野で百科事典並みの知識を有している。

もちろん、ペインターは彼女の噂を聞いたことがあったし、これまでにも会議の席で何度か顔を合わせたことがあったが、お互いをよく知るための時間はワシントンからロンドンまでの機内しかなかった。決して口数の多くない二人が堅苦しい仕事上の関係を超え、人間として深く知り合うには短すぎる。彼女をついカサンドラと比べてしまい、それがまたペインターを寡《か》黙《もく》にさせた。カサンドラと似た面があると何となく疑念が湧き、違っていればいたで新しいパートナーとしての適正を疑問に感じる。そんなのは馬鹿げている。自分でもわかっているのだが。

時間が解決してくれるのを待つしかない。

ペインターが隣に立つと、コーラルは溶けてひしゃげたブロンズの壺にロッドを向けた。

「隊長、自分でもチェックしてみてください。私の機械の数値は赤の領域まで達しています」

ペインターのスキャナーも同じ結果だった。「こいつは当たりだな」

コーラルは片膝をついた。薄い鉛の保護手袋をはめ、壺を注意深く転がして調べる。中でからからと何かが鳴った。コーラルはペインターを見上げた。

ペインターはうなずいて、調査を続けるように指示した。コーラルは壺の口から手を入れて中を探り、すぐに指ぬきほどの大きさの岩の小片を取り出した。手袋をはめた手のひらの上で転がす。一方の表面は焼けて黒くなっている。反対側は赤い。金属の色だ。岩ではない……鉄だ。

「隕石のかけらです」コーラルは言った。スキャンしやすいようにペインターの方に持ち上げる。目盛りはそのかけらが高い数値の源であることをはっきりと示していた。「こちらの数値も見てください。バックグラウンド・ガンマ線でのZボソンとグルーオンは反物質の対消滅に特有ですが、それに加えてこのサンプルは非常に微量のアルファ線とベータ線を放射しています」

ペインターは顔をしかめた。物理学にはあまり詳しくない。

コーラルはサンプルを鉛の標本瓶に移した。「同じ放射パターンはウランの崩壊において見られます」

「ウラン？　原子力施設で使うような？」

コーラルはうなずいた。「精製されていないものです。おそらく、わずかな原子が隕鉄に閉じ込められていたのでしょう」コーラルは数値の読み取りを続けた。眉間に一本、深いしわが刻まれている。このストイックな女性にしてはかなり大きな反応だ。

「どうした？」ペインターは訊ねた。

コーラルはスキャナーを動かし続けている。「ロンドンへの移動中にＤＡＲＰＡの研究員による結論に目を通しました。反物質が安定した形で隕石に閉じ込められていたという説ですが、どうも腑に落ちないところがあります」

「そんなことは不可能だというのか?」確かに大胆な考えではあった。反物質は物質に触れると、それがどんな形の物質であっても、例えば空中の酸素だったとしても、たちまち対消滅を起こしてしまう。そんな反物質がなぜこの中に、自然な状態で存在できるのか?

コーラルはペインターの方を見上げることなく肩をすくめた。「そのような考え方を認めたとしても、どうしてその反物質が今回に限って刺激されたのかという疑問が残ります。なぜ今回の雷雨が爆発を引き起こしたのでしょうか? 単なる偶然でしょうか? それとも、さらなる理由があるのでしょうか?」

「君はどう思う?」

コーラルはスキャナーを指差した。「ウランの崩壊。それは時計に似ています。何千年にもわたって、ある一定の予測可能な形でエネルギーを放出するのです。おそらく、ウランからの放射線が持つある種の閾値《しきいち》のようなものにより、反物質が不安定になり始めたのでしょう。不安定な状態にあったせいで、放電のショックが爆発を引き起こしたのだと思います」

「爆弾の時限装置みたいだな」

「核時限装置です。セットされたのは何千年も前かもしれません」

あまり考えたくない仕掛けだ。

コーラルは眉間にしわを寄せたままだ。まだ気がかりな問題があるようだ。

「ほかに何かあるのか?」ペインターは訊ねた。

コーラルは腰を落として、初めてまともにペインターの顔を見た。「もしこの反物質が大量に存在するなら――鉱脈のようなものがあるとすれば、そちらも不安定になるかもしれません。それを発見したいのなら、もたもたしている時間はありませんね。同じ原子時限装置が働いている可能性があります」

ペインターは鉛の標本瓶をじっと見た。「もしその鉱脈とやらを見つけられなかったら、この新たなエネルギー源を発見するチャンスがすべて失われるというわけか」

「それだけじゃありません」コーラルは焼け落ちたギャラリーの内部を見回した。「この何十倍もの規模の爆発が起きる可能性があります」

ペインターはその恐ろしい考えを頭の中で理解しようとした。

重たい沈黙が続く中、近くの階段から足音が聞こえてきた。ペインターは音のした方へと顔を向けた。人の声も聞こえる。言葉ははっきりと聞き取れないが、あれはドクター・アル＝マーズの声だ。

ペインターの心に警戒の念が湧いた。なぜ彼女は戻ってきたのだろう?

さらに強い調子の声が聞こえる。誰かはわからないが、命令口調だ。「おまえのオフィスだ。連れていけ」

何かがおかしい。ペインターはホテルの部屋で処刑されていたという防衛科学研究室の二人の研究員のことを思い出した。コーラルの方へと視線を戻す。彼女も不審そうに目を凝らしている。

「武器は？」ペインターは小声で訊ねた。

二人には武器を用意している時間がなかった。銃器嫌いのイギリスにおいて、拳銃を手配するのは容易ではない。コーラルはかがんでズボンの裾をまくり、鞘に収めたナイフを見せた。こんな準備をしていたとは知らなかった。二人はカムフラージュのために民間機を利用していた。コーラルは預けた荷物の中に武器を隠し、ヒースロー空港のトイレで装着したのだろう。コーラルは刃渡り十八センチのナイフを取り出した。チタンと鋼鉄、おそらくドイツ製だろう。彼女はペインターにナイフを差し出した。

「そいつは君が使え……」ペインターは回収チームが残していった道具の積まれた手近な山の中から、柄の長いスコップをつかんだ。

階段の方から足音が近づいてくる。博物館の警備員だという可能性はあるが、油断はできない。

ペインターはコーラルに向かって身振りで計画を伝えてから、スタンドの明かりを消して入口付近を闇に落とした。二人は爆破されたギャラリーの入口を挟んで立った。ペインターは階段に近い方、積み重ねられた木製の台の後ろで配置に就く。薄い板の隙間から外が見えるが、相手からは影になって見えないはずだ。入口の反対側にいるコーラルは、大理石の台座が三つ並んだ後ろにしゃがんだ。

ペインターは片手を上げた。〈油断するな〉

ペインターは隠れ場所からまばたき一つせずに入口を見つめた。長く待つ必要はなかった。黒っぽい人影が音もなく忍び込んできて、階段へと通じる入口の側面に立つ。男は覆面をつけ、アサルトライフルを肩に担いでいる。

どう見ても博物館の警備員ではない。

あと何人いるのか？

二人目の人影が現れた。同じように覆面をつけ、同じ武器を携帯している。二人はホールの様子をうかがった。聞こえるのはファンの回転するかたかたという音だけだ。二人の間に、覆面をつけた三人目の人物が姿を現した。サフィア・アル＝マーズの肘をしっかりとつかみ、拳銃を脇腹に押している。

青ざめたサフィアの頬を涙が流れていた。前に進むように命令され、サフィアは震える足を踏み出した。呼吸が苦しいようで、ぜいぜいという声が漏れている。「そ……それは、私のオフィスの金庫の中です」サフィアはつかまれていない方の手でホールの奥を指差した。

彼女を捕まえている男が、ほかの二人に向かって進むように指示する。

ペインターはゆっくりと後ろに下がり、コーラルと視線を合わせると、手で合図した。コーラルはうなずき、音もなく移動した。

外のホールでは、サフィアの視線がケンジントン・ギャラリーの入口に向けられていた。彼女は二人のアメリカ人がまだここにいることを知っている。うっかり二人の存在を明かすような行動を起こしたり、言葉を口にしたりしてしまわないだろうか？

サフィアは足取りを緩め、急に鋭い声をあげた。「お願い……私を撃たないで！」

腕をつかんでいる男がサフィアを前へと押し出した。「だったらこっちの言う通りにすりゃいいんだよ」

サフィアはつまずいてよろめいたが、倒れはしなかった。ギャラリーに近づくと、その目が再び中を探る。

ペインターは気づいた。彼女が恐怖に駆られたかのように大声をあげたのは、アメリカ人の科学者たちに警告を与え、隠れるように伝えるためだったのだ。

ペインターはこの女性学芸員の機転に感心した。

前を歩くライフルを手にした二人の覆面男が、ペインターの隠れ場所の前を通り過ぎた。破壊されたギャラリーへと武器を向ける。だが、何も見つからず、二人はそのままホールを進んだ。

その二、三メートル後ろから、三人目の男がサフィアを引きずりながら歩いている。サフィアはちらっとギャラリーをのぞいた。ペインターの目は、いちばん手前の部屋に誰もいないことを確認したサフィアが、ほっとしたような表情を浮かべたのをとらえた。

サフィアと男が通り過ぎた時、ペインターはコーラルに合図した。

〈行け！〉

コーラルは台座を踏み台にしてジャンプし、宙返りをしながらホールに飛び込むと、二人の護衛とサフィアを引き連れている男との間に低い姿勢で着地した。

彼女の突然の出現に、サフィアをつかんでいる男があわてた。銃口がサフィアの脇腹からそれる。ペインターはそれを待っていた。男が反射的に引き金を引き、サフィアが撃たれてしまうような事態は避けなければならなかった。頭に強い打撃を受けた場合、そのようなことが起こりうる。

ペインターは物陰から静かに出て、スコップを巧みに振り回した。骨が砕け、拳銃を持った男の頭が片方にがくりと傾く。サフィアをつかんだまま、男は床に崩れ落ちた。

「伏せていろ」ペインターは怒鳴ると、コーラルの援護に向かった。

だが、その必要はなかった。パートナーはすでに行動を開始していた。

ナイフを持っていない方の手を軸に側転したコーラルは、両足で近い方にいた護衛の膝を蹴りつけた。男の両足が体を支えられなくなる。それと同時に、コーラルのもう一方の手に握られていたナイフが宙を飛び、驚くべき正確さで二人目の護衛の後頭部の付け根に突き刺さり、脳幹を断ち切った。首を絞められたかのような声を発しながら、男はうつ伏せに床へと倒れた。

コーラルは流れるような美しい回転を続けている。体操選手が床運動の演技を披露しているかのようだ。彼女のブーツのかかとが、起き上がろうとしていた最初の男の顔面に炸裂した。

男の頭がのけぞり、その反動で前に倒れ、大理石の床に激突した。

コーラルは男に覆いかぶさり、次の一撃を加えようとしたが、相手はすでに気を失っていた。それでも、彼女は用心深く身構えたままだ。もう一人の護衛はうつぶせに倒れている。動いているのは大理石の床の上に広がっていく血の海だけだ。すでに死んでいる。

ペインターの近くでは、サフィアがもう一人の死んだ男の腕の下から逃れようともがいていた。ペインターが駆け寄り、片膝をついた。「怪我はありませんか?」

サフィアはぐったりした死体から急いで離れたが、ペインターのそばにも近づこうとしなかった。「は、はい……大丈夫だと思います」凄惨な光景に彼女の目が泳ぎ、視線が定まらない。その声に切迫した調子が加わる。「ああ、どうしよう、ライアンが。撃たれたんです……階下の出口で」

ペインターは階段へと視線を戻した。「ほかに銃を持った人間は?」

サフィアは首を横に振った。目を見開いたままだ。「わ……わからないわ」

ペインターはそばに寄った。「ドクター・アル=マーズ」ぼんやりしているサフィアの注意を引くために、強い声を出す。彼女はショック状態に近い。「しっかり聞いてください。ほかに誰かいましたか?」

サフィアは何度か深呼吸をした。その顔は恐怖で歪んでいる。体を一度ぶるっと震わせると、彼女はよりはっきりとした声で答えた。「階下にはいません。でも、ライアンが……」

「下へ行って彼の様子を見てくる」ペインターはコーラルの方を向いた。「ドクター・アル＝マーズに付き添っていてくれ。一階を偵察して、必要があれば警備員に連絡する」

ペインターは床にかがみ、男が持っていた銃を拾い上げた。ワルサーP38。普段の自分だったら選ばない武器だ。なじみのグロックの方がありがたかった。しかし、とりあえずは拳銃があるだけで心強い。

まだ生きている一人を拘束するために瓦礫の山の中からロープを引っ張り出しながら、コーラルが近づいてきた。「カムフラージュはどうします？」サフィアの方をちらりと見ながらささやいた。

「二人ともたまたま非常に機転の利く科学者だったのさ」ペインターは答えた。

「確かに、それも嘘じゃないですね」顔をそむけながら、コーラルの目にかすかだが楽しそうな色が浮かんだ。

ペインターは階段へと向かった。彼女のようなパートナーなら、慣れることができそうだ。

〜〜〜〜〜

サフィアは男性が階段を下っていくのを目で追っていた。音も立てず、氷の上を滑るような

動きだ。〈いったい何者なの?〉

うめき声が聞こえて、サフィアは残った女性の方に注意を戻した。ただ一人生き残った敵の腰に、片膝を押し当てている。女性が男の両腕を後ろにひねると、意識の朦朧《もうろう》とした男から「やめろ」というような声があがった。彼女は手際よく男の手足を縛り上げた。投げ縄で牛を捕らえた経験でもあるのだろうか? それとも、この女性は単なる物理学者ではないのだろうか? だが、じっと観察する以上の好奇心を抱いている場合ではない。

サフィアはそれよりも自分の呼吸の方に意識を集中させた。ファンが回っているにもかかわらず、まだ空気中に酸素量が足りない気がする。顔や体から汗がにじみ出てくる。

サフィアは壁に背中をつけたまま両膝を腕で抱えて座った。体が揺れないように力を入れなければならなかった。そこまで気が動転しているとは見られたくない。そう考えることで気持ちが落ち着いてきた。二つの死体からも目をそらす。すぐに警報が鳴るだろう。警棒と明かりを手にした警備員たちが駆けつけるはずだ。ほかの人が来てくれるだけでありがたい。

それまでの間、ホールはがらんとして暗く、むっとするような湿気がたちこめたままだ。気がつくとサフィアの視線は階段へと向けられていた。〈ライアン……〉頭の中で再び銃撃の瞬間が繰り返される。血なまぐさい映画の一場面を再生しているかのようだ。だが、音は聞こえない。男たちはあの鉄の心臓を奪いに来たのだ。サフィアの発見を、見つけたことを誇りに思ったあの心臓を。ライアンはそのために死んだ。自分のために。

〈またなの……〉

嗚咽《おえつ》がこみ上げてきた。手で口を押さえようとすると、今度は息が詰まる。

「大丈夫？」すぐそばにいた女性が訊ねた。

サフィアは震えながら体を丸めた。

「もう安全ですよ。ドクター・クロウがすぐに警備員を連れてきてくれます」

サフィアは体を丸めたまま、気持ちを落ち着かせようとした。

「よかったら何か持って――」喉を詰まらせたかのような音とともに、物理学者の声が急に途切れた。

サフィアは顔を上げた。女性はすぐ近くに立っている。体が硬直し、両腕を体の脇に垂らし、頭は後ろにのけぞった状態だ。頭からつま先まで、全身が小刻みに震えているように見える。発作だ。喉を詰まらせたかのような音は止まらない。

何が何だかわからず、サフィアは四つん這いになってその場を離れ、階段へと向かった。いったい何が起きているの？

女性の体が突然崩れ落ち、前のめりに床へと倒れ込んだ。通路の暗闇の中で、腰のあたりの背骨付近に小さな青い炎が見える。服から煙が上がる。女性は倒れたまま動かない。

どうしたというの？

しかし、青い炎が消えた時、サフィアは細いワイヤーに気づいた。うつぶせに倒れた女性から、三メートル先に立っている人影へとワイヤーがつながっている。

銃を持った敵はもう一人いたのだ。

人影は奇妙な拳銃を手にしている。サフィアはその武器を見たことがあった……ただし、映画の中での話で、実物を目にしたのは初めてだ。テーザー銃。音を立てない凶器。

サフィアは四つん這いのまま、じりじりと後ずさりした。つるつるした大理石でヒールが滑る。サフィアはオフィスを出た時に漠然と感じた恐怖を思い出した。話し声が聞こえたような気がした。ビザンチン・ギャラリーで光が見えたような気がした。あれは気のせいではなかったのだ。

放電を終えたテーザーを持った手を下ろし、人影がこちらに近づいてくる。

アドレナリンとパニックが合わさったような素早さで、サフィアは立ち上がった。前方には階段がある。階段までたどり着き、警備員たちに連絡すれば――

何かがつま先のすぐ右側の床の大理石に当たった。シュッという音とともに青い火花が散る。二挺《ちょう》目のテーザー銃だ。

サフィアは階段を目指して走り出した。テーザーをセットし直すにはしばらく時間がかかるはずだ……三挺目を持っていなければの話だが。階段へと近づきながら、サフィアは背後から電気に打たれることを覚悟した。あるいは、単に撃ち殺されるのだろうか。

だが、何も起こらない。サフィアは階段へと走り込んだ。

下から数人の声が聞こえる、怒声だ。銃声が一発、狭い空間にとどろいた。階下にも銃を持った人間がいる。

本能的にサフィアは上へと逃げた。逃げること、走り続けること以外は頭にない。階段を一度に二段ずつ駆け上がる。博物館のこの一角に三階はない。

階段は屋上へと続いている。

一気に階段を駆け上がり、手すりをつかんで踊り場で方向転換する。次の階段の先に扉が見える。非常口だ。外から入ることはできないが、中から出ることはできる。警報が鳴るだろうが、今の状況を考えるとすでに鳴っていてもおかしくないくらいだ。開館時間が終了した後、施錠されていないことを祈るしかない。

後ろから足音が聞こえてくる、階段の入口まで来ている。

サフィアは扉に飛びついて腕を突き出し、非常ラッチを押した。

動かない。ロックがかかっている。

サフィアは泣きながら鋼鉄の扉に体を押しつけた。〈そんな……〉

〜〜〜〜〜

ペインターは両手を上げていた。ワルサーP38は足もとに置いてある。危うく頭を撃ち抜かれるところだった。弾丸は頬をかすめた。熱が通過するのを感じるほどの近い距離。とっさに身をかわしたおかげで助かったのだ。

確かに、傍目には自分がどう見えたかよくわかる。博物館の出口付近で銃を手にした男が、ライアン・フレミングの死体のそばで膝をついていたのだ。三人の警備員がそこに来合わせて、大騒ぎになった。必死に説明を試みた末、現在の膠着《こうちゃく》状態に陥っている――銃を捨て、両手を高く上げた格好だ。

「ドクター・アル＝マーズが襲われたんです」銃を持った警備員に向かってペインターは説明した。もう一人の警備員が死体を調べ、三人目が無線で連絡している。「ドクターが拉致《らち》された時に、フレミングさんが撃たれました。私とパートナーが二階で襲撃者を取り押さえたんです」

武器を手にした警備員からは何の反応も見られない。声が聞こえていないのかと思うほどだ。こちらに銃口を向けたまま、額には玉の汗が浮かんでいる。

無線で話していた警備員が顔を上げ、仲間に話しかけた。「警察が到着するまでこの男の身柄を確保しておく。こちらに向かっているそうだ」

ペインターは階段の方に視線を向けた。上の様子が気になって仕方がない。銃声は二階にも聞こえたはずだ。銃声を聞いて、コーラルとあの学芸員は身を隠しただろうか？

「こら、おまえ」拳銃を持った男が言った。「手を頭の上に乗せろ。こっちに来るんだ」

警備員は拳銃を通路の方へ、階段から離れた方へと振った。三人の中で銃を持っているのはその警備員だけで、あまり使い慣れているとは思えない。握り方が甘いし、位置も低すぎる。博物館内にある拳銃はそれだけで、普段は引き出しの奥深くにしまい込まれているのだろう。例の爆発騒ぎのせいで、みんなが警戒心の塊になって、過剰に反応しているのだ。

ペインターは頭の上で指を組み合わせ、指示された方を向いた。この場を掌握しなければいけない。両手ははっきりと見える位置に置いたまま振り向いて、経験不足の警備員へと近づく。振り向きざまに、ペインターは体重を右足に移していた。警備員の目がほんの一瞬それる。それで十分だ。ペインターは左足を振り上げ、警備員の手首を蹴った。

拳銃が通路の先へ滑っていく。

ペインターは体勢を低くしてワルサーを床から拾い上げ、仰天している三人に突きつけた。

「これからは俺のやり方でやらせてもらうぞ」


〜〜〜〜〜

サフィアは再び屋上に通じる扉の非常ラッチを押した。だが、びくともしない。力なく扉の枠を拳で叩く。その時、そのすぐ隣の壁にキーパッドがあることに気づいた。古いタイプだ。電子カードを通す方式ではない。暗証番号が必要だ。耳元を飛び交う蚊の羽音のように、パニックが頭の中で音を立てる。

博物館のスタッフにはそれぞれ初期設定の暗証番号が与えられている。その後は好きな時に変更可能だ。初期設定は各自の誕生日。サフィアはあえて変更する必要を感じたことなどなかった。

足音がサフィアの注意を引いた。

階段の下半分を上り切った追っ手が、踊り場に立っている。二人の目が合った。相手は拳銃を握っている。テーザー銃ではない。

扉を背にしたサフィアは、キーパッドのボタンを見ずに誕生日を入力した。博物館での勤務も長いため、計算に使う電卓なら数字を見なくても入力できる。

入力を終えると、サフィアは非常ラッチを押した。

かちりという音がしたが動かない。まだロックがかかっている。

「行き止まりだ」銃を手にした追っ手がくぐもった声で言う。「死にたくなければ下りてこい」

扉に張りついたままのサフィアは間違いに気づいた。セキュリティは二〇〇〇年を境にアップグレードされていた。年を表すのは二桁でなく四桁になったのだ。ラッチを握っていた指をほどくと、サフィアは素早く八つの数字を打った。日が二桁、月が二桁、そして生まれた年が四桁。

相手が一歩近づいた。拳銃を握った手が前へと伸びる。

サフィアは背中で非常ラッチを思い切り押した。扉が大きく開く。外に転がり出たサフィアの体を冷気が包み込む。サフィアは扉の脇へと身をかわした。銃弾が一発、鋼鉄の扉に当たって跳ね返る。後を追って外へ出ようとする敵の覆面の顔を目がけて、サフィアは力任せに扉を閉めた。

扉が再びロックされたかどうかはわからない。サフィアはその場にとどまらずに、出口から塔屋《とうや》の裏に回った。夜空は明るく星が輝いている。どうして肝心な時に霧が出てくれないのだろう？　サフィアは隠れることのできそうな場所を探した。

ところどころに突き出ている金属部分が多少の避難所になる。覆いのついた通風孔、排気ダクト、電線管などだ。だが、それぞれが離れたところに点在しているので、身を守るには頼りない。大英博物館の屋上のそのほかの部分は、中世の城の胸壁《きょうへき》のように、ガラス屋根で覆われた中庭を取り囲んでいる。

背後から鈍い銃声が聞こえる。大きな音とともに扉が開く。

追っ手が扉をぶち抜いたのだ。

サフィアはいちばん手近な隠れ場所へと走った。中庭部分を取り囲むように低い壁がある。ガラスと鋼鉄で編まれたグレートコートの屋根の縁に当たる部分だ。サフィアは壁を乗り越え、しゃがんで身を隠した。

サフィアの両足は広さ約八千平方メートルのジオデシックドームの縁に当たる金属製の枠の

上に乗っていた。広大なガラスの屋根は、いくつもの三角形のガラスが組み合わさってできている。何カ所かガラスが欠けているのは、昨夜の爆発で落下したところだろう。プラスチックのシートで覆われている。それ以外のガラスは星の光を浴びて鏡のように輝いていた。パネルが集まる中央部には、中庭の中央部にそびえる閲覧室のまばゆい銅製の丸屋根が見える。安全ガラスの海に浮かぶ島のようだ。

サフィアはしゃがんだ姿勢を保った。自分がまる見えであることは自覚している。

追っ手が壁の裏側を探せば、逃げ場はない。

足音が聞こえる。屋根の上の砂利を踏んでいる音だ。歩き回ってからしばらく立ち止まり、再び歩き始める。いずれはこのあたりにも来るはずだ。

もはや選択の余地はない。サフィアは屋根の上に這い出し、体重を支えてくれるように祈りながら、ガラスの上をカニのように横向きに移動した。十二メートルの高さからかたい大理石へと落下すれば、頭に銃弾を撃ち込まれるのと同じくらい致命的だろう。

閲覧室の丸屋根の島までたどり着いて、その後ろに隠れることさえできれば……

一枚のガラスがサフィアの膝の下で、薄い氷が割れるように裂けた。爆発でもろくなっていたのだろう。サフィアが横に転がった直後、ガラスは砕けて鋼鉄の枠組みから落下した。一階部分の大理石に激突して、大きな衝撃音がこだまする。

サフィアは巨大な屋根の中央までまだ半分くらいのところでうずくまった。鏡のクモの巣に捕まったハエのようだ。ガラスの割れた音に引き寄せられて、間もなくクモが姿を見せるに違いない。

隠れなければいけない。潜り込むことのできる穴があれば。

サフィアは右側に目を向けた。一つだけ穴がある。

ガラスが割れたばかりの鋼鉄製の枠組みへと戻ると、とにかく隠れることだけを考えていたサフィアは、両脚を枠から下へと出し、体を少しずつ下ろした。指で鋼鉄の縁をしっかりつかみ、十二メートルの高みにぶら下がる。

ぶら下がったまま体の向きを変え、サフィアは最初に隠れていた壁の方へと顔を向けた。ガラス越しに見る夜空はきれいに晴れ上がり、星が明るく輝いている。覆面をした頭が低い壁の上からのぞき、ジオデシックドームを見渡している様子が見える。

サフィアは息を殺した。上から見ると、屋根は銀色の星明かりを反射している。自分の姿は見えないはずだ。ただ、早くも腕の筋肉が引きつり、鋼鉄の鋭い角が指に食い込んでくる。しかも、もう一度屋根の上に戻るための力も温存しておかないといけない。

サフィアは暗い中庭を見下ろしたが、すぐに後悔した。途方もなく高い。明かりといえば壁の近くでかすかに赤く光る非常灯だけだ。それでも、床の上で粉々に砕けたガラスを確認することができた。もし落ちたら、自分の骨があのガラスと同じことになる。サフィアは指に力を込めた。心臓が激しく鼓動する。

サフィアがどうにか視線を下から上へと戻した時、壁の上へとよじ登る男の姿が目に入った。何をしているのだろう？　壁を乗り越えると、男は屋根を渡り始めた。体重を鋼鉄の枠だけにかけながら、真っ直ぐこっちに向かってくる。なぜわかったのだろうか？

その時、サフィアは気づいた。さっき見たように、ガラスの落下した箇所はプラスチックのシートで覆われている。明るい笑みを浮かべた顔の白い歯が、何本か欠けているようなものだ。そんな隙間の中で、まだ覆いがされていないのは一カ所しかない。追っ手は標的がその穴から落ちたのではと考え、確認しにきたのだ。その動きは素早く、狼狽しながら這うように進んだサフィアとはまったく違う。拳銃を手にした男は隠れ場所へと近づいてくる。

どうしよう？　もうどこへも逃げられない。サフィアはあきらめようかと思った。そうすれば、少なくとも自分の死を自分で決めることができる。涙がこみ上げてきた。指がずきずき痛む。指を離すだけでいい。ところが、指がどうしても開かない。パニックのせいで固まってしまったのだ。その場にぶら下がったままでいるうちに、男が最後のガラスを渡ってきた。ついに彼女を見つけた追っ手は、一歩下がってから見下ろした。

低い、暗い笑い声が漏れた。

その時、サフィアは自分の思い違いに気づいた。

銃口が額に向けられる。「金庫の暗証――」

銃声が響いた。ガラスが粉々に砕け散る。

悲鳴をあげたサフィアは片手を放してしまい、もう片方の腕だけで体を支えた。肩と指が引きちぎれそうだ。その時初めて、サフィアは一階にも銃を持った人間がいることに気づいた。見覚えのある姿。あのアメリカ人だ。

彼は大理石の床の上に足を開いてしっかり立ち、こちらに銃を向けている。

サフィアは顔を上げた。

追っ手が立っていたガラスは無数の破片と化し、強化コーティングだけでつながっている。追っ手はあわてて後退し、その拍子に拳銃をとり落とした。拳銃は宙を舞い、割れたガラスの上に落下する。ガラスの隙間を通り抜けた武器は、一階の大理石の床へと落ちていった。

敵は素早く屋根を横切り、壁に戻ろうとしている。

下からはアメリカ人が発砲を続け、次々にガラスを割りながら敵の動きを追う。しかし、相手の方が銃弾よりも一歩ずつ速い。壁にたどり着くと、敵の姿は壁を越えて消えた。逃げられてしまったようだ。

アメリカ人は大声で悪態をついてから、サフィアが一本の腕だけで、天井の梁《はり》に止まったコウモリのようにぶら下がっているところへと戻ってきた。だが、コウモリとは違ってサフィアには翼がない。

サフィアはもう一方の手を何とか元に戻そうとした。軽く体を揺すらなければならなかったが、どうにか両手で鋼鉄の枠をつかむ。

「持ちこたえられるか?」下から心配そうな声がする。

「そうするより仕方ないじゃないの」サフィアはかっとなって怒鳴り返した。「何かいい方法があるとでも?」

「両脚を振ってみろ」アメリカ人は提案した。「隣の枠に脚をかけられるか?」

サフィアはその意図を理解した。彼が隣のガラスを撃ち抜いたため、支えになりそうな枠組みがむき出しになっている。サフィアは大きく息を吸い、小さなかけ声とともに膝を曲げて脚を振り、鋼鉄の枠に引っかけた。

両手にかかっていた体重が軽減され、痛みも和らぐ。ほっとするあまり泣き出しそうになるのを、サフィアは必死にこらえた。

「警備員がそっちに向かっている」

サフィアはアメリカ人の方に首を伸ばした。泣き出さないようにするためには、話し続けなければいけない。「あなたのパートナーは……まさか……」

「大丈夫だ。ショックを受けて、いいブラウスをだめにしたが、すぐ元気になるはずだ」

安心してサフィアは目を閉じた。〈よかった……〉これ以上の死には耐えられない。ライアンが死んでしまったうえに……サフィアはさらに何度か深呼吸をした。

「大丈夫か?」アメリカ人が見上げている。

「ええ。でも、ドクター・クロウ――」

「ペインターと呼んでくれ……もうかしこまった呼び方をするような間柄でもないだろう」

「どうやら今夜は二度も命を助けてもらったみたいね」

「私と一緒にいると、そんなのは珍しくないぞ」表情を確認することはできなかったが、サフィアは相手の顔に浮かぶ皮肉っぽい笑顔が見えるような気がした。

「その冗談、あまり笑えないわ」

「そのうち笑えるようになるよ」アメリカ人は追っ手が床に落とした銃を拾い上げた。

それを見たサフィアは思い出した。「あなたが撃った相手だけど、女だったわ」

アメリカ人は拾い上げた武器を観察している。「そのようだな……」


〜〜〜〜〜


ペインターは手にした銃を調べた。シグ・ザウエル、四十五口径、ホーグのラバーグリップ付き。〈そんなはずはない〉……固唾をのんで拳銃の側面を見る。弾倉が右に外れるように改装されている。左利き用の特別仕様だ。

この銃は知っている。撃った人物も。

ペインターは割れたガラスの跡を見上げた。

〈カサンドラ〉

第二部　砂と海

6　帰郷

十二月二日午前六時四十二分
ヒースロー国際空港

　キャラはリアジェットの開いた扉へと通じるタラップの下で、その男性と顔を合わせた。行く手を遮るように立ちふさがり、真っ直ぐに伸ばした人差し指を怒りの矛先となる男性に向ける。

　口調が険しくなる。「はっきりさせておきたいことがあるわ、ドクター・クロウ。このジェット機に乗り込んだら最後、あなたには何の権限もないわよ。この調査隊に無理やり割り込むことはできたかもしれないけれど、私が招待したわけではないのよ」

「顧問弁護士さんチームの温かいお出迎えからも、それはわかりましたよ」ダッフルバッグを肩に担ぎながら、アメリカ人は答えた。「あんなに大勢のスーツを着た連中があそこまで本気で挑んでくるなんて、思ってもいませんでしたよ」

「でも、役に立たなかったようね。あなたがここにいることを考えると」

彼は答える代わりに唇を歪めて笑みを浮かべ、肩をすくめた。

例によって、アメリカ政府が彼とそのパートナーを調査隊とともにオマーンまで同行させたいと希望している理由に関して、この男性は明確な説明をしていない。しかし、どうすることもできない壁がいくつも存在した。財政面からも、法律面からも、さらに外交面からも。盗難未遂事件に関するマスコミの大騒ぎがそれに輪をかけたせいで、事態は何とも面倒なことになっていた。

キャラはこれまで自分の影響力に自信を持っていたが、調査隊に対するワシントンからの圧力の前には歯が立たなかった。合衆国はオマーンに重大な関心を抱いている。キャラは何とか障害を乗り越える方法を探したが、彼女が譲歩しない限りは調査隊の派遣が不可能な状況に陥っていた。

だからといって、相手からも譲歩を引き出せなかったわけではない。

「ここからは」キャラはきつく言い放った。「あなたたちにはこちらの指示に従ってもらいますから」

「了解」

その答えがキャラをさらにいらだたせた。だが、仕方がない。キャラは道を開けた。

アメリカ人は滑走路の上から動かない。「こんなやり方をしなくてもいいでしょう。利害が対立しているわけじゃないんですよ、レディ・ケンジントン。我々は同じものを探し求めているのですから」

キャラは顔をしかめた。「それは何だというのかしら?」

「答えですよ……謎の答え」アメリカ人は例の鋭い青い瞳で見つめている。何を考えているのかは読み取れないが、冷たい視線ではない。その時初めて、キャラは彼が非常に整った顔立ちをしていることに気づいた。モデルのような美しさとは違う。どこか気《け》だるい男らしさが、さりげなく顔に出ている。髪を長く伸ばし、朝の六時だというのにひげそり跡は夕方のような濃さだ。アフターシェーブローションのにおいもする。かすかにバルサムが混じったジャコウの香りだ。それとも、この男の体臭なのか?

キャラは表情を変えず、抑揚のない声で訊ねた。「あなたが答えを求めている謎は何なの、ドクター・クロウ?」

ペインターはまばたき一つしなかった。「同じ質問を返してもいいですか、レディ・ケンジントン? あなたが探している謎は? 古い墓への学術的な関心以上の何かがあるんでしょう?」

キャラの表情がくもり、視線も険しくなった。多国籍企業の社長たちでさえも、キャラのそんな顔色の前にはひるんでしまう。だが、ペインター・クロウは平然としている。

彼はようやく足を踏み出し、リアジェットのタラップを上り始めたが、最後に謎めいた一言を発した。「どうやらお互い秘密にしておきたいことがあるようですね……少なくとも当面の間は」

キャラは彼がタラップを上る後ろ姿を見つめた。

ペインター・クロウの後ろから、連れのドクター・コーラル・ノヴァクが続いた。長身で引き締まった体つきをしており、ぴったり合ったグレーのスーツ姿だ。私物の入った同色のダッフルバッグを持っている。この科学者たちのスーツケースや機材類は、すでに機内に積み込まれていた。女性の視線はジェット機の機体を丹念になぞっていた。

キャラは顔をしかめたまま、二人が機内に消えるのを見届けた。アメリカ政府に依頼を受けた物理学者という触れ込みだが、二人からは軍人のにおいがぷんぷんする。鍛え上げられた運動神経、厳しい目つき、折り目のきっちり入ったスーツ。二人はさりげなく動きを合わせ、一人が前に立つと、もう一人が背後を警戒する。無意識のうちの行動なのだろう。

その一方で、博物館内での争いの件がある。キャラは詳細な報告を聞いていた。ライアン・フレミングの殺害、鉄の心臓の強奪未遂。あの二人が阻止してくれなかったら、何もかも失われていたはずだ。ドクター・クロウが何か隠していることは間違いないが、それでも彼には恩がある——展示物を盗難から守ってくれたというだけではない。ターミナルの扉が開き、キャラは滑走路の向こう側に目をやった。

サフィアが手荷物を一つ引きながら、急ぎ足でリアジェットに向かってくる。あの時、博物館にあの二人のアメリカ人がいなかったら、サフィアの命は確実に奪われていたはずだ。

ただ、サフィアはあの夜を無傷で切り抜けたわけではない。恐怖、流血、死によって、サフィアの中で何かが壊れてしまったようだ。あの時以来、サフィアは調査隊に加わりたくないとは言わなくなった。気が変わった理由についてはあまり話したくないらしい。ただ一言、「もうどうでもよくなったの」と説明してくれただけだ。

サフィアはジェット機に近づいた。「私が最後？」

「みんな乗ったわよ」キャラはサフィアの荷物に手を伸ばした。

サフィアはスーツケースのハンドルを押し戻すと、自分で持ち上げた。「私が持つわ」

キャラは言葉を返さなかった。バッグの中身は知っている。内部をくり抜いた緩衝材入りの容器の中に、鉄の心臓が入っているのだ。サフィアは誰一人として鉄の心臓のそばに近づけようとしない――守っているというよりは、自分が負うべき責務だと考えているかのようだ。血が流れた責任は自分にある。自分の発見なのだから、自分の責任だと思っているのだろう。

罪の意識がサフィアの全身をすっぽりと覆っていた。ライアン・フレミングは彼女の友人だった。その友人が目の前で殺害された。彼女が自ら発見した鉄の塊のせいで。

キャラはため息をつくと、サフィアの後ろからステップを上った。

これではテルアビブの再現だ。

あの当時、誰もサフィアを慰めることはできなかった……今もあの時と何ら変わりはない。タラップのいちばん上で足を止め、キャラは最後にもう一度、太陽がテムズ川の上に姿を見せる中、遠くで霧にかすむロンドンの高層ビル群を眺めた。ロンドンを離れる自分の心には喪失感のようなものがあるのだろうか？　だが、キャラの心には砂があるばかりだった。ロンドンは本当の故郷ではない。ロンドンを故郷だと思ったことは一度もない。

キャラはロンドンに背を向けると、機内に乗り込んだ。

コックピットの扉から制服姿の男性が顔を出した。「管制から離陸許可が出ました。いつでも離陸できます」

キャラはうなずいた。「ありがとう、ベンジャミン」

キャラが客室に入ると、背後の扉がしっかりと閉ざされた。このリアジェットはキャラの要望に合わせて改装してある。客室の内装は、革と節の入ったクルミ材。四つのグループに分かれて座れるようになっている。座席横のテーブルにはウォーターフォードのクリスタルの花瓶が固定され、切り花が飾られている。客室の後尾近くには、リバプールから取り寄せたアンティークのマホガニー材のカウンターを備えたバーがあり、アルコール類が並んでいる。バーの先にはアコーディオン式の扉があって、キャラ専用の書斎と寝室との仕切りになっていた。

ペインター・クロウが室内を見回しながら眉を吊り上げるのを見て、キャラは軽い満足感とともに笑みを浮かべた。物理学者ふぜいの収入では、たとえ政府からの仕事を受けているとしても、こんな贅沢には慣れていないだろう。飛行機付きの執事が飲み物を渡してくれる。ソーダ水と氷らしい。ペインターが振り向くと、氷が音を立てた。

「何だ……ハニーロースト・ピーナッツもないのか？」脇を通り過ぎながらペインターはつぶやいた。「ファーストクラスでの空の旅かと楽しみにしていたのにな」

ペインターがドクター・ノヴァクの隣の座席に着くのを目で追いながら、キャラの笑みは固まった。〈ふざけた男……〉

パイロットが離陸間近を告げ、全員が座席に着き始めた。サフィアは一人で座っている。大学院生のクレイ・ビショップは通路を隔てた席ですでにシートベルトを締め、窓に顔をくっつけていた。膝に乗せたｉＰｏｄからのイヤホンを耳につけ、一人の世界に入っている。

全員が準備をしている中、キャラはバーへと向かった。いつもの飲み物が待っている。冷えたシャルドネのグラス。フランスのサン・セバスチャンにあるワイナリー産だ。キャラが初めてワインを口にすることを許されたのは、十六歳の誕生日、あの狩りの日の朝のことだった。それ以来毎朝、父をしのんで一杯のグラスを捧げることにしている。軽くワイングラスを揺らし、ピーチとオークがほのかに漂うさわやかな香りを鼻で感じた。あれからもう何年もたっているのに、この香りがたちまち彼女をあの朝へと引き戻す。希望に満ちていたあの頃の日々。父の笑い声や、遠くでいななくラクダの鳴き声や、夜明けの太陽とともに吹く風のささやきが聞こえるような気がする。

〈もう少しだわ……こんなに時間がかかってしまったけれど……〉

キャラはワインをゆっくりと飲み、口の中のしつこい乾きを癒した。二時間前、起き抜けに服用した二つの錠剤のせいで、頭はさえわたっている。唇を通して、グラスを持つ指先が細かく震えているのを感じた。処方薬はアルコールと混ぜるべきではない。でも、シャルドネを一杯だけなら。それにこれは父のためだ。

グラスを下ろすと、キャラはサフィアがこちらをじっと見ていることに気づいた。表情を読み取ることはできないが、その目には気づかうような色が浮かんでいる。キャラは視線を合わせた。ひるむことなく、しっかりと受け止める。サフィアが先に目をそらし、窓の外へと視線を移した。

二人とも相手への慰めの言葉を持ち合わせていない。もうそれはできない……

砂漠は二人の生活の一部を奪った。心の一部を奪った。それを取り戻すことができる場所は、砂漠しかない。

午前十一時四十二分
オマーン　マスカット

オマハは国家遺産文化省の扉を手荒に押し開けて通り抜けた。

跳ね返って戻ってきた扉は、後ろを歩く弟のダニーの顔面にもう少しでぶつかるところだった。「オマハ、落ち着きなよ」

「くそ役人どもが……」表の通りに出ても、オマハの悪態は収まらない。「ここじゃ自分のケツをふくのでさえ許可がいるんだ」

「ちゃんと許可が下りたじゃないか」ダニーがなだめる。

「午前中いっぱいかかったぞ。俺たちがローバーでガソリンを運ぶ許可が――いいか、ガソリンを運ぶだけだぞ！　その許可がようやく下りた理由ってのが、アドルフ・ビン・クソヤロウが昼メシを食いたくなったからなんだぜ」

「落ち着けって」ダニーが兄の肘をつかんで歩道脇へと引っ張る。道行く人々が二人の方を振り返った。

「それにサフィア……キャラの飛行機がもうすぐ着陸する」オマハは腕時計を確認した。「あと一時間ちょっとだ」

ダニーがタクシーに向かって手を振った。白いメルセデスのセダンが近くのタクシー乗り場から走り出し、二人の立っている歩道の前へとやってくる。ダニーは扉を開けて兄を押し込んだ。車内はうれし涙が出るほどエアコンが効いている。正午を迎えようとするマスカットの気温は、すでに三十八度を超えていた。

ひんやりとした車内にいらだった気持ちも和らいでいく。オマハは身を乗り出して運転席と後部座席とを仕切るプレキシグラスをとんとん叩いた。「シーブ空港まで」

運転手はうなずくと、昼時を迎えた車の流れに方向指示器も出さずに強引に割り込んだ。

オマハは弟の隣の座席に深くもたれかかった。

「兄さんがこんなに緊張しているのは初めて見たよ」ダニーが口を開いた。

「何のことだよ。緊張？　俺はムカついてんだよ」

ダニーは車外に目を向けた。「そうだよね……元婚約者と顔を合わせなくちゃいけないから、今朝はいつもより気が短くなっていたんだな」

「サフィアは関係ない」

「ふうん」

「緊張する理由もないだろう」

「まあ、そう言ってればいいさ」

「黙れ」

「そっちが黙ったら」

オマハは首を左右に振った。二週間前にオマーンに到着してからというもの、二人とも睡眠不足が続いていた。調査隊をこんなに短期間で手配するには、数え切れないほどの面倒な手続きが必要だ。許可を申請し、書類を用意し、警備や力仕事をする人間を雇い、トラックを借り、スムライト空軍基地のアクセス許可をもらう。さらに飲料水用のタンク、ガソリン、銃、塩、ケミカルトイレを購入し、スタッフを組織する。こうした作業がすべて、ダン兄弟の肩にずっしりとのしかかっているのだ。

ロンドンでトラブルが発生したせいで、キャラの到着が遅れた。予定通りに彼女が来てくれれば、調査隊の準備は滞りなく進んでいただろう。レディ・ケンジントンはオマーンでは尊敬されていて、金離れのいいマザーテレサのような存在だ。国中の博物館、病院、学校、孤児院には、すべて彼女の名前の書かれたプレートが飾られている。彼女の協力のおかげで、石油、鉱山、淡水化事業など、多くの契約が成立し、国家と国民のために利益をもたらしている。しかし、博物館での事件の後、キャラはオマハたちに目立つ行動を控えるようにと指示してきた。自分が関与していることは最低限の人間にしか明かしたくないと言う。おかげでオマハは大量のアスピリン錠を嚙むことになった。

タクシーはマスカットのビジネス街を横断して、旧市街の石壁に沿った狭い道へと入っていく。前を走るトラックはマツの木を積んでいて、乾いた針葉がぱらぱらと落ちてくる。

クリスマスツリー用だ。オマーンなのに。

イスラム教の国が、キリストの生誕を祝う。それだけ西に向かって開かれた国なのだ。オマーンのそんな姿勢は、首長である君主《スルタン》、カーブース・ビン＝サイードに負うところが大きい。イギリスで教育を受けたスルタンは、より広い世界に向けて国を開き、国民に広範な市民権を与え、インフラを近代化した。

タクシーの運転手がラジオをつけた。バッハの旋律がボーズのスピーカーから流れてくる。スルタンの好みの音楽だ。君主の勅令《ちょくれい》により、正午にはクラシック音楽しか放送してはいけないことになっている。オマハは腕時計を見た。ちょうど十二時だ。

オマハは窓の外に目を向けた。王様というのは何でも思い通りにできるのだろう。

ダニーが声をあげた。「どうやら尾行されているみたい」

オマハは弟の顔を見た。冗談でも言っているのだろうか？

ダニーは肩越しに首を傾けた。「グレーのＢＭＷ、四台後ろ」

「確かか？」

「ＢＭＷだよ」ダニーははっきりとした口調で答えた。ヤッピー気取りのこの弟は、ドイツの技術なら何でも大好きで、車には詳しい。「同じ車がホテル近くの通りに停まっていたのを見たし、自然科学史博物館の駐車場にもいた」

オマハは疑いの眼差しで弟を見た。「偶然じゃないのか……同じ車種だが別の車かも」

「４５０ｉだよ。特注クロームホイール。色付きのプライバシーガラス。しかも――」

オマハは弟を遮った。「おまえの知識の売り込みはもういい。信じるよ」

しかし、本当に尾行されているのなら、大きな疑問がある。

なぜだ？

オマハは大英博物館で起こった殺人事件と強奪未遂事件のことを思い返した。こちらの新聞でも記事になったくらいだ。キャラからは最大限の注意をして、目立たないようにと警告されている。オマハは前に体を乗り出した。「次を右に曲がって」アラビア語で伝える。追跡者をまくか、あるいは本当に尾行しているのかを確認できればいい。

運転手は指示を無視し、直進を続けた。

オマハは急に嫌な予感がした。扉を開けようとするが、ロックされている。

空港への分岐点も通り過ぎてしまった。

スピーカーからはバッハの調べが流れている。

オマハはもう一度、ドアハンドルを強く引っ張った。

〈くそっ〉

午後零時四分
地中海上空

サフィアは膝の上に広げた本を見つめていたが、内容は頭に入ってこなかった。この三十分間、一枚もページをめくっていない。緊張のあまり神経が極度に張り詰めている。肩の筋肉がこわばり、鈍い頭痛が歯にまで響く。

まぶしい太陽が輝く窓の外の青空に目を向ける。雲一つ出ていない。大きな、まっさらのキャンバス。今までの生活を離れ、これから飛び込もうとしている別の暮らしを暗示しているかのようだ。

多くの意味で、それは今の彼女に当てはまる。

サフィアはロンドンを捨ててきた。自分の家も、大英博物館の石壁も。この十年間、安全だと信じていたすべてのものを。けれども、その安全は幻想でしかなかった。たった一晩で崩れ落ちてしまうような、もろい存在だったのだ。

またしても自分の手が血で汚されてしまった。自分の仕事のせいで。

〈ライアン……〉

銃弾がその存在をこの世界から奪った時にライアンの目に一瞬走った驚きの表情を、サフィアは記憶からぬぐい去ることができずにいた。あれから何週間か過ぎたのに、サフィアは顔を洗いたいという衝動に何度も駆られることがあった。時には真夜中でも洗わずにはいられなかった。茶色の石鹼と冷たい水。それでも、血の記憶を洗い流すことはできない。

ロンドンでの安全が幻想にすぎないと認識していた一方で、そこは彼女の第二の故郷となっていた。友達や同僚がいて、お気に入りの本屋があり、古い名画を上映する映画館があり、絶品のキャラメル・カプチーノを出すカフェがあった。サフィアの生活はロンドンの通りと地下鉄網によって形成されつつあった。

それにビリーがいた。サフィアはやむをえず、ビリーをジュリアへと里子に出した。すぐ階下の部屋に住むパキスタン人の植物学者だ。出発前、サフィアはビリーの耳に約束をささやいた。その約束を守りたいとの思いが募る。

それでも、サフィアは全身を締めつけられるような不安を感じていた。そうした不安の中には説明がつかないものもある。単によくないことが起こりそうだという漠然とした不安もある。けれども、もっと具体的な心配が頭から離れない。サフィアは客室内を見渡した。もしこの人たちも全員がライアンのようになってしまったら？　市の死体置き場に並べられて、この冬最初の雪が降る頃に冷たい墓地に埋められることになったら？

そんなことにはとても耐えられない。

その可能性を思うと、腹の中が氷のように冷たくなる。考えただけで息づかいが激しくなる。両手が震える。いつものパニックの波が押し寄せようとするのを、サフィアは必死で抑えた。呼吸に意識を集中し、怯えた自分の内面ではなく、外に気持ちを向けようとする。

客室いっぱいにエンジンの静かな音が響く中、ほかの人たちは座席の背もたれを倒し、南に向かう機内でできるだけ睡眠を取ろうとしている。キャラも個室にこもってしまったが、仮眠を取るためではない。扉の奥から小さなささやき声が聞こえてくる。到着に備えて、細かい打ち合わせをしているのだ。彼女は眠らないことに慣れてしまったのだろうか？

物音を耳にしてサフィアは我に返った。ペインター・クロウが座席の横に立っている。今までまったく気がつかなかった。片手に氷水の入った長いタンブラーを持ち、もう片方の手で琥《こ》珀《はく》色の液体がたっぷりと注がれたクリスタルの小さなグラスを差し出している。においからしてバーボンのようだ。「これを飲むといい」

「私、お酒は――」

「いいから飲むんだ。口をつけるだけではだめだぞ。全部飲み干すこと」

サフィアは手を上げてグラスを受け取った。申し出を受け入れたかったというよりも、グラスから液体がこぼれるのではないかと気が気ではなかったからだ。あの血塗られた夜以降、二人は話をする機会がなかった。救助された後、ありがとうと伝えた以外は。

ペインターは隣の座席に腰を下ろし、飲むように身振りで示した。「さあ」

言い争う気力もなく、サフィアはグラスを持ち上げて、中身を喉に流し込んだ。熱い液体がしみわたる。香りが鼻腔《びこう》を満たし、腹部に火照るような温かさが伝わった。サフィアはグラスを返した。

ペインターはグラスを受け取り、代わりに水の入ったコップを差し出した。「レモン入りのソーダ水。少しずつ飲んで」

サフィアはコップを両手で持ち、言われた通りにした。

「気分はよくなった？」

サフィアはうなずいた。「ええ」

ペインターは片方の肩を背もたれにつけ、顔をこっちに向けてじっと見ている。サフィアは視線を合わせず、座席から伸びるペインターの脚に神経を集中させた。足首を交差させていて、靴下がのぞいている。黒のアーガイル柄だ。

「君のせいじゃない」ペインターが言った。

サフィアは体をこわばらせた。罪悪感がそんなにも顔に出ているのだろうか？　サフィアは気まずさに襲われた。

「違うんだ」ペインターは繰り返した。同僚や友達、さらには警察の心理学者まで、多くの人がサフィアを元気づけようとしていろいろと言葉をかけてくれたが、ペインターの口調には彼らのような空虚な慰めの調子がない。単に事実を述べているだけの声だ。

「ライアン・フレミング。彼はたまたま悪い時に悪い場所に居合わせただけだ。それだけの話だ」

サフィアはちらりと目を合わせたが、すぐにそらした。ペインターからは熱を感じる。バーボンと似ている。ウイスキーの温かさと男らしさだ。口を開いて反論する力が出た。「ライアンはあの場にいなかったはずでしょ……もし……もし、私が夜遅くまで働いていなければ」

「くだらねえな」

唐突な口の悪さにサフィアは驚いた。

ペインターは続けた。「フレミング氏は我々に付き添うために博物館に残っていた。コーラルと私にだ。彼があそこにいたのは、君にも、君があの遺物を発見したことにも関係ない。じゃあ、我々のせいなのか？」

多少はそうだという気もする。しかし、サフィアはかぶりを振った。結局のところ、誰の責任なのかは言うまでもない。「あの泥棒は心臓を狙っていたの。私が発見したものよ」

「博物館が盗難未遂に遭ったのはそれが初めてだというわけではないだろう。古代エトルリアの胸像が夜中に盗まれたのは、確かほんの四カ月前のことだったはずだぞ。泥棒は屋根を破って侵入したと聞いている」

サフィアはそれでもうつむいたままだ。

「ライアンは警備主任で、自分の務めを果たしていた。リスクは承知のうえだ」

完全に納得できたわけではないが、腹部のしこりのような不快感が、いくらか和らいだような気がする。アルコールのせいかもしれないが。

ペインターの手がサフィアの手に触れた。

サフィアは身構えたが、彼は手を引っ込めない。ペインターの左右の手のひらがサフィアの手を包んだ。ソーダ水の入った冷たいコップを握っていた後なので、その手がいっそう温かく感じられる。「レディ・ケンジントンは我々が調査隊の一員に加わったことを歓迎していないようだが、君にだけは伝えておきたかったんだ。君は一人ぼっちじゃない。我々はみんなで調査を進めるんだ」

サフィアはゆっくりとうなずき、そっと手を引き抜いた。その親密さに、あまりよく知らない男性からの心遣いに、かえって気持ちが落ち着かない。けれども、サフィアは抜いた手をもう片方の手で包み、そのぬくもりを感じ取った。

たぶんサフィアの困惑を感じたのだろう、ペインターは体を離して椅子の背もたれに寄りかかった。その目が楽しそうにきらりと光った。「頑張って持ちこたえるんだぞ……経験から言って、そういうのは得意みたいだし」

サフィアは博物館の屋根からぶら下がっている自分の姿を思い浮かべた。あの姿を見られていたなんて！　サフィアの口元に思わず笑みが浮かんだ。あの恐ろしい夜以来、初めての笑みだ。

ペインターはサフィアをじっと見つめていた。〈その調子だ〉とでも言いたげな表情を浮かべている。ペインターは立ち上がった。「ちょっとは睡眠を取らないとな……君もだぞ」

いまなら少しは眠れるかもしれない。サフィアはそんなことを思いながら、カーペット敷きの客室を音も立てずに歩き、自分の席へと戻るペインターの姿を目で追っていた。指先で笑顔の消えた頬に触れてみる。バーボンの温かみはまだ体の芯に残っていて、それが心を落ち着かせてくれる。こんなに簡単なことで、これほど気持ちが楽になるなんて。

だが、サフィアはそれがアルコールや思いやりのおかげだけではないと感じていた。この感覚を長らく忘れていた。ずいぶんと長い月日がたってしまった。あの日以来……あのことがあって以来……

午後零時十三分

オマハは座席で体を丸めると、自分と運転手とを隔てている仕切りをもう一度蹴った。何の効果もない。鋼鉄を蹴っているかのように感じる。防弾ガラスだ。腹立ち紛れにオマハはサイドウインドーに肘を叩き込んだ。

囚われの身。誘拐だ。

「まだ尾行しているよ」そう言うと、ダニーは五十メートルほど後方をついてくるBMWのセダンを顎で示した。その距離五十メートル。前と後ろの座席に乗っている黒っぽい人影が見える。

タクシーは住宅街を抜けているところだ。スタッコ漆喰《しっくい》と石造りの家々が並び、どれも様々な色合いの白ペンキで仕上げられている。日光が反射し、目がくらむようだ。

後方の車は同じ速度を保っている。

オマハは前方に向き直った。「レイ?」アラビア語で問いかける。「なぜだ?」

運転手は相変わらず彼らを無視して、無表情で無言のまま、巧みなハンドルさばきで狭い路地を進んでいる。

「降りなきゃだめだ」オマハはつぶやいた。「車を降りることができればチャンスはある」

ダニーは扉に注意を向けていた。サイドパネルを凝視している。「トン・クープオングル、オマハ」弟はフランス語に切り替えていた。運転手に聞かれないようにするためだ。ダニーは運転手の視界に入らないように、低く片手を差し出した。

オマハはポケットの中を探った。ダニーはクープオングル、つまり爪切りで、何をしようというのか？　オマハもフランス語で訊ねた。「パチパチ切って、ここから逃げられるっていうのか？」

ダニーは振り向きもせず、頭を少しだけ前へと傾けた。「こいつは車のチャイルドロック機能を利用して僕たちを閉じ込めているのさ。子供が後部座席の扉を勝手に開けないようにするための機能だよ」

「だから？」

「だから、こっちも同じ安全のための機能を使って脱出するんだ」

オマハはポケットから爪切りを取り出した。キーホルダーにぶら下がっている。ダニーに渡すと、彼はそっと手の中に隠した。

「おまえいったい何を――」

ダニーは「しっ」と言って兄を黙らせると、爪切りを開き、小さなやすりを引き出した。

「メルセデスの安全装置が敏感なのは、いろんな雑誌に報告されている。アクセスパネルを外すのでさえ注意しなくちゃいけないんだ」

〈アクセスパネルだって？〉

オマハが疑問を口に出すより先に、ダニーがこちらを振り向いた。「どのくらい急いで脱出しなくちゃいけない？」

もちろん、今すぐに決まっている。だが、前方を見るとかなり開けた場所がある——青空スーク、つまり市場のようだ。オマハは運転手から見えないように指差した。「あそこなら完璧だ。店の中に隠れられる。ＢＭＷで尾行している連中をまくことができる」

ダニーはうなずいた。「準備完了」ダニーは背筋を伸ばして座席に座り直した。爪やすりを窓枠に刷り込まれた三つの文字の下に当てている。ＳＲＳ。

安全拘束システム。

「エアバッグか？」オマハはうっかりフランス語にするのを忘れて訊ねた。

「サイドエアバッグさ」ダニーはうなずいた。「エアバッグが一つでも作動した場合、安全のためにすべてのロックが解除されるんだ。救急隊員が外から車内に入れるようにするために」

「つまり、おまえはこれから——」

「もうじきスークだよ」ダニーが小声で告げた。

市場の入口にさしかかった運転手は、大勢の買い物客に気をつけながら、メルセデスのスピードを落とした。

「今だ」オマハが小声で指示を出した。

ダニーは爪やすりをSRSの文字の下に突っ込み、なかなか抜けない臼歯《きゅうし》と格闘する歯科医のように、ぐりぐりと押し込んだ。

何も起こらない。

セダンは市場の前を通り過ぎ、再び加速する。

ダニーは小声で悪態をつきながら身を乗り出した。それが大きな間違いだった。爆竹の鳴るような「ぽん」という音とともにサイドエアバッグが飛び出し、ダニーの顔面に頭がのけぞるほどの強烈なパンチをお見舞いした。

警報が車内に響き渡る。運転手がブレーキを踏んだ。

ダニーは鼻を押さえてまばたきをしている。指の下から血が滴り落ちた。

弟の負傷にかまっている余裕はない。オマハはダニーを押しのけて腕を伸ばし、ドアハンドルを強く引っ張った。ロックが外れて扉が大きく開く。ドイツの技術力に感謝だ。

オマハはダニーを突き飛ばしながら怒鳴った。「出ろ！」

朦朧としていたダニーは、オマハに押されて半ば転がるように後部座席から外に飛び出した。

オマハも後に続いた。歩道に着地して一メートルほど転がる。スピードを落としていたタクシーは数メートル進んでから停止した。

オマハは急いで立ち上がり、片腕だけでダニーを引っ張り上げた。恐怖のおかげで馬鹿力が出る。市場の入口まではほんの数歩だ。

だが、ＢＭＷが猛スピードで接近してきた。市場の前でブレーキを踏み、車体の後部が左右に振れる。

オマハはダニーを引っ張りながらダッシュした。

ＢＭＷの三つの扉が次々に開いた。頭から覆面をかぶった黒っぽい人影が車から飛び出してくる。拳銃が磨き上げられたプラチナのようにきらめく。ライフルが振りかざされるのも見える。

オマハは市場の入口に到達し、パンと果物がたくさん入った籠を持つ女性を跳ね飛ばした。パンの塊とナツメヤシの実が宙を舞う。

「失礼」小声でつぶやきながら市場の奥へと突き進む。ダニーもすぐ後ろからついてくるが、鼻から下が血まみれだ。折れたのかもしれない。

二人は中央通路を走り抜けた。市場は周囲に迷路のように広がっている。アシの葉で葺《ふ》いた屋根が荷台や売り場を守り、絹やカシミール木綿の反物、ザクロやピスタチオの山、カニやホワイトフィッシュの並んだ氷入りの桶、ピクルスやコーヒー豆の入った樽、切り花の束、平たいパンや干し肉の塊など、様々な商品が並んでいる。油をひいたコンロで調理されているスパイスの煙が目にしみる。通路にはヤギや汗のにおいが充満している。そうかと思えば、甘ったるい香りも漂ってくる。香と蜂蜜だ。

迷路のような市場の中は、アラビア半島各地やそのほかの国々から訪れた大勢の人たちでごった返していた。あらゆる色の顔がすれ違い、目を丸くして二人の方を見ている。ベールで顔を隠している人もいるが、ごく一部だ。アラビア語やヒンディー語や英語やそれらの入り混じった方言が、二人の背後から聞こえてくる。

オマハはダニーを連れて右に左に方向を変え、蛇行したり直進したりしながら、この色彩と喧騒の中を逃げ回った。追っ手は後ろにいるのか？　前にいるのか？　さっぱりわからない。できるのは動き続けることだけだ。

群衆のにぎわいにかき消されることなく、遠くの方からオマーン警察のパトカーのサイレンの音が聞こえてきた。もうすぐ助けが来る……だが、それまで持ちこたえられるだろうか？

長くて狭い一直線の通路を走りながら、オマハは後ろを振り返った。通路の端に銃を持った覆面姿の人影が現れた。頭をレーダーのようにきょろきょろ回している。人々が我先に逃げて空間ができてしまうから、その居場所はすぐにわかる。向こうもパトカーの音が聞こえたようだ。連中の側も時間切れが近づいている。

やすやすと捕まるわけにはいかない。オマハはダニーを引っ張り、人の流れに紛れた。角を曲がり、アシの籠や粘土の壺などを売っている店に飛び込む。長い衣をまとった店主は血だらけのダニーの顔を一目見ると、手で追い払う仕草をしながらアラビア語で怒鳴り散らした。

　ここでかくまってもらうためには、多少の交渉力が必要だ。

　オマハは財布を引っ張り出すと、五十リアル札を並べていった。全部で十枚。店主は並んだ札の列を見下ろし、いぶかしげに片目を細めた。取引をするべきか、やめるべきか、悩んでいるようだ。オマハは札をまとめて財布に戻そうとした。そこにすっと手が伸びてオマハを制止した。

「カラース！」年配の店主は宣言すると、札を置くように合図した。取引成立だ。

　オマハは籠がうず高く積まれた後ろにしゃがんだ。ダニーは大きな赤い土器の壺の陰に隠れた。中に入って隠れることができるほど大きな壺だ。ダニーは鼻をつまんで出血を止めようとしている。

　オマハは通路の様子をうかがった。しばらくすると、サンダルが地面を叩く足音と、長い衣の裾のすれる音が遠ざかっていく。一人の追っ手が角に姿を現した。覆面をした顔が四方を素早く見回している。パトカーのサイレンがスークに近づいてきた。銃を持った敵は、サイレンの音に耳を澄ますかのように首を傾けた。ここで捜索をあきらめなければ、警察に捕まる危険を冒すことになる。

　もう大丈夫だろう。オマハの緊張が次第に緩んでいく。

　だが、それも弟がくしゃみをするまでの話だった。

午後零時四十五分
着陸態勢

リアジェットは海上を旋回し、シーブ国際空港への降下準備へと移った。サフィアは小さな窓から外を見つめていた。

マスカット市街が眼下に広がっている。マスカットは丘によって隔てられた特徴ある三つの地区が集まってできた街だ。

いちばん古い地区は、あまり芸がないが「旧市街」と呼ばれ、ジェット機が右に傾くと視界に入ってくる。石の壁と古い建造物が、青い色をした三日月形の湾まで迫っている。白い砂の海岸線には、点々とナツメヤシの木が生えていた。門のある古い壁に囲まれた旧市街には、アラム宮殿のほか、ミラニおよびジャーラリーという壮観な石の砦《とりで》がそびえている。

目に入るすべてのものが思い出をまとっている。湾内の波一つない水面に映る影のように、かすかな思い出だ。長く忘れていた出来事が心によみがえる。キャラと一緒に走り回った狭い路地、市の城壁の陰でした初めてのキス、カルダモン・キャンディの味、真新しいアバヤを着て震えながらスルタンの宮殿を訪ねたこと。

サフィアは寒気を覚えた。だが、それは客室内のエアコンのせいではない。故郷と故国が心の中でぼやける。悲劇と喜びも。

空港へと針路を向けた機体が傾くと、旧市街は視界から消え、代わってマスカットのムトラ地区と港が見えてきた。ドックの片側には現代的な大きな船舶が停泊している。その向かい側に並ぶ細長い船にはマストが一本しかない。「ダウ」と呼ばれる昔ながらのアラビアの帆船だ。サフィアは木製のマストとたたまれた帆が堂々と連なる姿を眺めた。鋼鉄とディーゼルの巨体とは好対照だ。この眺めは何よりも祖国を端的に表している。古代と現代とが混在しながら、決して一つになることはない。

マスカットの三番目の地区は最も面白みに欠ける。旧市街と港から内陸へと入ったところに、丘を背にして積み重なるようにそびえるルーイ地区は、近代的なビジネス街で、オマーンの商業中心地だ。キャラの会社のオフィスもここにある。

飛行機の針路はサフィアとキャラの人生をたどっているかのようだ。旧市街からルーイ地区へ。路地裏で遊ぶ騒々しい子供たちが、会社のオフィスやほこりっぽい博物館にこもって働くようになった。

そして今に至る。

ジェット機が空港に向かって高度を落とし、滑走路へと進入する。サフィアは座席に深くもたれかかった。ほかの乗客たちは窓の外の景色に見とれている。

クレイ・ビショップは通路を隔てた反対側に座っていた。iPod内のデジタル化された最新の流行に合わせて首を動かしている。黒ぶち眼鏡が鼻をずり落ちるたびに、何度もそれを押し上げていた。クレイはいつものように、ジーンズとTシャツ姿だ。

クレイの前にはペインターとコーラルが並んで座り、一つの窓から外を眺めていた。何か小声で話し合っている。コーラルが指を差すと、ペインターはそれに対してうなずきながら、寝ている間に頭のてっぺんにできた逆毛を引っ張っている。

キャラが個室との境を成すアコーディオン式の扉を開き、機内を見渡した。

「もうすぐ着陸よ」サフィアは声をかけた。「席に座った方がいいわ」

キャラは無用な心配だとでも言うかのように指を振ったが、それでもサフィアの隣の空いた座席に腰を下ろした。シートベルトは締めようとしない。

「オマハにつながらないの」キャラは切り出した。

「えっ?」

「携帯に出ないのよ。たぶん、わざとやっているんだわ」

それはオマハらしくない。いい加減なところもあるが、こと仕事に関してはきっちりしている。「きっと忙しいだけよ。彼を一人でほったらかしにしていたじゃないの。マスカットの文化関係の役人が、神経質で縄張り意識が強いことは知ってるでしょう」

キャラはいらいらした様子で大きく息を吐いた。「空港に迎えにきていなかったらただじゃおかないわ」

サフィアは明るい太陽の光に照らされたキャラの瞳が大きいことに気づいた。疲労困憊《こんぱい》しているようにも、舞い上がっているようにも見える。

「彼は来ると言ったんでしょう？　だったら来るわ」

キャラは意味ありげに片方の眉を吊り上げた。「そんなにも信頼の置ける人だったかしら？」

サフィアは内臓が二方向に引っ張られるような痛みを覚えた。とっさに彼を弁護したくなるのは昔と同じだ。だが、彼の手のひらに返した指輪の思い出に、喉が締めつけられる。自分の苦痛の深さを、彼は理解してくれなかった。

でも、いったい誰が理解できたというのだろうか？

サフィアは意識してペインターの方を見ないように努めた。

「シートベルトを締めた方がいいわよ」サフィアはキャラに注意した。

午後零時五十三分

ダニーのくしゃみは銃声のように大きく響き、隣の店の籠の中にいたハトを仰天させた。竹製の籠にハトの翼が当たり、ばたばたと音を立てる。

オマハは覆面をかぶった追っ手が店の方を振り向き、近づいてくるのをじっと見ていた。一メートル離れたところでは、ダニーが鼻と口を手で覆い、背の高い土器の壺の後ろに身を潜めた。顎からは血が滴り落ちている。オマハは足の裏に力を込めて、いつでも飛び出せるように身構えた。相手の不意を突くしか勝ち目はない。

パトカーのサイレンの音が高くなり、市場のすぐ近くから聞こえてくる。ダニーのやつ、もうちょっと持ちこたえていてくれたら……

追っ手は肩の高さで構えたライフルを前方に向け、中腰で移動している。場数を踏んでいるようだ。オマハは両手の拳を握った。まずライフルの銃口を上に向けさせてから、低い姿勢でタックルするしかない。

オマハが行動を起こす前に、衣をまとった店主がよたよたと歩いてくる姿が視界に入った。片手に扇を持ち、もう片方の手で鼻をぬぐっている。

「ハサセーヤ」そうつぶやいて花粉症を嘆きながら、店主はオマハの頭上の籠の山を直した。だが、店主はライフルを見るとわざとらしく驚いたふりをして、扇を投げ出しながら両手を上げ、尻もちをついた。

敵は小声で毒づくと、老人に向かってライフルを振り、引っ込めと合図をする。

店主はそれに従って低いカウンターへと戻り、両手で頭を抱えた。

スークの入口から甲高いブレーキ音が聞こえてきた。オマーンの警察の到着だ。複数のサイレンが鳴り響いている。

追っ手は音のする方を向くと、その場で唯一可能な行動を取った。ダニーが隠れている大きな壺に近づいて、ライフルを中に放り込む。周囲を確認してから、覆面も剝ぎ取って壺の中に捨てる。薄い茶色のマントを翻しながら、追っ手は市場の奥へと消えた。大勢の人の中に紛れるつもりだろう。

目立たない存在として。

だが、オマハは食い入るようにその姿を見つめていた。あれは女だ。コーヒー色の肌、やや落ちくぼんだ茶色の瞳、左目の下には涙の形の刺青《いれずみ》。ベドウィンだ。

安全だと確信できるまで待ってから、オマハは隠れ場所から出た。ダニーも這い出てきた。オマハが助け起こす。

店主も衣を手で払いながら姿を現した。

「シュクラン」ダニーが鼻から血を流しながらもぼそっと感謝した。

感情をあまり表に出さないオマーンの人らしく、店主は肩をすくめただけだった。

オマハは五十リアル札をもう一枚取り出し、渡そうとした。

店主は腕を組み、手のひらを下に向けている。「ハラス」すでに取引は成立している。交渉をやり直すのは侮辱に等しい。代わりに老人は籠の山へと近づき、その中から一つを取り上げた。「これをあなたに。きれいな女性にでもあげなさい」

「ビーカム?」オマハは値段を訊ねた。

老人はにやりとした。「あなたが買うなら、五十リアルだ」

オマハもにやりとした。そんなに高いはずがないのは承知のうえで、五十リアル札を手渡す。

「ハラス」

市場の通路を入口へと向かいながら、ダニーが鼻声で訊ねた。「あの男たち、何だって僕たちのことを誘拐しようとしたんだろう?」

オマハは肩をすくめた。さっぱりわからない。ただ、どうやらダニーはオマハと違って相手の顔を見なかったようだ。男たちではない……女たちだ。今になって思えば、身のこなしから推測すると、全員が女だという可能性もある。

オマハはもう一度、ライフルを持った女の顔を思い浮かべた。日光に輝く肌の色。

誰が見ても似ていると思うはずだ。

あの女は、サフィアの姉妹と言っても通用するような顔をしていた。

7　旧市街

十二月二日午後五時三十四分
シーブ国際空港

ペインターは機材や装備を乗せたカートを押しながら歩いていた。滑走路から上がってくる熱気が空気中の酸素を瞬時に蒸発させてしまっているかのように感じる。あとに残るのは肺を焦がすような重たい湿気ばかりだ。ペインターは顔の前で手を扇のように振った。涼しい風を得ようとしたのではない。そんなことはするだけ無駄だ。一息つくために必要な空気を動かそうとしただけだ。

少なくとも、ようやく移動することができるようになった。ジェット機内で足止めされたまま、四時間以上も動けずにいたのだ。キャラ・ケンジントンの関係者の誘拐未遂事件が発生したということで、セキュリティが強化された結果だ。それでも、ペインターたちを降ろすことができる程度に事件は解決を見たようだ。

コーラルが隣を歩き、用心深く周囲に目を配っている。夕方の熱気がこのパートナーに何らかの影響を与えていると思われるのは、きれいな眉の上に浮かんだ小さな汗の粒だけだ。プラチナブロンドの髪を、サフィアからもらったベージュ色の布で覆っている。「リハフ」と呼ばれるオマーンのスカーフだ。

ペインターは細目で前方に視線を向けた。

低い太陽の光で空港全体がゆらゆらとした蜃気楼に包まれているかのように見える。すべての表面が太陽の光を反射している。彼らが向かうさえない灰色の建物からも熱気が伝わってくるかのようだ。青い制服を着たオマーンの税関職員が一行を先導し、スルタンから派遣された数人の随行員が脇を固めている。

随行員の男性たちはまばゆいばかりのオマーンの民族衣装に身を包んでいた。「ディシュダーシャ」と呼ばれる襟なしで長袖の白く丈の長い衣の上に、金銀の刺繡入りの黒いマント。頭には様々な模様と色の入ったコットンのターバンをかぶり、腰には銀の飾りが付いた革のベルトを締めている。ベルトには鞘に収めた伝統的な短剣「ハンジャル」が差してあった。彼らが帯びているのは「サイディ」と呼ばれる純銀または純金製の短剣で、所有者の地位の高さを示し、オマーンの短剣の中のロレックスとでも言うべき存在だ。

サフィアと大学院生を従えて歩くキャラは、この男性たちと熱のこもった議論を続けていた。

調査の先遣隊としてオマーンに入国していたドクター・オマハ・ダンとその弟が、警察の保護下にあるらしい。未遂に終わった誘拐の詳細に関しては、いまだにはっきりしていない。

「それで、ダニーは何ともなかったの？」サフィアがアラビア語で訊ねた。

「大丈夫、大丈夫ですよ、お嬢さん」随行員の一人が請け合った。「鼻血が出た、それだけです。もう手当てを受けていますから、ご安心を」

キャラは随行員の長らしき人物に話しかけた。「私たちはあとどのくらいで出発できるのかしら？」

「スルタン・カーブース陛下が直々にサラーラへの交通手段を手配されました。これ以上の事故は起こるはずがありません。もっと早くわかっていましたら……つまり、あなたがご一緒だと――」

キャラは手を振ってその発言を遮った。「キフ、キフ」とアラビア語で片付ける。「大したことじゃないわ。これ以上の遅れが出なければかまわない」

軽いお辞儀の答えが返ってきた。こんな素っ気ない反応にも役人が腹を立てないことが、オマーンにおけるレディ・ケンジントンの影響力の大きさを表している。

目立たないようにという計画はどこかに消えてしまったようだ。

ペインターはキャラの近くを歩く人物に注意を向けた。サフィアの目のまわりのしわからは不安がうかがえる。移動中の機内では一時的に落ち着きを取り戻していたのに、当地でのトラブル発生を聞いた途端にそれも消えてしまった。機内に持ち込んだ荷物を両手でしっかりと抱え込み、古代の遺物が入ったその荷物をカートに移すことさえしない。

それでも、彼女のエメラルド色の瞳には、はっきりとした決意の光が宿っていた。あるいは、瞳に混じる金色の斑点が反射しているだけなのかもしれない。ペインターはサフィアが博物館のガラス屋根から宙吊りになっていた時のことを思い起こした。あの時、彼女の芯の強さを感じた。普段は表に出さないものの、彼女の中にそれは確かに存在する。この土地すらもそれを感じ取っているかのようだ。太陽はオマーンのあらゆる存在に強烈な光を浴びせているのに、サフィアの肌の上できらめく光は彼女の帰国を歓迎するかのごとく、その姿をまるで銅像のように際立たせている。これまで抑えられていたサフィアの美貌が燦然《さんぜん》と輝いている。ふさわしい象眼《ぞうがん》を施された装飾品がその美しさを増すように。

一行はようやく専用ターミナルの建物へとたどり着いた。扉が開くとエアコンの効いた快適なオアシスが出迎えてくれる。ＶＩＰ用のラウンジだ。だが、オアシスでの滞在時間は短かった。スルタン派遣の随行員の指示により、税関手続きは簡単に終了した。パスポートを一瞥しただけでビザのスタンプが押され、五人は二台の黒いリムジンに分乗することになった。サフィアと大学院生とキャラが一台に、コーラルとペインターがもう一台に乗り込む。

「我々は歓迎されていないようだな」パートナーとストレッチリムジンに乗り込みながら、ペインターはつぶやいた。

ペインターは座席に着いた。コーラルも隣に座る。

前に目を向けると、運転手の隣にショットガンを携帯した体格のいいアイルランド人が座っていた。肩のホルスターに収めた武器を隠そうともしない。ペインターは二台の警護車両の存在にも気づいた——一台はキャラの車の前を走り、もう一台が最後尾についている。誘拐騒ぎの後で、セキュリティには十分気を配っているようだ。

ペインターはポケットから携帯電話を取り出した。国防総省のネットワークにアクセス可能な暗号化した衛星チップが組み込まれているほか、十六メガピクセルのカメラも内蔵しており、アップロードもダウンロードも一瞬にしてできる。

出かける時には忘れずに、というやつだ。

ペインターは小型のイヤホンを引き出して耳にはめた。口元のコードからはマイクがぶら下がっている。衛星電話が暗号化されたハンドシェイク信号を地球の裏側に送信し、一人の人間につながるのを待つ。

「クロウ隊長」ようやく声が答えた。ドクター・ショーン・マクナイト。シグマの司令官で、ペインターの直属の上司に当たる。

「司令官、こちらはマスカットに到着しました。ケンジントン家の敷地に向かっています。先遣隊への攻撃に関してそちらに何か情報が入っているかと思って連絡しました」

「警察の仮報告書をすでに入手した。彼らは走行中に拉致された。偽装タクシーだ。典型的な身代金目当ての誘拐らしい。そっちでは資金調達目的でよく使われる手段だな」

話を聞きながら、ペインターは司令官がその情報を信じていないらしいことに気づいた。最初は博物館での騒ぎ……そして今回の一件。「ロンドンと関係があるとお考えですか?」

「今の段階では何とも言えんな」

ペインターは博物館の壁を越えて消えたしなやかな人影を思い返した。カサンドラのシグ・ザウエルの重さを今でも感じることができる。彼女はコネティカット州で逮捕された後、逃亡した。空港へと移送する警察のバンが襲撃を受け、二人が死亡、カサンドラ・サンチェスは姿を消した。ペインターは再び彼女に会うことがあるとは思っていなかった。この件にカサンドラがどう関わっているのか? なぜ関わっているのか?

マクナイトは話を続けている。「レクター中将が国家安全保障局と協力して情報を収集している。二、三時間もすればもっといろいろわかるだろう」

「了解しました」

「隊長、ドクター・ノヴァクは一緒か?」

ペインターはコーラルの方を見た。彼女は窓の外を過ぎていく景色をじっと眺めている。その表情からは何を考えているのか読めないが、周囲の風景を記憶しているのだろう。その知識が必要になるかもしれない。「はい、隣にいます」

「彼女に伝えてくれ。ロスアラモスの研究員が、博物館で君たちが見つけた隕鉄のサンプルの中に、崩壊するウラン粒子を発見したと」

ペインターはコーラルがサンプルのスキャナーの数値を気にしていたことを思い出した。

「向こうも彼女の仮説を支持している。ウランの崩壊で発生する放射線がある種の核時限装置のような役割を果たしており、それによって徐々に不安定な状態になった反物質が電気ショックに反応しやすくなったのではないか、という説だ」

ペインターは背筋を伸ばし、電話に向かって話しかけた。「ドクター・ノヴァクは、同じような不安定化が反物質の鉱脈にも起こる可能性があると示唆しています。鉱脈のようなものが存在すればの話ですが」

「その通り。ロスアラモスの研究員も、同様の懸念を表明していた。そのため、君たちの任務は一刻を争う。追加の支援も割り当てられた。もし鉱脈が存在するのなら、即刻探し出さねばならない。さもないと、すべて失われてしまう」

「わかりました」ペインターの頭に博物館の破壊されたギャラリーが、鉄の格子に貼りついた警備員の骨が浮かんだ。この反物質の鉱脈が存在するなら、科学的損失どころではすまないおそれがある。

「最後に伝えておかなければならないことがある、隊長。君たちの作戦に関わる緊急の情報だ。海洋大気庁からの報告によると、イラクの南から非常に大きな嵐が南下している」

「雷雨ですか？」

「砂だよ。風速は時速九十キロ以上。家が吹っ飛ぶ規模だ。移動しながら進路に当たる都市の機能を麻痺させている。道路上を砂丘が移動しているような感じらしい。オマーンに向かっていることはNASAが確認している」

ペインターはまばたきした。「NASAが確認ですか？　どれくらいでかい――」

「宇宙から見えるほどの規模だということだ。これから衛星画像を転送する」

ペインターは携帯電話のデジタルスクリーンに目を落とした。画面の上から徐々に画像が現れる。中東とアラビア半島のリアルタイムの気象図だ。細部まできれいに映っている。海岸線、ちぎれ雲の浮いた青い海、豆粒のような都市。その中で一カ所だけ、大きなぼんやりした部分がある。ペルシア湾の沿岸部。一見するとハリケーンのようだが、場所は地上だ。広大な赤茶けた波が、湾の方へとはみ出している。

「気象情報によれば、この嵐は南下するにつれて強さも規模も増すと予想されている」マクナイトが説明している間に、スクリーンの画像が更新される。砂嵐のしみが沿岸部の都市を完全に覆い隠してしまった。「現地では百年に一度の規模の嵐という情報もある。アラビア海の高気圧が性質《たち》の悪いモンスーンを発生させながら、ルブアルハリ砂漠上空の低気圧へと流れ込んでいる。砂嵐は貨物列車のような勢いで南部の砂漠へと突入した後、モンスーンでさらに勢力を増し、巨大な嵐へと成長すると思われる」

「まいったな」

「しばらくそっちは大変なことになりそうだ」

「予想到達時刻は？」

「嵐がオマーン国境に達するのは明後日だろう。現時点の予測では二、三日続くはずだ」

「調査にも遅れが生じますね」

「最小限の遅れにとどめてくれ」

ペインターは司令官の言葉の裏に厳命を聞き取った。顔を上げてもう一台のリムジンを見る。調査の遅れ。キャラ・ケンジントンの機嫌がよくなるような話ではない。

午後六時四十八分

「落ち着きなさいよ」サフィアはたしなめた。

全員がケンジントン家の敷地の中庭に集まっていた。漆喰の剝がれかけた石灰岩の高い塀は十六世紀に建造されたもので、そこに描かれている牧歌的なフレスコ画も同時期の作品だ。アーチ状に伸びたつる植物が、陸と海の風景を描いたフレスコ画を額縁のように縁取っている。このフレスコ画は三年前に修復されて、往時の美しい姿を取り戻した。サフィアが自分の目で修復後の姿を見るのはこれが初めてだ。大英博物館から派遣された専門家が現場の指揮に当たり、サフィアはロンドンからデジタルカメラとインターネットを通じて作業の全体を監督した。

ピクセル化された写真では、豊かな色合いを完全に表現することはできない。十六世紀の制作時と同様に、青の顔料は砕いた貝殻を、赤はつぶしたアカネの根を使用した。

サフィアは庭のほかの部分に目を走らせた。子供の頃に遊んだ場所だ。赤い焼きタイルが敷き詰められたまわりには、一段高くなった花壇があり、バラや刈り込まれた生け垣が植えられ、きれいに配置された寄せ植えの多年草が咲いている。マスカットの真ん中で少しだけイギリスを感じることのできる英国式庭園だ。それと対照的なのは四隅に植えられた大きな四本のナツメヤシで、たわんだ幹が庭の大部分に影を落としてくれている。

思い出が現実と重なり合う。つる性のジャスミンの芳香と、旧市街の一帯に漂う砂のにおいが記憶を呼び覚ましたのだ。まだらに影の落ちたタイルの上を亡霊が移動する。過去を映した影絵のようだ。

中庭の中心にはオマーンの伝統的なタイル張りの噴水があり、水をたたえた八角形の水盤がきらめいている。サフィアとキャラは特別に暑くてほこりっぽい日には、よくこの噴水のプールで泳いだり、何もせずにただ浮かんだりしていたものだ。そんな二人を見て、キャラの父はあまりいい顔をしなかった。取締役会議から帰宅して娘とその友達が噴水の中で遊んでいるのを発見したキャラの父は、大声で怒鳴ったものだ。中庭の壁にこだまするキャラの父のどこか楽しげな怒鳴り声が、今でもサフィアの耳に残っている。〈二人とも、砂浜に打ち上げられたアザラシみたいな格好をして〉そんなことを言いながらも、時にはキャラの父も靴を脱ぎ、子供たちと一緒に噴水に入ったものだ。

キャラが噴水には目もくれずに脇を通り過ぎた。苦々しく発した彼女の言葉で、サフィアは現実に引き戻される。「最初はオマハの大冒険……今度はこの天気。調査を開始できる頃には、アラビア半島の人口の半分が私たちの調査隊のことを知ってしまう。そうなったら落ち着いて調査なんかできやしない」

サフィアはリムジンから荷物を下ろす作業をほかの人たちに任せ、キャラの後を追った。ペインター・クロウがここに到着すると同時に、あまりうれしくない気象情報を伝えていた。その表情からは彼の考えが読めない。「いい天気は金では買えなくて、残念ですね」最後に彼はしれっと言った。キャラの神経を逆なでするのが実に楽しそうだった。それでも、キャラがこの二人のアメリカ人を調査隊に入れまいとして八方手を尽くしていたことを考えれば、ペインターを責めることもできない。

サフィアは古い邸宅のアーチ状の入口でキャラに追いついた。邸宅は三階建てで、石灰岩の建材とタイルでできている。上階には日よけ付きのバルコニーがあり、装飾の施された円柱がそれを支えている。バルコニー内部には海のような青い色のタイルが全面に敷かれ、強烈な照り返しを浴びて疲れた目を癒してくれる。

故郷に戻ってきたというのに、キャラは気持ちの安らぎを感じていないようだ。表情は険しく、顎に力が入っている。

サフィアはキャラの腕に触れた。彼女の短気は本当にいらだっているせいなのだろうか？　薬による影響もいくらかあるのではないだろうか？

「嵐は問題じゃないわ」サフィアはキャラを安心させようとした。「まずサラーラに行って、ナビー・イムラーンの霊廟を調べようということだったでしょう。海岸沿いだから、砂嵐からは距離があるわ。少なくとも一週間はあそこにいられるはずよ」

キャラは大きく息を吸い込んだ。「でも、オマハのごたごたの件があるわ。人目を引くのは避けたかったのに――」

門の方から騒々しい音が聞こえる。二人は振り返った。

オマーン警察の車がサイレンを鳴らすことなく回転灯だけを光らせ、二台のリムジンを従えて停車した。後部扉が開いて二人の男性が姿を現す。

「噂をすれば……」キャラがつぶやいた。

サフィアは急に息をするのがつらくなった、空気が重たく感じる。

オマハ……

耳の中に鳴り響く鈍い心臓の鼓動で、時の流れが遅くなる。心の準備をする時間がもっとあるものだと思っていた。気持ちを落ち着かせ、再会に備える時間があると思っていたのに。不意に逃げ出したくなり、サフィアは後ずさりをした。

キャラがサフィアの腰に手を当てて支えた。「大丈夫よ」キャラはささやいた。

オマハは弟を待ち、二人並んで黒いリムジンの間を歩き始めた。ダニーは両目のまわりにあざがあり、鼻には絆創膏で添え木が固定されている。オマハは弟の肘に手を添えていた。青いスーツ姿のオマハは、上着をもう一方の手に抱えている。袖をまくった白いシャツは土と乾いた血で汚れていた。オマハの視線がペインター・クロウに留まり、頭のてっぺんからつま先まで確認した後、警戒するような会釈をした。

次にオマハはサフィアの方を向いた。目を見開き、歩みがやや遅くなる。ほんの一瞬、表情をこわばらせていたが、あやふやな笑みがゆっくりと浮かび、やがてしっかりとした笑顔に変わった。我が目を疑うかのように、目にかかったサンディブロンドのほつれた前髪を払う。

オマハの唇が彼女の名前の形に動き、二度目でようやく声が出た。「サフィア……まいったな」咳払いしながら足を速めて歩み寄ったオマハは、弟のことをすっかり忘れていた。

サフィアが制止する間もなく、オマハは両手を伸ばして崩れ落ちるように彼女を抱き締めた。塩と汗のにおいがする。砂漠と同じ、懐かしいにおいだ。オマハは両腕に力を込めた。「また会えてよかった」オマハはサフィアの耳にささやいた。

ハグを返すべきか、サフィアはためらった。

決心がつく前にオマハはすっと背を伸ばし、後ろに下がってしまった。頬がいくらか赤らんでいる。

サフィアの口からはどうしても言葉が出てこない。その時、視線がオマハの肩の先での動きをとらえた。

ダニーが近づき、顔をしかめながら笑みを見せた。暴漢に襲われたかのような格好だ。

邪魔が入ってくれたことにほっとしながら、サフィアは自分の鼻に手を近づけた。「それ……折れてはいないんでしょう?」

「若木骨折だけ」そう答えたダニーの言葉には、実家の農場があるネブラスカの訛りがかすかにある。「念のために添え木を当てているだけだから」ダニーはオマハとサフィアに交互に視線を移しながら、その間ずっと笑みを浮かべている。

気まずさが続き、サフィアはどうにもいたたまれない気持ちになった。

そこへペインターが手を伸ばしながら割り込んできた。自己紹介をして二人の兄弟と握手をする。一瞬、ペインターはサフィアの方を見た。様子を確認しているかのような目つきだ。自分が気持ちを落ち着かせるための時間を作ってくれているのだ。

「こちらは、私のパートナーのドクター・コーラル・ノヴァク。コロンビア大学卒の物理学者です」

ダニーは急にしゃきっとして、彼女をまじまじと見ると、ごくりと唾をのみ込んだ。急に早口になる。「僕もそこを出たんです。コロンビア大学のことです」

コーラルはペインターの方をちらりと見た。話をしてもいいか許可を求めているような仕草だ。目に見えるような合図は返ってこなかったが、コーラルは返事をした。「世間は狭いわね」

　ダニーは口を開けたが、思い直したのか、また閉じてしまった。コーラルが脇によけるのを目で追っている。

　クレイ・ビショップも合流した。サフィアは彼を紹介しながら、こうした形式的な作業を行なうことで落ち着きを取り戻しつつあった。「こちらは私が指導する大学院生のクレイ・ビショップです」

　クレイはオマハの手を両手で握り締め、上下に激しく揺すった。「先生、アレクサンダー大王の時代のペルシアの交易ルートに関する論文は拝読しました。機会があったら、イランとアフガニスタンの国境での探検のお話をうかがいたいです」

　オマハはサフィアとキャラの方を向いた。「この人、俺のことを先生って呼んだ?」

　キャラが紹介はそのくらいにして、とでも言うように手を振って、全員を敷地内のアーチ状の入口へと案内した。「それぞれにお部屋を用意してあるわ。夕食までの時間にシャワーでも浴びてちょうだい。食事がすんだら少しゆっくりして」キャラは邸宅へと一行を先導した。お洒落なフェンディのヒールが古いタイルの上でこつこつと音を響かせる。「でも、あまりゆっくりしすぎないでちょうだい。四時間後に出発しますから」

「また飛行機ですか?」クレイ・ビショップが不満を隠しながら訊ねた。

　オマハが彼の肩を叩いた。「ちょっと違うんだな。この午後、大変な目に遭ったおかげで、少なくとも一つはいいことがあった」オマハはキャラの方を見てうなずいた。「地位の高い友達がいるってのはいいもんだね。特にそいつが素敵なおもちゃを持っていれば」

キャラは顔をしかめてオマハをにらみつけた。「準備はすべて整ったの？」

「補給品も装備のルートもすでに変更済み」

サフィアは二人を見つめた。ここに来る途中、キャラはものすごい勢いで、オマハ、イギリス領事館、スルタン・カーブースのスタッフに電話をかけまくっていた。結果は聞かされていないが、キャラはオマハほどには満足していない様子だ。

「ファントムはどうなったの？」キャラが訊ねた。

「向こうで落ち合う手筈《てはず》だ」オマハはうなずきながら答えた。

「ファントムって？」クレイが訊ねた。

誰からも答えが出ないうちに、一行は来客用の南棟に続くホールへと出た。

キャラは待機していた執事に向かってうなずいた。グレーの髪をオイルでなでつけ、両手を後ろで組み、白と黒の衣装を着た、昔ながらの英国執事だ。「ヘンリー、お客様をお部屋にご案内して」

執事は折り目正しくお辞儀をした。「かしこまりました」その目がサフィアを見てかすかに光ったが、表情は変わらない。ヘンリーはサフィアが子供の頃からのこの屋敷の執事頭だ。

「こちらでございます」

一行はヘンリーの後についていく。

キャラが全員に声をかけた。「夕食は上のテラスで三十分後よ」招待ではなく命令に聞こえる。

サフィアもほかの人たちの後に続こうとした。

「何しているのよ」キャラが腕をつかんだ。「あなたの昔のお部屋に風を通して準備してあるわ」キャラはサフィアを母屋の方へと向けた。

サフィアは歩きながら周囲を見回した。ほとんど変わっていない。いろいろな意味で、この屋敷は住居であると同時に博物館でもある。壁に掛かる油絵は十四世紀にまでさかのぼるケンジントン家の先祖たち。部屋の中央に置かれたマホガニーの巨大なアンティークのダイニングテーブルはフランスからの輸入品。その上に吊るされたバカラの六段シャンデリアも同じだ。サフィアは十二歳の誕生日をここで祝ってもらった。ろうそくや、音楽や、楽しいお祝いの光景が走馬灯のようによみがえる。そして笑い声。あの頃は笑い声が絶えなかった。今、この長い部屋の中にはサフィアの足音だけがうつろに響く。

キャラはサフィアを家族専用の建物へと案内した。

サフィアは五歳の時に孤児院からこの屋敷に、幼いキャラの遊び友達として連れてこられた。初めての個室……しかも、専用のバスルーム付き。けれども、夜はたいていキャラの部屋に入りびたり、夢のような未来の話をささやき合って過ごしたものだ。

二人は扉の前で立ち止まった。

急にキャラがサフィアを強く抱き締めた。「あなたが帰ってきてくれて、本当にうれしいわ」キャラからの心のこもったハグを返しながら、サフィアはこの女性の奥にいる少女を、いちばん大切でいちばん古い友達を感じ取っていた。ここが自分の家なんだ……サフィアの心はそんな思いに満ちていた。

キャラは体を離した。壁に取り付けた燭台《しょくだい》からの光を反射して目が輝いている。「オマハのこと……」

サフィアは大きく息を吸い込んだ。「大丈夫よ。心の準備はできていると思ったんだけど。この目で見てしまうと。彼、変わっていないわ」

「まったくだわ」キャラは顔をしかめた。

サフィアは微笑んで、軽いハグを返した。「私は大丈夫……本当よ」

キャラは扉を開けた。「お風呂を用意させたわ。新しい服も洋服だんすに入れてある。また夕食の時にね」そう言うと、キャラは廊下の先へと歩いていった。古い自室の前も通り過ぎ、廊下の突き当たりにある装飾を施したクルミ材の両開きの扉へと向かう。そこは屋敷の主人のためのスイートルームで、かつてキャラの父の部屋だったところだ。

サフィアは向き直り、自分の部屋の扉を開けて中に入った。こぢんまりとした天井の高いエントランスがある。昔は遊び場、今は書斎となっている応接間だ。この部屋で博士号の口頭試験に備えたものだ。新しく切ったジャスミンが香っている。姿も香りも大好きな花だ。

その部屋を抜け、サフィアは寝室へと入った。シルクの天蓋《てんがい》付きのベッドは、何年も前にサフィアがテルアビブに向けて旅立った時のままに保存されているように見える。その苦痛に満ちた記憶も、カシミアシルクに指を這わせているうちに和らいでいくようだ。寝室の奥には洋服だんすがあり、そのそばには陰になった小庭に向けて窓が開いている。沈みつつある太陽のせいで外は薄暗い。最後にサフィアがここから眺めた時と比べて、植え込みの手入れが行き届いていないように感じる。わずかながらも雑草が生えていて、それを見ているうちにサフィアは思いがけないほど深い喪失感を覚えた。

どうして帰ってきてしまったんだろう？　どうしてここを出てしまったんだろう？

サフィアはどうしても過去と現在とを結びつけることができないように感じた。

水の滴る音がして、サフィアは隣のバスルームへと注意を向けた。夕食まであまり時間がない。サフィアは服を脱ぎ、床の上に残したままバスルームへと向かった。タイル張りの浴槽は深さがあるが、細長い形をしている。浴槽から立ちのぼる湯気がかすかな音を発しているかのような気がする。それとも、水面に浮かんだ白いジャスミンの花びらが動いている音だろうか。その花びらが室内に芳香を漂わせている。

その眺めに、サフィアは疲れた笑みを浮かべた。

サフィアは浴槽に近づき、水中に隠れた段差を確認することなく足を踏み入れた。過去の習慣の記憶は今も失われていない。湯気をたてる温かい湯に体を浸し、顎までつかると、タイルに背をもたせかけ、髪を湯と花びらの上に広げた。

痛んだ筋肉よりも深い何かが緩み、安堵感に包まれる。

サフィアは目を閉じた。

我が家……

午後八時二分

警備員が懐中電灯を片手に小道を巡回しながら、前方の丸石を敷いた道に光を当てた。空いた手で、ケンジントン家の敷地を囲む石灰岩の外壁にマッチを擦りつける。しゅっという音とともに小さな火がついた。警備員は気づかなかったが、壁の上まで高くそびえるナツメヤシの幅広い葉が作る暗い影の中に、黒いマントに身を包んだ人影がぶら下がっていた。

マッチの火が影を追い払い、上によじ登ろうとしている人物の姿をさらしそうになった。カサンドラはグラップリングガンのウインチの引き金を引いた。油をさしたウインチが動くかすかな音は、マスカットの通りを走り回る野良犬たちの一匹の鳴き声に紛れた。音を立てない平底靴を履いた足が壁を登り、細い合金鋼のケーブルが手に持った銃へと巻き取られるにつれて、体が上昇する。いちばん上に到達すると、カサンドラは勢いを利用して体を壁の上に投げ出し、腹這いになった。

壁の上には侵入者を防ぐために鋭利なガラス片が埋め込まれている。しかし、黒いケブラーの軽量ボディースーツと手袋を貫くことはできない。それでも、カサンドラは右のこめかみに鋭い破片が当たるのを感じた。顔面もマスクで保護されているが、両目のところにだけは細い切れ目が入っている。頭の上に乗せた無反射の暗視スコープは、いつでも使用できる状態にある。レンズは最長で一時間のデジタル映像が撮影可能で、盗聴用の超小型パラボラレシーバーも接続されている。

ペインター・クロウが設計した装置だ。

それを思うとかすかに笑みが浮かぶ。皮肉な話だ。自分が作った道具で狙われているのだから……。

カサンドラは警備員の姿が敷地の角を曲がって消えるのを見守った。グラップリングガンのフックを外し、コンパクトな銃の銃口へと収納する。仰向けになると使用済みの圧縮空気カートリッジを拳銃のグリップから外し、代わりにベルトに留めてあった新しいシリンダーを挿し込んだ。準備を終えると、カサンドラは体の向きを変えて、母屋を目指してぎざぎざの胸壁の上を這って進んだ。

外壁は邸宅とつながっていないが、ほぼ十メートルの間隔を空けて母屋を取り囲んでいる。

その隙間の空間には小さな庭園が造られていた。生け垣で仕切られている庭園もあれば、噴水が置かれているところもある。さらさらと踊る水音が、胸壁の上を進み続ける彼女の耳にも聞こえてくる。

カサンドラはあらかじめ敷地内を探索し、ギルドから提供された警備体制の概略図が正確かどうかを確かめていた。インクと紙だけを信じるほど馬鹿ではない。すべてのカメラの位置、警備員のスケジュール、敷地内のレイアウトは、この目で確認済みだ。

別のナツメヤシから垂れ下がる葉の下に隠れながら、カサンドラは邸宅内の煌々《こうこう》と明かりのともる場所へとさらに慎重に近づいた。円柱に囲まれた狭い中庭の奥にアーチ状の窓が開いていて、そこから細長い食堂が見通せる。可憐な花の形をしたろうそくが銀の水盤に浮かべられ、テーブルの上で光を発している一方で、精巧な枝付き燭台では先端の細い長いろうそくが燃えている。クリスタルや高級そうな食器が炎の光を反射する。シルクのかかったテーブルの前に人が集まっている。召使いたちがその間を忙しく行き来し、ゴブレットに水を足したり、ワインを勧めたりしている。

ぴったりと寝そべってシルエットを隠したカサンドラは、デジタルゴーグルを目に当てた。暗視モードは起動させず、倍率を調節して望遠機能を使用し、細かい動きを確認する。イヤホンからは増幅された会話が入ってきて、デジタル化された金属音のように聞こえる。会話の方向にパラボラレシーバーを固定するためには、頭を動かさずにじっとしていなければいけない。

ここにいる関係者の情報はすべて頭に入っている。

ひょろりと痩せた大学院生のクレイ・ビショップは窓のそばに立ち、居心地が悪そうだ。若い女性の給仕が、ワインをおつぎしましょうかと訊ねている。彼は首を横に振った。「ラ、シュクラン」と小声で答える。「ノー・サンキュー」の意味だ。

その後ろで二人の男が、あぶった肉、ヤギのチーズ、オリーブ、刻んだナツメヤシなど、トレイに乗った様々なオマーンの伝統料理のオードブルを試している。ドクター・オマハ・ダンとその弟のダニエルだ。カサンドラは午後の二人の危機一髪の脱出に関しても詳細な情報を得ていた。誘拐犯の手際が悪かったおかげで二人は助かったのだ。

それでも、カサンドラはこの二人を注意深く観察した。敵を見くびることの怖さは知っている。敗北への道は油断から始まる。警戒に値する何かが、この二人の中に潜んでいるかもしれない。

オマハは種をよけながらオリーブを噛んでいた。「おまえがシャワーを浴びている間に」彼は種を歯に挟んだまましゃべっている。「地元のニュースで天気を調べた。砂嵐でクウェート市は機能停止だ。大通りにでっかい砂丘ができたとさ」

弟はどっちつかずの返事をした。兄の話に注意を払っているようには見えない。彼の視線は部屋の反対側から入ってきた背の高いプラチナブロンドの女性を追っている。

コーラル・ノヴァク。シグマの隊員。カサンドラの後任だ。

カサンドラはこの新たな敵に注意を向けた。この女の冷静さは作り物のように思えてくる。大英博物館で不意を襲われ、あっさり倒されてしまったことを考えるとなおさらだ。カサンドラは不愉快そうに女をにらんだ。〈この女が私の代わりに、ペインターの右腕としてふさわしいと見なされたのか？　こんな新入りが？〉世の中が変わらなければいけないのは当然だ。

女のすぐ後ろからペインターが姿を現した。背が高く、黒いズボンに黒いシャツを着て、フォーマルだがカジュアルでもある。高い壁の上からでも、カサンドラはペインターが目の端で丹念に部屋を調べていることに気づいた。目に映るものすべてを細かく分析し、計算している。

カサンドラは壁のガラス片に乗せた指に力を込めた。

この男に正体を暴かれたせいで、彼女のギルド組織内での立場は危うくなり、降格される羽目になった。これまで完璧に演じてきたのに。何年にもわたって上級工作員としての役割を務め、パートナーの信頼を得ることに成功したのに……しかも、最後にはパートナーの絆以上のものを勝ち取ったと思ったのに。

胸に怒りが湧き上がり、嫌悪感が募る。こいつのせいですべてを失ったのだ。一目置かれていた地位を追われ、こんな地味な任務しか与えられなくなってしまった。カサンドラは再び移動を開始し、壁の上を進んだ。自分には任務がある。博物館でペインターに邪魔された任務だ。この任務は重要な意味を持っている。

今夜は失敗するわけにいかない。

何があろうとも。

カサンドラは邸宅のいちばん端にある建物へと進み、その奥に一つだけともっている明かりを目指した。つま先立ちになり、最後の直線を走り抜ける。ターゲットを見失うことは許されない。

ようやくカサンドラは荒れた庭を見下ろす窓の前に身を潜めた。湯気でくもった窓の奥では、女性が一人で深い浴槽につかっている。カサンドラは建物のほかの部屋にも目を走らせた。誰もいない。耳を澄ます。何の音もしない。

満足したカサンドラは、グラップリングガンを上のバルコニーへと向けた。左耳に女がつぶやく声が入る。夢を見ているかのような朦朧とした、喉に詰まった泣き声だ。「やめて……もうこんなことは……」

カサンドラは銃の引き金を引いた。フックの先端が広がり、細い鋼鉄製のケーブルを後ろに引きながら宙を飛ぶ。ひゅっという短い音が響く。フックは三階のバルコニーの手すりを飛び越えた。

軽く引き寄せてフックを手すりに固定すると、カサンドラは壁から下の庭に向かって飛び下りた。風の音が鳴る。近くの路地で犬が鳴いている。小枝一本折らずに着地すると、窓近くの壁に体を押しつけ、警報音が響いていないかを片耳で確認する。

静かだ。

窓をチェックする。指一本分ほど開いたままになっている。その奥では、女が夢を見ながら寝言をつぶやいている。

完璧だ。

午後八時十八分

サフィアは大きな病院の待合室に立っている。これから何が起こるかを知っている。向こう側から腰の曲がった女性が、片脚を引きずりながら病棟に入ってくる。顔も体もブルカに隠れている。ブルカの下のふくらみがはっきりと見える。

……あの時とは違って。

サフィアは待合室を一気に横切り、これから起ころうとしていることを必死に止めようとする。しかし、子供たちが足もとに集まり、脚によじ登り、両腕をつかむ。何とかして引き離そうとするが、子供たちは泣いて嫌がる。

サフィアは歩を緩め、なだめるべきか前進するべきか迷う。

前方では例の女性が受付近くの人ごみに紛れ込む。サフィアの目にはもう見えない。だが、ナースステーションの看護師が腕を上げ、サファイアの方を指差す。名前が呼ばれる。

……あの時のように。

人々が道を開ける。例の女性は自ら光り輝いているかのように見える。天使のように。ブルカを翼のようにふくらませて。

〈やめて〉口を動かすが声が出ない。空気がなくて声が出ない。警告ができない。

そして、目もくらむような爆発。光だけ。音はしない。

すぐに視力が戻る――だが、耳は聞こえないまま。

サフィアは仰向けに倒れ、炎が音もなく天井を伝わるのを見つめる。熱から守ろうと顔を覆うが、周囲は熱だらけだ。顔を横に向けると、倒れている子供たちが見える。火がついている子供。石の下敷きになっている子供。床に座り、転倒したテーブルに寄りかかっている子供がいる。だが、その子供の顔はない。サフィアにすがりついてくる子供がいる。その子供の腕の先には手がない。血しかない。

サフィアは耳が聞こえない理由に気づく。世界は無限に引き伸ばされた一つの叫び声と化している。子供の声ではない。自分の口から出ている。

そして何かが……

……彼女に触れた。

サフィアはびくっとして浴槽の中で目を覚ました。喉にあの悲鳴が詰まっている。いつも声はサフィアの内部にあって、外に出ようともがく。サフィアは口元を手で覆い、体を震わせて嗚咽を漏らし、それ以外のすべてを中にとどめようとした。冷めかけた湯の中で震えながら、両腕で胸を押さえる。しっかりと。パニックの発作が治まるのをじっと待つ。

〈ただの夢よ……〉

そう信じることができればいいのにと思う。あまりにも強烈で、あまりにも鮮明だった。今も口の中に血の味がする。額の汗をぬぐったが、震えが止まらない。この反応と夢を、疲労のせいにしようとした――でも、それは嘘だ。この場所のせい。この国のせい。故郷に戻ってきたせいだ。それにオマハのことも……

サフィアは目を閉じたが、夢がすぐ近くで待っている。ただの悪夢ではない。すべて実際に起きたことだ。すべて自分のせいだ。サフィアがクムラン郊外の丘にある墓を発掘しようとした時、地元のイスラム教指導者のイマームがそれを思いとどまらせようとした。だが、サフィアは聞く耳を持たなかった。純粋な研究目的だという大義名分を過信していたのだ。

その前の年、サフィアは六カ月を費やして一枚の粘土板を解読していた。粘土板は墓に巻き物が埋められている可能性を示唆しており、あの有名な死海文書のもう一つの埋蔵場所ではないかと考えられた。発掘開始から二カ月で、サフィアの解読結果の正しさが証明された。アラム語で書かれた大量の文献の入った壺が四十個も見つかり、その年の最大の発見となったのである。

しかし、それは多大な代償を払う結果となった。

狂信的な原理主義のグループが、イスラムの聖地を汚されたことに激怒した。発掘者が女性だったこと、しかも混血で欧米と近しい人物だったことから、相手は怒りを募らせた。当時はわからなかったが、標的はサフィアだったのだ。

サフィアの傲慢不遜《ごうまんふそん》のつけは、罪のない子供の血と命で支払われることになった。

サフィアはわずか三人の生存者のうちの一人だった。新聞には「奇跡」と書かれた。彼女が助かったのは奇跡だと。

そんな奇跡は人生でもう二度と起こってほしくない、サフィアはそう祈った。

奇跡のために払った代償は大きすぎる。

サフィアは目を開け、拳を握り締めた。悲しみと罪の意識に代わって、怒りが湧き上がってくる。セラピストの話では、その反応は極めて自然なものだということだ。むしろ、怒りを感じるべきだとも言われた。それでも、サフィアは今なお自分の怒りが恥ずかしく、怒りを感じる資格などないように感じるのだった。

サフィアは体を起こした。お湯が浴槽の縁を越えてタイルを洗い、そのあとにジャスミンの花びらが散らばる。浴槽に残った花びらが、裸の胸の下で揺れる。

水の中で何かが彼女の膝に触れた。花のようにやわらかいが、もっと重みがある。サフィアはヘッドライトを浴びたウサギのように、体を緊張させた。

水面の揺れが治まる。つやのあるジャスミンの花びらのせいで、浴槽の底まで見通すことができない。やがて間延びしたS字形の曲線が、花びらの下から水面へと上ってきた。

サフィアは凍りついた。

ヘビが花びらの間から水面に頭をもたげた。濁った茶色の頭に、白い花びらが何枚かくっついている。眼の内側の保護膜が下り、灰色の瞳が黒くなった。真っ直ぐサフィアの方を見ているようだ。

サフィアは一目でそのヘビがわかった。頭頂部に白い十字型の模様がある。学名エキス・ピラミドゥム、クサリヘビの一種だ。オマーンの子供たちはみな、この模様に気をつけなければいけないことを知っている。この十字架はキリストの救済ではなく、死を意味する。この地域ではどこにでも見られるヘビで、日陰を好み、木の枝からぶら下がっていることもある。その毒は出血毒と神経毒の両方の性質を持つため非常に危険で、嚙まれた人は十分以内に命を落とす。攻撃範囲が広く動きも敏捷《びんしょう》なため、かつては空を飛べると信じられていたほどだ。

体長一メートルの毒ヘビは浴槽を泳ぎながらサフィアへと向かってくる。刺激するといけないので動くことすらできない。自分が眠り込んでしまった後、脱皮に適した湿気を探して潜り込んだのだろう。

ヘビはサフィアの腹部に達すると、頭をちょっと水の上に出し、舌をちらちらと突き出した。ヘビがさらに近づくと、サフィアは肌がくすぐられるように感じた。両腕に鳥肌が立つ。サフィアは必死で震えまいとした。

危険がないと判断したのだろう、ヘビはサフィアの腹部をくねくねと登り、左の乳房にまで達した。再び舌をちょろっと出す。サフィアの肌に触れる鱗《うろこ》に覆われた皮膚は冷たくなく、むしろ温かい。筋肉質の体は思ったよりもかたい。

サフィアは自分の筋肉に力を入れた。息をすることもはばかられる。だが、いつまで息を止めていられるだろうか？

ヘビは居心地がいいようで、サフィアの乳房の上で体を落ち着けてしまった。これは奇妙な行動だ。なぜ彼女がわからないのだろう？　心臓の音が聞こえないのだろうか？

〈そこをどいて〉……サフィアは強く念じた。ヘビが浴室の奥へと移動して隅にでも隠れてくれれば、浴槽から出ることができるのだが……。

空気が足りないせいで、胸の痛みが次第に鋭くなっていく。目を内側から押されているような圧迫感を感じる。

〈お願い、あっちへ行って……〉

ヘビは再び赤い舌を突き出し、気配をうかがった。何を感じ取ったのかはわからないが、満足した様子だ。しばらくは動きそうもない。

サフィアの視界に小さな星が踊り始めた。酸素不足と緊張のせいだ。動いたら死んでしまう。息を吸うことさえ……

その時、影が動いたことに気づき、サフィアは視線を窓へと向けた。ガラスにはびっしり水滴が付着しているため、外はぼんやりとしか見えない。けれども間違いない。

外に誰かがいる。

8　ヘビと梯子

十二月二日午後八時二十四分
マスカット　旧市街

「サフィアのやつ、どこにいるんだよ?」オマハは腕時計を見て訊ねた。

夕食のための集合時間を十分も過ぎている。オマハが覚えている昔のサフィアは、オックスフォード在学中に叩き込まれた結果、涙ぐましいまでに時間に正確だった。細かいことにまで注意を払うその性格のおかげで、彼女は学芸員として優れているのだ。

「まだ来ていないなんて、おかしいぞ」オマハは言った。

「サフィアのためにお風呂を用意させたの」キャラが入口に姿を見せながら告げた。「たった今、メイドが新しい服を持っていったところ」

キャラが部屋に入ってきた。伝統的なオマーンのアバヤは、流れるような赤いシルクに金の糸で縁に刺繍が施してある。スカーフを巻かずにサンディブロンドの髪を垂らし、足にはプラダのサンダルを履いている。いつものように、キャラは伝統には従いつつファッションにも気を配っていた。

「風呂かよ?」オマハはうんざりした声をあげた。「それじゃあ、今夜はサフィアにはお目にかかれないぜ」

サフィアはあらゆる種類の水が大好きだった。シャワー、噴水、蛇口から流れる水、泳ぐことのできる川や湖。その中でもいちばんのお気に入りが風呂だ。オマハはよく彼女をからかったものだ。そんなに水に執着するのは砂漠で育ったせいだと。〈女の子を砂漠から外に連れ出すことはできても、女の子の中から砂漠を連れ出すことはできない〉

そんなことを考えているうちに、余計な記憶が侵入してきた。一緒にゆっくりつかった浴槽、絡み合わせた手足、笑い声、やわらかなうめき声、湯と肌から上がる湯気。

「準備ができたら来るわよ」サフィアをかばうかのように告げるキャラの声で、オマハは我に返った。サフィアは執事に向かってうなずいた。「二、三時間後に出かけるけど、その前に軽めのオマーン風の夕食を用意したわ。どうぞ座って」

全員がグループごとに分かれて席に着いた。ペインターとコーラルが一方の側に、サフィアが指導する大学院生のクレイと並んで座る。ダニーとオマハはその向かい側に座った。最後にキャラが、テーブルの上席に一脚だけ置かれた椅子に腰を下ろした。

見えない合図に合わせたかのように、キッチンに通じる扉から給仕たちが次々に現れた。各自が覆いをかぶせたトレイを掲げていて、中には片手で支えたトレイを頭の上にまで持ち上げている者もいる。幅の広いトレイを両手で運ぶ給仕もいた。

それぞれのトレイをテーブルに置くと、給仕たちは慣れた足つきでテーブルから離れながらふたを外し、それと同時に料理が姿を現す。見事に演出された動きだ。

ふたが外されるごとに、キャラが料理の説明をした。「マクブース……ラム入りのサフランライス。シュウワ……粘土のオーブンで焼いた肉。マシュウィ……キングフィッシュのグリルのレモンライス添え」さらにいくつかカレー料理の名前をあげていく。ご馳走のトレイの間には、薄い楕円形のパンの乗った皿が置かれている。これはオマハもよく知っている。オマーン料理に付き物のルカールで、ヤシの葉の上で焼いたパンだ。

ようやくキャラによる紹介が最後の一品を迎えた。「そしてこれは蜂蜜ケーキ。私の好物よ。オマーン原産のエルブの木のシロップで味付けされているの」

「何だ……羊の目玉はないのかよ」オマハはつぶやいた。

キャラはそれを聞きつけた。「その珍味だったら、用意できるわよ」

オマハは制するように手を上げた。「今回は遠慮しておくよ」

キャラはご馳走の上で手を一振りした。「オマーンの流儀はセルフサービス。どうぞ召し上がれ」

一行はキャラの言葉に従い、スプーンやフォーク、レードルを使うか、あるいは手づかみで料理を取った。オマハは背の高いポットの中身をカップに注いだ。オマーンのコーヒー「カフワ」だ。死ぬほど濃い。アラブ人はアルコールを忌み嫌っているが、カフェイン中毒に関してはお咎《とが》めなしだ。オマハはごくりと飲んでからほっと息をついた。濃いコーヒーの苦さはカルダモンで和らげられ、独特の心地よい後味が残る。

会話はまず食事の素晴らしさが中心となった。そのほとんどが肉のやわらかさやスパイスの効きに驚くざわめきだ。クレイは皿いっぱいに蜂蜜ケーキを盛り、満足げな表情を浮かべている。キャラはもっぱら自分の料理をつつきながら給仕の動きに目を配り、うなずいたり首を傾けたりしながら指示を出していた。

オマハはカフワを飲みながらキャラを観察した。

最後に見た時より痩せて、やつれたように見える。目はまだ輝いているが、どこか熱に浮かされているかのようだ。彼女がこの旅にどれだけ心血を注いだか、オマハは知っている。その理由もわかっていた。サフィアと彼はいくつかの秘密を共有している……少なくとも、昔はそうだった。レジナルド・ケンジントンのことはすべて話に聞いている。彼の肖像画がキャラの背後の壁から娘を見下ろしていた。キャラは今でも父の視線を感じるのだろうか？

もし父親が砂漠に消え、この世界から失われてしまったら、自分だって同じような状態になってしまうはずだ。ありがたいことに、オマハがそのような喪失感を理解するためには、想像力が必要だった。八十二歳になる彼の父は、まだネブラスカの実家の農場で働いている。毎朝、卵四個にベーコン一切れ、さらにバターを塗ったトーストを山のように食べ、夜には必ず葉巻をふかす。母はそれに輪をかけて元気だ。「生まれつき丈夫だから」と父は自慢したものだ。それはせがれたちも同じだと。

オマハが家族に思いを馳せているうちに、弟の甲高い声が聞こえ、キャラから注意がそれた。ダニーは白昼の誘拐劇の模様を事細かに説明していた。その声と同じくらい、手にしたフォークも活躍している。オマハは日中の出来事を再現する弟が、興奮に顔を輝かせていることに気づいた。自慢げな口調で大げさに話をする弟の声を聞きながら、オマハは首を左右に振った。かつては自分もそうだった。不死身だと思っていた。若さという鎧《よろい》に守られて。

それも過去の話だ。

オマハは自分の手をじっと見た。しわが寄り、傷跡の残る手。父の手と同じだ。オマハはダニーの物語に耳を傾けた。弟が言うような大冒険を楽しんだわけではない。真剣そのものの行動だった。

そこに新たな声が割って入った。「女だって?」ペインター・クロウが眉をひそめて聞き返した。「誘拐犯の一人が女だったのか?」

ダニーはうなずいた。「僕は見なかったけど、兄さんが見た」

オマハの方に相手の視線が向けられた。射るような青い瞳だ。眉間にしわが寄る。その眼差しは焦点を絞ったレーザー光線のように鋭い。

「本当か？」クロウは訊ねた。

オマハは相手があまりに勢い込んでいるのに面食らい、肩をすくめた。

「女はどんな感じだった？」

ずいぶんと切迫した声だ。オマハはペインターとそのパートナーを見ながら、ゆっくりと答えた。「背が高かった。身長は俺くらいだ。身のこなしからして、軍事訓練を受けた経験があると思う」

ペインターがちらりとパートナーを見る。無言のメッセージのやり取りがあったようだ。二人は何かを知っているが、それを口にしていない。ペインターは再びオマハを見た。「外見は？」

「黒髪、緑の瞳。ベドウィンだろう。ああ、それと目の脇に赤い小さな涙の形の刺青をしていた……左の目だ」

「ベドウィンか」ペインターは繰り返した。「それは確かか？」

「俺はこの地域で十五年働いているんだ。知り合いも大勢いるし、種族の見分けぐらいはつく」

「その女性の種族は？」

「ちょっとわからないな。そんなに長くは見なかったから」

ペインターは緊張の糸が緩んだかのように椅子の背もたれに寄りかかった。パートナーは蜂蜜ケーキに手を伸ばして皿に乗せたが、口に運ぼうとはしない。今度は視線が交わされることはなかったが、二人の間で何らかの問題が解決したようだ。

「なぜそんなに興味あるの？」そう訊ねるキャラの声は、オマハの疑問も代弁していた。

ペインターは肩をすくめた。「もしこれが単なる身代金目的の誘拐だったら、何も問題はない。でも、そうでない場合……博物館での強奪未遂に何らかの関係があるのなら、警戒するべき相手を全員が認識しておかなければならないと思う」

その言葉はもっともだし、現実的で科学的でもある。だが、オマハはペインターが示した興味にそれ以上の深い意味があるのではという気がした。

キャラがその話を終わりにした。ダイヤモンドのロレックスに目をやる。「サフィアはどこ？　まさかまだ入浴中じゃないわよね？」

午後九時十二分

サフィアは浅い呼吸を保っていた。

ヘビが怖いわけではない。ほこりっぽい遺跡を探検するうちに、サフィアはヘビに対して敬意を払うようになった。ヘビは砂や風と同じように砂漠の一部なのだ。サフィアは浴槽の中で微動だにしなかった。待つうちにお湯が徐々に冷めてくる……それとも、恐怖のせいで冷たさを感じているのだろうか？

左の乳房にもたれたクサリヘビはすっかり落ち着いてしまい、のんびりと湯につかることに決めたようだ。外皮はざらざらしている。年老いたヘビだ。そのために脱皮が容易ではないのだろう。

再び目が何か動くものをとらえた。窓の向こう側だ。しかし、目を凝らして見ても、夜の闇は森閑《しんかん》としている。

パニック発作の前に被害妄想が起こることは珍しくない。全身を包み込むような不安が、存在しない脅威や危険を感じ取ってしまうのだ。サフィアの発作は、身体的な脅威よりも、精神的なストレスや緊張が引き金となることが多い。今のところ、間近に迫る危険によるアドレナリンの上昇が、パニック発作の急激な進行を防ぐ役割を果たしてくれている。だが、ヘビとの我慢比べにその効果も薄れ始めていた。

クサリヘビに嚙まれると、ただちに重篤《じゅうとく》な症状が出る。皮膚の黒変、血液の凝固、骨折するほどの痙攣《けいれん》。現時点で解毒剤は存在しない。

サフィアの両手がかすかに震え始めた。

〈解毒剤は存在しない……〉

サフィアは無理やり心を落ち着かせようとした。

ゆっくりと、ヘビを見つめたまま息を吐く。さらにゆっくりと息を吸い込み、新鮮な空気の心地よさを味わう。さっきまでは喜びだったジャスミンの香りが、甘ったるく鼻につく。

扉をノックする音に、サフィアはびくりとした。

かすかだが身動きをしてしまった。湯の表面にさざ波が立つ。

ヘビが頭をもたげた。サフィアの裸体の上の胴体部分が緊張からこわばり、警戒しているのがわかる。

「アル＝マーズ様」廊下から声がした。

サフィアは返事をしなかった。

ヘビは舌でちろちろと空気をなめた。体がサフィアの胸を這い、三角形の頭を喉元へと近づける。

「お嬢様？」

執事のヘンリーだ。眠ってしまったのではないかと様子を見にきたのだろう。ほかの人たちは食堂にいるはずだ。バスルームには時計がないが、すでに一晩経過してしまったような気さえする。

静寂の中、サフィアの耳に古い鍵穴の中で回る鍵の音が届いた。廊下との境の扉のきしむ音が続く。

「アル＝マーズ様……？」声はさっきよりもはっきり聞こえる。「今、リーザをそちらに向かわせます」

有能な英国執事のヘンリーとしては、女性の居室に入るような無作法はできない。入浴中とあればなおさらだ。小さな足音が急いで部屋を横切り、奥にある浴室へと向かってくる。

こうした物音のすべてがヘビを刺激した。左右の乳房の間で伸び上がった姿は、毒で武装した戦士のようだ。クサリヘビが攻撃的な性格であることはよく知られている。身の危険を感じた場合、人間を一キロも追いかけたという話もある。

だが、このヘビは長風呂でのぼせているのか、攻撃を仕掛けようとはしない。

「あのう」扉の外から遠慮がちな声がする。

メイドに警告しようにも、手だてがない。

若いメイドは頭を低くしたまま、おずおずと扉から入ってきた。黒いお下げ髪がレース付きの帽子から出ている。数歩も離れていない距離に近づいてから、メイドは小声で言った。「入浴中、お邪魔して申し訳ありません」

ようやくメイドが顔を上げ、サフィアと目が合った――同時に、頭をもたげたヘビの目とも。

ヘビはシューッと威嚇《いかく》する音を発し、攻撃に備えてとぐろを巻いた。濡れた鱗がこすれ合い、紙やすりのような音を立てる。

メイドはあわてて手で口を押さえたが、悲鳴を押し殺すことはできなかった。

その音と動きに引かれて、ヘビは水中から跳ね上がり、メイドを目がけて幅のある浴槽の縁を飛び越えた。

メイドは恐怖のあまり身動きできずにいる。

だが、サフィアは違った。

とっさに手を伸ばし、攻撃態勢に入って宙を飛ぶヘビの尻尾をつかむ。そのまま引き寄せてメイドから遠ざけると、大きく振り回した。しかし、相手はただのロープではない。

手の中でヘビの筋肉がよじれ、指の間でこわばるのがわかる。ヘビがとぐろを巻き、自分に触れたものに飛びかかろうとしているのを、サフィアは目で見るよりも先に感じ取った。サフィアは足を蹴り出し、立ち上がるための足がかりを、有利な体勢を得ようとした。だが、タイルが滑って思うようにいかない。湯が床の上に飛び散る。

ヘビがサフィアの手首に攻撃を仕掛けた。素早く手首をねじって腕を振り、牙が肉に食い込むのを防ぐ。しかし、老練な戦士のようなヘビは体をよじり、次の攻撃体勢に入る。

ようやくサフィアは両足で立ち上がることができた。浴槽の中で体を回転させながら腕を大きく伸ばし、遠心力でヘビの頭を寄せつけないようにする。そのままヘビを投げ捨てようかとも考えた。だが、それでは闘いが終わったことにはならない。バスルームは狭いし、このヘビは極めて攻撃的だ。

代わりに、サフィアは腕を一振りした。以前に牛追い鞭《むち》を使った経験がある。あれはオマハへのクリスマス・プレゼントだった。彼のことをふざけてインディと呼んでいたので、ちょっとしたジョークのつもりだったのだ。その時に練習したテクニックを使って、サフィアはスナップを効かせて手首をひねった。

振り回されて目が回っていたのか、ヘビはとっさに反応できなかった。長い体が物理学の法則に従って勢いよく伸びる。頭がタイルの壁を打つと、その衝撃でセラミックのタイルが欠けた。

真っ赤な血が飛び散る。

ヘビの体はサフィアの手の中で一度、激しく悶えてからぐったりとなり、サフィアの腿のまわりに水しぶきをあげながら浴槽へと落下した。

「アル＝マーズ様！」

声の方に顔を向けると、扉のところに執事のヘンリーが立っていた。メイドの悲鳴を聞いて駆けつけたのだろう。恐怖に怯えたメイドの肩に手を置いている。

サフィアは生気の失われたヘビの体と、自分の裸体を見下ろした。不思議と恥ずかしさは感じない。体を隠そうともせずに、サフィアは鱗に覆われたヘビの尻尾から手を離し、浴槽から出た。

指の震えだけは止まらない。

ヘンリーは保温機能付きのタオル掛けから大きなコットンのタオルを取った。それを大きく広げる。サフィアが近づくと、ヘンリーはタオルでサフィアを包んでくれた。

涙が流れ始め、呼吸が苦しいまでに短くなる。

窓の外では月が昇り、敷地の外壁の上に姿を見せている。突然、何か黒っぽいものが壁の上を横切った。サフィアはびくっとしたが、その何かはすぐに消えてしまった。

砂漠に生息する夜行性肉食獣のコウモリだろう。

それでも、サフィアの震えは激しくなる一方だった。ヘンリーは両腕に力を込め、そのまま抱え上げるようにサフィアを次の間のベッドまで運んだ。

「もう大丈夫」ヘンリーはまるで父親のようにささやいた。

だがサフィアは、その言葉が真実とはほど遠いとわかっていた。

午後九時二十二分

窓の外ではカサンドラが茂みの中に潜んでいた。博物館の学芸員が機敏な動きでヘビに対処し、鮮やかに仕留める場面を目撃したところだ。カサンドラは彼女が風呂からあがるまで待ち、そのあとで鉄の心臓の入ったスーツケースを奪ってこの屋敷から脱出する計画を立てていた。

そのため、ヘビはカサンドラにとっても招かれざる客だった。

しかし、あの学芸員とは違い、カサンドラはヘビが意図的に入れられたものだということに気づいていた。あらかじめ仕組まれた計画的な犯行。

カサンドラは月明かりで銀色に輝く窓に映ったかすかな反射をとらえていた。自分のほかに誰かがいる。壁を登っている。

カサンドラは建物に背を向け、低い体勢でその後を追った。両手には肩のホルスターから抜いた二挺のマットブラックのグロックを握っている。カサンドラの目はマントに身を包んだ人影が外壁を乗り越える姿をとらえた。

消えた。

刺客か？

何者かが同じ庭にいた……しかも、それに気づかなかったとは。

間抜けもいいところだ……

怒りによって研ぎ澄まされた頭で、今夜の計画を立て直す。学芸員の部屋でのこの騒動で、あの遺物を盗み出せる可能性は低くなった。

ただ、あのマントを着た泥棒……あれはまったく別の問題だ。

オマハとダニエルのダン兄弟の誘拐未遂事件については、すでに情報を入手している。襲撃がただの不運な偶然で、悪い時に悪い場所で起こっただけなのかははっきりしない。あるいは、もっと意味のある、計算された襲撃だった可能性もある。例えば、ケンジントン家から身代金を奪おうという目的があったとか。

そして今度は、あの学芸員の命が狙われた。

単なる偶然のはずはない。何らかの関連があるに違いない。ギルドの関知していない何かが存在する。第三者が関与している。しかし、どうやって？　なぜ？

これらの考えが、一瞬のうちにカサンドラの頭を通り抜けた。

拳銃を握った両手に力を込める。

答えを得られる場所は一つしかない。

腕を交差させると、カサンドラは拳銃を二挺ともホルスターに収め、ベルトからグラップリングガンを外した。狙いを定めて引き金を引くと、かすかな音を立てて鋼鉄のコードが上昇する。カサンドラはフックが壁の縁にかかると同時に行動を開始した。巻き取り用のウインチを絞る。鋼鉄のケーブルがぴんと張り、彼女の体が引き上げられる。ウインチのモーターの回転音に合わせて、カサンドラはやわらかい靴底で壁をよじ登った。

壁の上に到達すると、カサンドラは胸壁をまたいで座り、グラップリングガンを収めた。暗視スコープを下ろして眼下を探る。暗い路地がくっきりとした緑と白の画像となって浮かび上がった。

道を挟んだ反対側で、マントを来た人影が壁に沿って身を隠すように動きながら、その先の通りを目指している。

あの刺客だ。

カサンドラはガラスを埋め込んだ壁の上に立ち上がると、マント姿の人影の方へと走った。その足音が聞こえたのだろう、標的はマントの影を翻して速度を上げた。

〈くそっ〉

壁の上を走るカサンドラは、壁に囲まれた敷地内から別のヤシの木が張り出している地点に達した。ヤシの葉は扇を広げたように茂り、壁の両側に影を落とし、カサンドラの進路を妨げている。

歩を緩めずに、カサンドラは獲物を片目で追った。ヤシの木に達すると、手を伸ばして何枚かの葉をつかみ、高さ六メートルの壁から飛び下りる。ヤシの葉は彼女の体重を支えることができない。手袋をはめた手に握った葉がちぎれたが、短い時間であっても支えてくれたおかげで落下速度が緩やかになる。カサンドラは両膝で衝撃を吸収しながら路地に着地した。すぐに走って後を追う。獲物は交差する通りの角を曲がって姿を消している。

カサンドラは音声で操作を指示した。ただちに近隣の街路図がゴーグル上に映し出される。ごみごみとした地域の画像を読み取るには訓練された目が必要だ。

この旧市街の道路の配置には、リズムもなければ理論もない。周囲にあるのは狭い路地と石畳の通りから成る迷路だ。

もし獲物がこのねじれた迷路に逃げ込んでしまったら……

カサンドラは足を速めた。相手の動きを阻止しなければならない。ゴーグルに映し出されたデジタル画像によれば、獲物が逃げ込んだ脇道は、三十メートルも行かないうちに別の小道と交差している。

チャンスは一回しかない。

カサンドラは角を曲がりながらグラップリングガンを取り出した。脇道へと走り込み、三十メートル先の獲物に狙いを定める。

カサンドラは引き金を引いた。

鋼鉄のケーブルが音を立てて飛び出した。フックは低い弧を描いて路地を飛翔すると、標的の肩の上を越えた。

カサンドラはウインチの引き金を引いて巻き取ると同時に、腕を大きく後ろに引いた。フライフィッシングの要領だ。

フックが肩に食い込むと、人影が回転した。足がもつれている。

カサンドラは冷たい満足の笑みを浮かべた。

だが、勝利を喜ぶのは早すぎた。

獲物は体を回転させて裾を翻しながら、フーディーニも顔負けの巧みさでマントを脱ぎ捨てた。月明かりに照らされた姿は、暗視スコープの中で白昼同然にくっきりと見える。

女だ。

猫のように優雅に片手で着地すると、女はすぐに両足で立ち上がった。黒髪をさっと振ると、再び走り始める。

カサンドラは悪態をつきながら追跡した。獲物の腕前に感心し、それを相手にしている自分に喜びを覚える一方で、今夜の自分の仕事を長引かせてくれた女の背中を撃ち抜いてやりたいという衝動に駆られる。だが、答えが必要だ。

カサンドラは女を執拗《しつよう》に追跡したが、相手の動きはしなやかで、足取りもしっかりしている。カサンドラは高校時代に短距離走の記録保持者だったうえに、特殊部隊での厳しい訓練を経てさらに脚力を増していた。レンジャー部隊に加わった最初の女性の一人として、速さに磨きをかける必要があったからだ。

獲物は再び角を曲がった。

夜もこの時刻になると通りに人気《ひとけ》はない。犬がうずくまっていたり、猫がうろついていたりするくらいだ。日没後、旧市街の家々は戸締りをして窓のよろい戸も下ろしてしまうため、通りは真っ暗になる。たまに塀の内側の中庭から音楽や笑い声が漏れてくる。上階のバルコニーから光がのぞくこともあるが、そこにも侵入者を防ぐために格子がはめ込まれている。

カサンドラはデジタル画像をチェックした。唇にかすかな笑みが浮かぶ。獲物が逃げ込んだ路地は入り組んでいるうえに曲がりくねっているが、その先は行き止まりだ。古いジャーラリー要塞の見上げるような高さの外壁に突き当たる。壁に囲まれた要塞は、こちら側に入口がない。

カサンドラは走り続けた。頭の中で攻撃の手順を考える。片手で一挺のグロックをホルスターから抜き、もう片方の手で無線を叩く。「十分後に脱出の準備を」カサンドラはサブヴォーカライズで告げた。「こちらのGPSから目を離さないで」

短い返事が聞こえた。「了解。十分後に脱出」

計画通り、チームの副官は三人を送り出すだろう。消音マフラー、頑丈なゴムタイヤ、馬力のあるエンジンを装備した、改造ダートバイクを使用する。自動車では旧市街の狭い道での機動性に欠ける。バイクの方がこの地域には適している。仕事の際に最適な道具を選ぶのはカサンドラのお得意だ。彼女が獲物を追いつめる頃には、バックアップのバイクがすぐ近くにまで到達しているはずだ。女が逃げないように注意していればいい。抵抗するようなら、片膝に一発撃ち込んで士気をくじいてやるまでの話だ。

暗視スコープに白い四肢の動きが映った。目標が速度を落とし、距離が縮まっている。罠の中に自ら走り込んでしまったことに、女も気づいたに違いない。

視界から見失わないようにしながら、カサンドラも相手にペースを合わせる。

狭い道を曲がった先に、高くそびえるジャーラリー要塞が見えてきた。道の両側に並んだ店舗が要塞の真下にまで連なり、箱型の谷を形成している。

マントを脱ぎ捨てた女は、ゆったりした白いスリップ一枚しか着ていない。要塞の険しい砂岩の壁の下で立ち止まり、壁を見上げている。手をかけることができそうな場所や開口部は、いちばん近いところでも地上から十メートルの高さにある。壁に隣接して建つ店舗の屋根に登ろうとしたら、グロックの正確な銃撃で食い止めるまでだ。

カサンドラは路地に踏み込み、女の退路を断った。

気配を察した女は要塞の壁から振り向き、カサンドラと対峙した。

カサンドラは暗視スコープを頭上に戻した。月明かりが路地を十分に照らしている。接近戦では肉眼の方がいい。

相手にもはっきりと見えるようにグロックを前に突き出しながら、カサンドラは距離を詰めた。「動くな」アラビア語で指示する。

カサンドラを無視し、女は肩をすくめた。スリップが足首へと滑り落ち、女は通りで全裸になった。手足が長く、リンゴほどの大きさの乳房。細くてやや長い首をかしげている。裸になって少しも羞恥を見せないのは、アラビアでは珍しいことだ。その姿はどこか高貴でさえある。アラブの王女をかたどったギリシア彫刻のようだ。アクセサリーは左目の脇の小さなルビー色の刺青だけ。涙のしずくの形だ。

女が初めて口を開いた。ゆっくりと、警告を与えるかのように。しかし、その言葉はアラビア語ではなかった。語学の研鑽《けんさん》を積んだカサンドラは、十以上の言語を流暢に話すし、理解できる程度の言語ならばさらに多い。女の言葉に耳を傾ける。聞き覚えはあるのだが、何語なのかはわからない。

カサンドラがそれ以上の手がかりを得るより先に、裸の女は裸足のまま服をまたぎ、高い要塞の影の方へと後ずさりした。月明かりから影の中に入り、その姿が一瞬見えなくなる。

カサンドラは前に踏み出して、距離を保った。

じっと目を凝らす。

〈馬鹿な〉

カサンドラは暗視スコープを目に戻した。影が消え、要塞を囲む砂岩の断崖がくっきりと現れる。カサンドラは左右を見渡した。

女はどこにもいない。

カサンドラは拳銃をかざしながら走った。壁に達するまで七歩しかない。手を突き出して石に触れ、それが本物なのか、かたい石なのかを確認する。壁を背にして暗視スコープで路地を探る。何の動きもない。女の姿もない。

ありえない。

女が影に変身して消えたかのようだ。

本物の精霊《ジン》。砂漠の幽霊。

脱ぎ捨てられた衣服を目にして、カサンドラは現実に返った。いつから幽霊がマントやスリップを着るようになったのか？

砂利を踏む音と低いエンジン音が聞こえ、カサンドラは路地の入口へと視線を向けた。一台の小型バイクが角を曲がって姿を現すと、さらに二台がすぐ後ろから続く。バックアップだ。最後にもう一度、壁沿いに目をやってから、カサンドラは彼らの方へと向かった。歩きながら体を回転させ、さらに周囲を確認する。先頭のバイクのもとに到達すると、カサンドラは訊ねた。「途中の路地で裸の女を見なかったか?」

バイクの男は覆面をしていたが、目だけを見れば質問に当惑していることがわかった。「裸の?」

その声から答えは明らかだ。「いや、何でもない」

カサンドラはバイクの後ろにまたがった。今夜は大失敗だ。何か奇妙なことがここで起きている。突き止めるためには時間が必要だ。

カサンドラは男の肩を叩いて合図した。男はバイクの向きを変え、三台揃って来た道を戻り始める。目指すのはドックの空き倉庫。マスカットでの作戦の拠点とするために借りているところだ。割り当てられた任務にけりをつける時間が近づいている。あの鉄の心臓を入手できていれば、話は簡単だった。しかし、こうした不測の事態も考慮して計画は立てられている。真夜中過ぎにはクロウの遠征隊を排除するための次の計画が開始されることになる。

カサンドラは手配すべき細部の詰めへと頭を巡らせたが、集中力が途切れてしまう。いったいあの女はどうなったのか? 要塞に通じる秘密の扉が存在したのだろうか? その情報がこちらには伝わっていなかったということなのか？　それしか説明がつかない。

不可解な現象に思いを馳せるうちに、女の言葉が頭の中によみがえった。

バイクのエンジン音がマフラーで弱められているおかげで、疑問に神経を集中することができる。

あの言語を聞いたのはどこだろう？

肩越しに古代のジャーラリー要塞を振り返ると、要塞の上に伸びる何本もの尖塔《せんとう》が月明かりに照らされている。失われた時代の、古代の建造物だ。

その時、カサンドラは気づいた。どこか聞き覚えがあるように感じたあの言語。

あれは現代の言葉ではない。古代語だ。

頭の中で女の言葉を思い返してみる。はっきりと警告のこめられた言葉だ。意味はやはり理解できないが、耳にした言葉の正体はわかる。今では使われることのない言語。

アラム語。

イエス・キリストの話していた言語だ。

午後十時二十八分

「どうやってこいつはここに入ってきたんだ？」ペインターは訊ねた。バスルームの入口脇に立ち、死んだヘビがジャスミンの花びらに混じって浮かんでいるのを凝視する。

食堂にいた全員がメイドの悲鳴を聞き、ここに駆けつけた。だが、キャラがサフィアにバスローブを着せるまでの間、執事の指示で部屋の外で待っていたのだった。

ペインターの質問に、サフィアと一緒にベッドに腰かけているキャラが答えた。「こいつらはどこからでも侵入してくるのよ。配管を伝って入ってくることもあるわ。サフィアの部屋は何年も閉ざしたままだったから、室内のどこかに巣を作っていたのかもしれない。空気を入れ換えて掃除している音で巣から出た後、浴槽の水に引き寄せられたに違いないわ」

「脱皮するためよ」サフィアはかすれた声でささやいた。

サフィアはキャラに薬をもらっていた。そのために舌がもつれているが、駆けつけた時と比べると落ち着いたように見える。濡れた髪が肌に貼りついている。顔色はだんだんと元に戻ってきていた。「脱皮する時、ヘビは水を探すの」

「だったら、外から入ってきた可能性が高いな」オマハは言った。考古学者は書斎に通じるアーチの脇に立っている。ほかのメンバーは外の廊下で待っていた。

キャラはサフィアの膝を軽く叩くと立ち上がった。「どっちにしろ、事件は解決よ。出発の準備をした方がいいわ」

「一日くらい延期したっていいだろう」オマハはサフィアを一瞥しながら応じた。

「だめよ」鎮静剤の影響でややぼんやりとしているにもかかわらず、サフィアはきっぱりと言った。「私なら大丈夫」

キャラもうなずいた。「午前零時に港で落ち合う予定よ」

ペインターは片手を上げた。「どういう乗り物で行くのか聞いていないんだが」

キャラはまるで悪臭を追い払うかのように手を振って、その質問を遮った。「行けばわかるわ。手配をしなければならない細かい問題がまだいくつも残っているのよ」キャラはオマハの脇を通って部屋の外へと出ていった。廊下にいるほかのメンバーに伝える声が聞こえる。「一時間後に中庭に集まってちょうだい」

オマハとペインターはキャラを間に挟んで、お互いから距離を置いて立っていた。サフィアを慰めたものかどうか判断がつかず、二人とも動こうとしない。その問題は、両手にたたんだ服を抱えたヘンリーが、アーチをくぐって入ってきたことで解決を見た。

ヘンリーは二人に向かってうなずいた。「アル＝マーズ様のお支度のためにメイドを呼びました。恐れ入りますが……」出口の方へと視線を向ける。部屋から出るように促しているのだ。

ペインターはサフィアに近づいた。「本当に出発しても大丈夫なのか?」

サフィアはうなずいたが、その動きだけでもつらそうだ。「ありがとう。大丈夫」

「それなら、外の廊下で待っているよ」

その言葉にかすかな笑みが浮かんだ。ペインターも思わず笑みになる。

「そこまで心配していただかなくても平気よ」サフィアは答えた。

ペインターは歩き出した。「わかった、でも一応いるから」

ペインターはオマハが自分の方を観察していることに気づいた。さっきまでと比べていくらかきつい目つきだ。表情はかたい。疑っているのは明らかだ。その下に怒りが隠されていることもうかがえる。

ペインターが扉へと近づいても、オマハはどこうとしない。ペインターは体を横に向けてオマハの脇をすり抜けなければならなかった。

その動きに合わせて、オマハはサフィアに声をかけた。「うまいこと仕留めたじゃないか」

「ただのヘビだもの」サフィアは執事から服を受け取りながら答えた。「ねえ、出発までにしなくちゃいけないことがたくさんあるのよ」

オマハはため息をついた。「そうか。わかったよ」オマハもペインターに続いて扉の外へと出た。

ほかの人たちはすでに立ち去り、廊下はがらんとしている。

ペインターは扉のすぐ脇へと移動した。オマハが大股で通り過ぎようとした時、ペインターは咳払いをした。「ドクター・ダン……」

オマハは横目でペインターをにらみながら立ち止まった。

「あのヘビの件なんだが」ペインターは結論が出ないままになっていた話を切り出した。「外から入ってきたと思うと言っていたが、その理由は？」「断言はできない。だが、クサリヘビは午後の太陽を好む。特に脱皮の時はそうだ。だから、あいつが一日中あそこにこもっていたとは考えにくい」

ペインターは閉ざされた扉をじっと見た。サフィアの部屋は東に面している。午前中しか日が入らない。この考古学者の言う通りならば、ヘビは日なたにあるねぐらからわざわざ遠い距離を移動して浴槽までやってきたことになる。

オマハはペインターの考えに気づいた様子だ。「まさか、誰かがわざと入れたと思っているわけじゃないだろうな？」

「疑心暗鬼になっているのかもしれない。だが、以前に武装グループがサフィアを殺そうとしたことがあるんだろう？」

オマハがしかめた顔に深くしわが刻まれる。「そいつは五年前、遠いテルアビブでの話だ。それにもし誰かがヘビを持ち込んだとしても、あの連中のはずはない」

「なぜだ？」

オマハはかぶりを振った。「あの過激派グループはその一年後にイスラエルのコマンド部隊に始末された。一掃されちまったのさ」

ペインターもその詳細を知っていた。過激派を追いつめるイスラエル軍に対して、現地でのコネを使って協力したのがドクター・ダンだったのだ。

オマハは続けてつぶやいたが、それはペインターに向けた言葉というより、苦い独白のように聞こえた。「あれでサフィアは安心すると思ったのに……ここに帰ってきてくれるだろうと……」

〈そう簡単にはいかないものさ〉ペインターはすでにオマハの性格をかなり把握していた。物事に真正面から突っ込んでいくタイプで、決して振り返ることなく強行突破する。サフィアが必要としていたこととは違う。オマハがそれを理解するのは無理だろう。同時に、ペインターはこの男の心の中に喪失感という名の泉が存在することにも気づいていた。時の経過とともに、泉は深さを増している。ペインターはオマハを力づけようとした。「こういうトラウマというのは、すぐに克服できるようなものじゃ——」

オマハは強い調子で遮った。「ああ、そんな話は前にも聞いたぜ。ありがとよ。だけど、あんたは俺のセラピストじゃないだろう。彼女のでもないしな」オマハは大股で廊下を歩き去りながら、嘲笑《あざわら》うかのように言葉を返した。「それにな、ドクター、ヘビなんてただのヘビにすぎないこともあるぜ」

ペインターはため息をついた。

すぐ隣のアーチから人影が近づいてくる。コーラル・ノヴァクだ。「あの人、問題を抱えていますね」

「誰だってそうさ」

「話が聞こえてしまったのですが」コーラルは続けた。「あれはただの雑談ですか、それとも本当に何者かが関わっているのだと思います？」

「かき回しているやつがいるのは確かだ」

「カサンドラですか？」

ペインターはゆっくりと首を横に振った。「違うな。未知の不確定要素だ」

コーラルは顔をしかめた。正確には、唇の両端をわずかに下げた。「それは厄介ですね」

「ああ……厄介だな」

「あと、こちらの学芸員ですけど」コーラルは扉の方を向いてうなずきながら続けた。「隊長は親切な民間科学者の役になり切っているんですね」

ペインターはその声に微妙な警告の響きが含まれていることに気づいた。表立っては口にしないが、ペインターが仕事上の問題と個人的な問題の一線を越えつつあるのを危惧しているようだ。

コーラルは話を続けている。「別のグループが何かを嗅ぎ回っているなら、証拠を探した方がよくないですか？」

「もちろんだ。だから君にはこれから外を探ってもらう」

コーラルは片方の眉を吊り上げた。

「俺はこの扉を警護しなくてはならないからな」ペインターはコーラルが口に出さなかった質問に答えた。

「わかりました」コーラルはその場を離れかけた。「でも、ここで警護するのはあの女性ですか、それとも任務ですか？」

ペインターはあえて厳しい口調で答えた。「今の状況下では、その二つは同じことだ」

午後十一時三十五分

サフィアは窓の外を流れる景色を眺めていた。ジアゼパムを二錠飲んだせいで、頭がはっきりしない。過ぎゆく街灯の光は燐光のようににじみ、深夜の景色に浮かぶ明るいしみのように見える。どの建物も明かりがついていない。しかし、前方に輝くまばゆい光がマスカット港の位置を示していた。この商業港は二十四時間運用されており、投光照明の光やナトリウムランプに照らされた倉庫群のおかげで真夜中でも明るい。

急カーブを曲がると港が視界に入ってきた。湾内は閑散としている。ほとんどのタンカーやコンテナ船は日没前に接岸していた。夜の間に積荷の積み降ろしが行なわれる。今も油圧式クレーンと電車の車両ほどの大きさのコンテナが、大きなおもちゃのブロックのように空中を動いている。そのはるか先の水平線近くには巨大なクルーズ船が暗い水面に浮かんでいて、星空を背景にろうそくをともしたバースデーケーキのように見える。

リムジンはそうした喧騒とは離れた港の奥へと向かう。アラビアの伝統的な帆船のダウが停泊している方向だ。何千年にもわたって、オマーンの人々はアフリカからインドまで海を行き来してきた。ダウは簡素な板ばりの船体に、独特な三角形の帆を張っている。喫水《きっすい》の浅いバダンから、大洋を航海可能なバグラまで、大きさは様々だ。港の奥に並んだ誇り高き古い船の列は、船体がくっつきそうなまでにひしめきあっている。帆はたたまれていて、垂れ下がったロープの間からマストだけが高く突き出している。

「もうすぐよ」リムジンの反対側の席で、キャラがサフィアに小声で伝えた。リムジンに同乗しているのは、運転手と一人のボディーガードのほかは、大学院生のクレイ・ビショップだけだ。うとうとしていたクレイは、キャラの声に鼻で返事をした。

後ろを走るリムジンには、アメリカ人が全員乗っている。ペインターと彼のパートナー、オマハとその弟。

サフィアは体を起こした。キャラはサラーラへの移動手段に関してまだ教えてくれない。港に向かうと言ったきりだ。サフィアは船を使うのだろうと推測していた。サラーラはマスカットと同じく海岸沿いの都市で、その間を行き来するには空路よりも海路の方が簡単だ。貨物船や客船など、昼夜を問わず多くの船舶が出港している。ディーゼルエンジンのフェリーもあれば、快速の水中翼船も二隻ある。キャラが一刻も早くサラーラに行きたがっていることから考えると、いちばん速い船を利用するつもりなのだろう。

リムジンは門のある入口を通り抜けた。もう一台もそれに続く。二台は桟橋を走り、列を成して停泊するダウの横を通り過ぎた。サフィアは通常の客船用ターミナルならよく知っている。だが、これは違う。キャラは桟橋を間違えたのだろうか？

「キャラ……？」サフィアは問いかけた。

リムジンは桟橋の端にある最後の港湾オフィスを通過した。その先に壮麗な船が停泊していた。照明の光を浴びた船の前に、輸送用トラックとドックの作業員が集まっている。人々が動き回り、帆がたたまれていないことからすると、これが移動手段なのは間違いない。

「まさか」サフィアはつぶやいた。

「そのまさかよ」キャラは別にうれしくもなさそうに応じた。

「すげえ」クレイがもっとよく見ようと身を乗り出した。

キャラは腕時計を確認した。「スルタンの申し出だもの、断れないわ」

リムジンは桟橋の先端と平行に停車した。扉が開く。サフィアは車から降りて桟橋に立ち、高さ三十メートルのマストの先端を見上げた。体が少しふらついた。船の全長はその二倍近くある。

「シャバブ・オマーン」サフィアは畏敬の念をこめてささやいた。

マストの高いこの快速帆船はスルタン自慢の船で、海洋国家としての歴史の名残でもあり、オマーンの海の大使とでも形容するべき存在だ。伝統的な英国式設計の船で、横帆《おうはん》艤装《ぎそう》のフォアマストに、横帆と縦帆《じゅうはん》の両方を備えたメインマストとアフトマストを持つ。一九七一年にスコットランドのオークとウルグアイのマツを用いて建造され、その当時の船で今なお現役で航海しているものとしては最大だ。この三十年間、シャバブ・オマーンは世界中を旅し、様々なレースやレガッタに参加している。

　これまでに各国の大統領や首相、王や女王が何人もその甲板の上を歩いた。その船が今、キャラの個人的なサラーラへの移動手段として貸し出されたのだ。このことは何にも増して、スルタンがいかにケンジントン家を重んじているかの証しとなる。キャラが断り切れなかった理由も理解できる。

　サフィアはこぼれそうになる笑みを抑えなければならなかった。我ながら驚く胸のざわめきだ。ヘビへの懸念となかなか頭から離れなかった疑惑が薄まっていく。薬が効いただけかもしれないが、海辺のさわやかな潮風が頭と心を洗ってくれているのだと信じたかった。こんな気持ちになるのは何年振りだろう。

　その頃にはもう一台のリムジンも停止していた。アメリカ人たちが車を降り、全員が目を丸くして船を見上げている。

　オマハだけは移動手段が変更になったことを事前に知らされていたから、あまり驚いてはいない。それでも、実際に船を目の当たりにして軽い感動を覚えているようだ。もちろん、本人はそれを表に出すまいとしている。「上等だ。今回の調査はシンドバッドの大冒険として映画化されるぜ」

「郷に入っては……」キャラがつぶやいた。

午後十一時四十八分

カサンドラは港の反対側から船を監視していた。ブラックマーケットに海賊版ビデオを流している密輸業者とのつてを利用して、ギルドがこの倉庫を確保したのだ。錆《さ》びついた建物の半分には、海賊版のＤＶＤとＶＨＳテープの入った木箱が積み上げられている。

しかし、倉庫の空いたスペースはカサンドラの必要な条件を満たしていた。以前は修理工場だったため、塀に囲まれた専用の乾ドックと停泊所が付属している。出航していくトロール漁船の起こした波が、近くの杭へとリズミカルに打ち寄せる。

その波で、先週運び入れたばかりの攻撃艇が揺れている。解体されて木箱で届き、ここで組み立て直されたものもあれば、海路で深夜に運び込まれたものもある。波にもまれながら停泊しているのは三隻のボストンホエラーで、それぞれにつながれたラックには数台のジェットスキーが収納可能だ。光沢のある黒いジェットスキーには、ギルドの改造により回転台付きのアサルトライフルが備わっている。それに加えて、ドックにはカサンドラが乗り込む司令船となる水中翼船の姿もある。時速百ノット以上という高速での走行が可能だ。

カサンドラ率いる十二人のチームは、てきぱきと動いて最後の準備を行なっていた。全員が彼女と同様に特殊部隊あがりだが、これらの猛者たちの中でシグマに採用された者はない。だが、優秀でないというわけではない。特殊部隊を除隊になった兵士たちは、そのほとんどが世界各地で傭兵になったり民兵組織に加わったりして、新たなスキルを身に着け、よりタフに、より狡猾《こうかつ》になる。そうした男たちの中からギルドが選ぶのは、最も適応力に優れ、最も優秀な頭脳を持ち、チームに対して最高の忠誠心を示す者たち。それはシグマにおいても重視される特徴だ。ただし、ギルドでは何にも増して重要視される基準がある。標的が何であろうと、ためらわずに殺せること。

カサンドラの副官が近づいてきた。「サンチェス隊長」

カサンドラは倉庫の外に設置されたカメラの映像から視線をそらさない。船に乗り込むペインターの一行が、オマーン側の職員に迎えられるのを一人ずつ数える。全員が乗船した。カサンドラはようやく体を起こした。「何なの、ケイン」

ジョン・ケインはチームの中でただ一人、アメリカ人でない。オーストラリアのエリート、SAS（特殊空挺部隊）の出身だ。ギルドは人材の確保においてアメリカ国内にはこだわらない。その活動が国際的なのだから当然だ。ケインは身長が二メートル近くあり、全身が鍛え上げられた筋肉で覆われている。頭はきれいに剃り、顎の下に黒いひげを少し残しているだけだ。

ここにいるチームは元々はケインの部下であり、ギルドによって招集されるまでこの地で待機していた。ギルドは世界各地にチームを配置している。独立した下部組織はお互いのことを一切知らず、ギルドから命令を受ければただちに出動できるように備えている。

カサンドラはこの組織を動かし、作戦を主導するために送り込まれた。今回の作戦でギルドの敵となるシグマフォースに関して知識があるための抜擢だ。彼女はシグマの行動、戦略、手順に詳しい。また、そのリーダーであるペインター・クロウについても熟知している。

「すべての準備が終了した」ケインが告げた。

カサンドラはうなずいて腕時計を見た。シャバブ・オマーンは真夜中ちょうどに出港予定だ。こちらは一時間待機してから追跡を開始する。カサンドラは再びビデオモニターを見てから、頭の中で計算した。

「アルゴスは？」

「数分前に無線連絡があった。すでに配置に就いて、我々の攻撃ゾーンに侵入する者がないようパトロール中だ」

アルゴスは四人乗りの潜水艇で、浮上することなくダイバーを降ろすことができる。過酸化推進剤を使用したエンジンと小型魚雷を装備した、高速の凶器だ。

カサンドラは再びうなずいた。準備は整った。

シャバブ・オマーンに乗り込んだ者たちは、一人として生きて夜明けを迎えることはできない。

深夜

ヘンリーは栓を抜いた浴槽から水が音を立てて抜ける中、バスルームの中央に立っていた。執事の上着は外のベッドの上に置いてある。ヘンリーは袖をまくり、黄色いゴム手袋をはめた。

ヘンリーはため息をついた。こんなのはメイドでもできる雑用だが、女性たちはあの騒ぎですっかり怖気づいてしまっている。それに毒ヘビの死骸を片付けるのは自分の義務であると感じていた。屋敷の客人が快適に過ごすことができるかどうかは、最終的に彼の肩にかかっている。けれども、今夜はその義務を果たすことができなかった。レディ・ケンジントンの一行はすでに出発してしまったが、ヘンリーはヘビを片付け、不手際の後始末をすることが自らの個人的な責任であると思っていた。

ヘンリーは浴槽に近づき、体をかがめながら慎重にヘビへと手を伸ばした。ヘビは水の上にS字型になって浮かんでいる。排水の流れでわずかに身動きしているかのように見える。

ヘンリーの指が止まった。こいつはまだ生きているのか?

ヘンリーは手袋をした手を強く握り締めた。「おい、しっかりせんか」大きく一息ついてから、ヘンリーはヘビの胴体の真ん中をつかんだ。嫌悪感で表情がこわばり、思わず歯を食いしばる。「こんちくしょうめが」ダブリンで過ごした若い頃の言葉がつい口をつく。ヘンリーはアイルランドの守護聖人である聖パトリックに、声を出さずに感謝の祈りを捧げた。こんな毒ヘビが母国にいないのは、実にありがたいことだ。

ヘンリーはヘビの長い体を浴槽から引きずり出した。プラスチックのバケツを用意してある。腕を前に伸ばしながら体の向きを変え、つかんだヘビを尻尾からバケツの中に入れると、とぐろを巻くように下ろしていく。

とぐろを巻いた胴体の上に頭を乗せると、ヘンリーはまるで生きているかのようなその姿に改めて驚いた。口元がだらしなく緩んでいるから、死んでいるのだとかろうじてわかる。

ヘンリーは体を伸ばそうとして首をかしげた。どうにも不可解なことがある。「何じゃ?」ヘンリーは化粧台からプラスチックの櫛《くし》を取った。慎重にヘビの後頭部をつかむと、櫛を使ってヘビの口を大きく開き、自分の目が正しかったのかどうかを確認する。

「はて、面妖《めんよう》な」ヘンリーはつぶやいた。櫛でさらに調べても、結果は同じだ。ヘビには牙がなかった。

9　流血の海

十二月三日午前一時二分
アラビア海

サフィアは手すりにもたれて立ちながら、暗い海岸線がゆっくりと遠ざかるのを眺めていた。周囲には船がきしみ、うなる音がしている。深夜の海で風向きが変わり、帆がはためく。まるで別の時代へと運ばれたかのような気がする。世界に風と砂と水しかなかった時代。潮のにおいと船の側面を洗う波のささやきに、マスカットの街の喧騒が薄れていく。空には星が輝いていたが、雲も湧いている。サラーラに到着する前に雨が降り出すだろう。

船長からすでに天気予報が伝えられていた。スコールのため、波はすでに高さ六メートルのうねりとなっている。「シャバブは何が来たって大丈夫です」船長はにこやかに告げた。「けれども、ちょっとばかり揺れます。雨が降り始めたら船室にいる方がいいでしょう」

そのため、サフィアはまだ空が澄んでいる間に外の空気を楽しもうと思ったのだった。あわただしかった一日の後、船室にこもっていると息が詰まってしまう。鎮静剤の効果が薄れている今はなおさらだ。

暗い海岸線が滑るように通り過ぎていく。船は静かに、滑らかに進んでいる。最後に見える明かりはマスカットの遠い外れにあるコンビナート。それも海に突き出た岬の向こうに消えようとしている。

背後から声が聞こえた。わざと無関心を装っているような口調だ。「現代文明の最後の印が遠ざかる」

クレイ・ビショップが姿を見せた。片手で手すりをつかみ、もう片方の手に持ったタバコを口にくわえる。相変わらずリーバイスのジーンズを履き、黒いTシャツには白い文字で「牛乳飲んでる?」とプリントしてある。もう二年も彼女の指導下にある学生だが、Tシャツ以外の服を着ているのは見たことがない。いつもはロックバンドの名前がプリントされた派手な色のTシャツだ。黒と白のTシャツは、彼にとっては正装なのだろう。

邪魔が入ったことに少し不満を覚えたサフィアは、堅苦しい学者然とした声で答えた。「あの明かりですけれど」そう言いながら消えていくコンビナートの光へと視線を向ける。「マスカットの最も重要な工業施設のものよ。何だかおわかり?　ビショップさん」

クレイは肩をすくめてちょっとためらってから、当てずっぽうで答えた。「石油精製所ですか？」

予想通りの答えだが、間違いだ。「いいえ、あれは海水を淡水化する施設。市内に供給する真水を製造しているの」

「水ですか？」

「石油はアラビアの富かもしれないけれど、水は生命の源よ」

サフィアは大学院生がこの事実をじっくり考える時間を与えた。アラビアにおけるこのような淡水化施設の重要性を知る欧米人はほとんどいない。中東と北アフリカでは、水利権と淡水の水源がすでに石油問題よりも大きな争いの温床となっている。イスラエルと、国境を接するレバノン、ヨルダン、シリアとの間での最も激しい紛争の一つは、イデオロギーや宗教を巡る争いではなく、ヨルダン渓谷の水源を押さえるための戦いなのだ。

しばらくして、クレイが口を開いた。「ウイスキーは飲み物で、水は戦うものである」

サフィアは顔をしかめた。

「マーク・トウェイン」クレイは答えた。

彼の鋭い直感に改めて驚かされ、サフィアはうなずいた。「その通りよ」

外見はだらしなくとも、その分厚い眼鏡の奥には鋭利な知性がある。それがこの若者を今回の調査隊に加えた理由の一つでもあった。クレイはいつの日か、立派な研究者になることだろう。

クレイは再びタバコを持ち上げた。その姿を見ているうちに、サフィアは火のついたタバコの先端がかすかに震えていることに気づいた。船の手すりをつかんだ拳も、関節が白くなるほどきつく握り締めている。

「大丈夫?」サフィアは訊ねた。

「外海はあんまり好きじゃないんだ。もし神様が人間は航海すべしと思ったんなら、恐竜をつぶしてジェット機の燃料にはしなかったと思うな」

サフィアは腕を伸ばして彼の手をぽんと叩いた。「もう寝た方がいいわよ、ビショップさん」

淡水化施設は細く延びた岬の裏側に消えてしまった。周囲は真っ暗になり、船の照明だけが海面に反射している。

サフィアの背後では、ランタンと、線につながれた電球が甲板を照らし、嵐の接近で海が荒れるのに備えて索具《さくぐ》を操る乗組員たちを助けている。乗組員のほとんどは訓練生で、オマーン王室海軍の若い兵士たちだ。船が国内にある時は海岸線に沿って短い航海を繰り返す。二カ月後、シャバブ・オマーンはフィリピンの大統領杯レガッタに参加する予定だ。

若い乗組員たちの小声の会話が、甲板の真ん中から突然起こった叫び声に遮られた。アラビア語の激しい罵り声がする。何かがぶつかるような大きな音が響いた。サフィアが振り向くと、甲板中央部の貨物ハッチが大きく開き、一人の船員をなぎ倒したところだった。もう一人が開いたハッチから甲板へと走り出て、横っ飛びに避ける。

そのすぐ後ろから、蹄でかたい木の床を踏みつけながら、船員が必死で逃げる原因が姿を現した。白い牡馬《ぼば》が貨物室からの通路を駆け上がり、甲板へと飛び出してきたのだ。たてがみを振る馬の体は月光を浴びて銀色に輝き、その目はくすぶる石炭のような色だ。あちこちで叫び声があがる。

「うひゃあ！」隣にいたクレイも声をあげた。

馬は前足を高く上げ、威嚇するようにいななくと、再び前足を下ろした。蹄が板張りの甲板に当たって大きな音を立てている。端綱《はづな》は付いているが、その先端がほつれてしまっている。船員たちが周囲を輪になって囲み、腕を振り回しながら、牡馬を追い込んでハッチの中へと戻そうとしている。だが、馬は言うことを聞かない。蹄を蹴り出し、頭を突き出し、歯で嚙みつこうとする。

サラーラ郊外にある王室の種馬牧場へと運搬する牡馬と牝馬《ひんば》が二頭ずつ、船倉に収容されていたが、この馬はそのうちの一頭のようだ。馬のつなぎ方が不十分だったに違いない。

サフィアは手すりに張りついたまま、乗組員が馬に手を焼く様子を見守った。一人が長いロープを持ち出して、投げ縄の要領で馬に引っかけようとする。だが、失敗に終わり、その乗組員は悲鳴をあげながら片足で飛び跳ね始めた。どうやら足の骨が折れてしまったようだ。

馬は索具も気にせずに突き進み、装備を蹴散らしていく。電球を吊るしていた線が甲板に落下した。ガラスの電球が破裂し、粉々に砕ける。

口々に叫び声があがった。

ついに船員の一人がライフルを持ち出した。

馬がこれ以上暴れれば、人命に関わるし、船に損害を与えるおそれもある。

「ラー！　よせ！」

むき出しの肌の動きに気づき、サフィアは視線を向けた。制服を着た船員たちの中、半裸の人影が前甲板の扉から飛び出してきたのだ。ボクサーパンツしか履いていないペインターは、まるで野蛮人のように見える。髪はベッドから飛び起きたばかりのようでぼさぼさだ。悲鳴と馬が暴れる音を聞いて、船室から出てきたのだろう。

ペインターは巻いたロープの上から防水シートを一枚引っつかむと、裸足のまま乗組員たちの間を走り抜けた。「ワ・ラ！」アラビア語で「下がれ」と叫ぶ。

船員たちの輪を抜けると、ペインターは防水シートをはためかせた。馬がその動きに気づいた。後ろ足で立ち上がると前足の蹄を振り下ろす。威嚇と警告の動作だ。しかし、石炭のような黒いその目は、防水シートとそれを持つ人間に向けられている。闘牛士と猛牛のようだ。

「やあっ」ペインターは叫びながら腕を振った。

馬は一歩下がって頭を下げる。

ペインターは素早く前進したが、馬の正面ではなく、側面に回った。馬の頭に防水シートをかぶせ、完全に覆う。

馬は足を蹴り上げて頭を振ったが、シートが大きすぎるために振り落とすことができない。甲板の上に足を戻した馬は、シートのせいで目が見えないことに戸惑った様子で、動きを止めた。全身をぶるっと震わせる。月明かりに汗が光る。

ペインターは馬から一歩離れた位置に立っている。そっとささやきかけているが、何と言っているかまではサフィアには聞こえない。だが、その口調には聞き覚えがあった。飛行機の機内と同じだ。相手を安心させようとする心遣い。

しばらくすると、ペインターは慎重に馬へと近づき、激しい息づかいに大きく動くその体側に手を当てた。馬はいななないて頭を振ったが、さっきよりも激しくない。

ペインターは馬に寄り添い、話しかけながら首をなでた。もう片方の手で馬の端綱に付けたすり切れたロープを握る。ペインターはゆっくりと馬を方向転換させた。

目が見えない馬は、体が覚え込んだ合図に反応した。ロープを持っている人間を信用するしかないとわかっているのだろう。

サフィアはペインターに見入っていた。馬の体と同じように、彼の肌も汗で輝いている。ペインターは片手で髪をかき上げた。その時、サフィアは彼が体を震わせたような気がした。

ペインターに話しかけられた船員はうなずき、馬を従えたペインターを甲板下の貨物室へと案内した。

「かっこいいなあ」クレイが感心しながらタバコを踏み消した。

騒ぎが収まり、乗組員たちは次第に作業へと戻った。サフィアは周囲を見回した。キャラの調査隊のメンバーのほとんどが甲板に集まっていた。ペインターのパートナーはローブにベルトを巻き、ダニーはTシャツに半ズボン姿。キャラとオマハは船に乗り込んだ時の服のままだ。二人は最終的な打ち合わせの最中だったのだろう。二人の後ろには四人の長身の男が立っていた。屈強を絵に描いたような体つきで、軍の野戦服に身を包んでいる。サフィアはその四人に見覚えがなかった。

ペインターが防水シートを巻き直しながらハッチから戻ってきた。

乗組員の間から小さな歓声があがる。彼の背中を叩いてねぎらう者もいた。ペインターは注目されているのが迷惑そうで、再び手で髪をかき上げた。照れくさいのだろう。

サフィアは思わず前に歩き出していた。「見事だったわ」ペインターのもとに近づくと、サフィアは声をかけた。「もしあの馬を撃たないといけなかったら――」

「そんなことはさせられないと思って。あいつは驚いただけなんだ」

キャラも腕組みをして近づいてきた。表情は読めないが、いつものしかめ面ではない。「あれはスルタンが所有する最高の種馬よ。ここで起きたことは彼の耳にも入ることでしょう。あなた、いい知り合いができたわね」

ペインターは肩をすくめた。「馬のためにしただけだ」

オマハはキャラのすぐ後ろにいた。顔が紅潮し、いらついているのがわかる。「どこで馬の扱いを覚えたんだ、インディアンの兄ちゃん？」

「オマハ……」サフィアはたしなめた。

ペインターはそんな侮辱を意に介さなかった。「ニューヨークのクレアモント乗馬学校。子供の頃に厩舎《きゅうしゃ》を掃除するアルバイトをしたことがある」そこでようやく自分が裸同然の姿でいることに気づいたようだ。自分の体を見下ろしている。「船室に戻らないと」

キャラがかたい口調で声をかけた。「ドクター・クロウ、お休みになる前に私の船室に寄ってくださらない。港に着いてからの旅程で確認したいことがあるの」

その申し出にペインターは驚いたように目を見開いた。「いいですよ」

それはキャラが初めて見せた協力の姿勢だった。だが、サフィアは驚かなかった。キャラは馬に対して、人間の男になどついぞ見せたことのない深い愛情を注いでいる。馬場馬術での優勝経験もある。ペインターがちょうどいい時に姿を現してあの牡馬を守ったことは、スルタンの感謝以上のものを勝ち取ったようだ。

ペインターはサフィアに会釈した。その目がカンテラの光を反射してきらりと輝く。サフィアは声が詰まり、「お休みなさい」と返すのが精いっぱいだった。

ペインターはキャラの背後に立つ四人の男たちの間を通りながら姿を消した。ほかのメンバーたちもそれぞれの船室へと戻る。

オマハはサフィアのそばにとどまった。

キャラが振り返り、アラビア語で男の一人に話しかけた。背の高い黒髪の男で、頭にはオマーンのシュマーグを巻き、いかにも軍隊らしいのカーキ色の服を着ている。ベドウィンだろう。ほか三人も同じような服装だった。キャラの言葉に耳を傾けている男は、刃の曲がった短剣もベルトに差している。儀式用のお飾りのナイフではなく、危険な武器であり、何度も使用した経験があるように見受けられる。どうやら彼がリーダーのようだ。喉元には縄のような形をした傷跡がうっすらと残っている。彼はキャラの言葉にうなずいてから、部下たちに話しかけた。四人は足早に去っていく。

「あれは誰?」サフィアは訊ねた。

「アル＝ハフィ大尉よ」キャラは答えた。「オマーン陸軍国境警備隊の」

「砂漠のファントム」オマハが国境警備隊のニックネームをつぶやいた。

ファントムはオマーンの特殊部隊だ。砂漠の奥地で密輸人や麻薬の売人との戦闘を繰り広げ、何年も砂の中で過ごす。世界を探しても彼ら以上に屈強な男たちはいない。イギリスやアメリカの特殊部隊も、砂漠での戦闘と生存に関しては、ファントムの元隊員から教えを受けている。

キャラは説明を続けた。「彼のチームがこの調査隊のボディーガードを申し出てくれたの。スルタン・カーブースのお許しが出ているわ」

サフィアは四人の隊員が甲板から姿を消すのを見送った。

オマハが伸びをしながらあくびをした。「夜明け前にちょっと眠っておくとするか」オマハはちらっとサフィアの方を振り向いた。眉の下の目は半開きだ。「君も寝ておいた方がいいぞ。明日は長いからな」

サフィアは曖昧に肩をすくめた。こんなちょっとした提案でさえも、彼に同意するのが嫌なのだ。

オマハは視線を落とした。その時初めて、サフィアはオマハの顔に刻まれた年齢に気づいた。日焼けによる目尻のしわは以前よりも深く、長くなり、目の下にはくまもできている。浅い傷跡も前と比べて増えていた。オマハの無骨なハンサムさは否定できない。サンディブロンドの髪、がっしりとした顎や額、ややくすんだ青い瞳。だが、かつての少年のような魅力は薄れつつある。太陽にさらされ続けたオマハは、疲れているように見える。

それでも……彼の目が離れていくと、サフィアの中で何かがうずいた。今ではすっかり慣れてしまった古い痛みが、どこか温かく感じられる。立ち去ろうとするオマハから漂うかすかなジャコウの香りが、過去の記憶を呼び覚ます。テントでいびきをかきながら、この男性が自分の隣で寝ていた時の記憶。もう少しだけそばにいてほしいと彼の方に伸びそうになる手を、サフィアは無理に押さえた。そんなことをして何になるというのだろう？　今の二人の間には話すことなどない。気まずい沈黙があるだけだ。

オマハは去った。

サフィアが顔をそむけると、こちらを見ているキャラと目が合った。

キャラは首を横に振った。「死んだものはそっとしておくのがいちばんよ」

午前一時三十八分

ビデオモニターに潜水チームが映っている。カサンドラは水中翼船のエンジン音にかき消された音を聞き取ろうとするかのように、身を乗り出して画面を見つめていた。映像は八キロ離れた水深三十五メートルの地点にいる潜水艇アルゴスから送られている。

アルゴスには二つの船室がある。前方には操縦士と副操縦士が乗り込んでいる。船尾側の船室には海水が注入されているところで、中では攻撃要員のダイバーが二人、待機している。海水が二人をのみ込み、船内と船外の水圧が同じになると、船尾の円蓋《えんがい》が貝のように開いた。潜水艇のライトに照らされ、二人のダイバーが海中へと姿を現した。腰にはパルスジェットが取り付けられている。DARPAが設計した装置で、水中のダイバーを高速で推進させることが可能だ。二人の体の下に吊るされたネットの中には、破壊用の武器が収納されている。

金属的な言葉が耳元で鳴った。「目標とソナーのコンタクトを確認」アルゴスの操縦士の報告だ。「攻撃部隊が配置に向かいます。推定接触時間は七分後」

「よろしい」カサンドラは小声で答えた。その時、背後に誰かが近づく気配を感じ、後ろに視線を向けた。ジョン・ケインだ。カサンドラは片手を上げた。

「機雷の設置は二時〇〇分」操縦士は報告を終えた。

「了解」カサンドラは時刻を復唱してから無線を切った。

カサンドラは画面から体を離して向き直った。

ケインは衛星電話を手にしている。「スクランブルがかかっている。あなたと直接話をしたいらしい」

カサンドラは電話を受け取った。〈直接の連絡〉……つまり、上司の誰かということになる。今頃はマスカットでの失敗の報告が届いているはずだ。あの奇妙なベドウィンの女が消えた顛末は知らせていない。それを抜きにしたところで、散々な報告であることに変わりはない。鉄の心臓の確保に失敗したのはこれで二度目だ。

機械のような声がした。正体を明かさないために合成されている。声の抑揚や口調が隠されていても、相手が誰かはわかる。ギルドのボス、コードネームで「ミニスター」、すなわち「大臣」と呼ばれている人物だ。ほとんど滑稽《こっけい》なまでの馬鹿げた用心深さだが、ギルドの組織はテロリストにならって運営されている。各チーム間の情報伝達は最小限に抑えてあり、チームはそれぞれが独立した権限を持つ。説明責任があるのは直属の上位階層に対してのみだ。カサンドラはこれまでミニスターに会ったことがない。彼と直接会ったことがあるのは、統括会議を構成する三人の副官のみだ。カサンドラは自分もいつかそのような地位に就きたいと思っていた。

「グレー・リーダー」不気味な合成音がカサンドラの作戦上の名を呼んだ。「作戦のパラメーターが変わった」

カサンドラは表情をこわばらせた。スケジュールはすでに頭に叩き込んであるのに。何も失敗するはずはない。シャバブ・オマーンのディーゼルエンジンを爆破、それを合図にジェットスキーを改造した砲艦からの一斉射撃。続いて攻撃部隊が掃討を行ない、通信を遮断する。鉄の心臓を確保した後、船は爆破して沈める。「すでに展開を開始しています。すべて進行中なのですが」

「方法は任せる」機械的な声は棒読み口調だ。「博物館の学芸員の身柄を遺物とともに確保せよ。わかったな?」

カサンドラは驚きの声が出そうになるのを抑えた。単純な要求ではない。鉄の遺物を奪取するという当初の目的だけならば、シャバブ・オマーンに乗り組んだ人間の命は計算に入れる必要がなかった。強奪して逃げるだけの計画だったのだ。力任せに、無慈悲に、迅速に。それでも、カサンドラはすでに頭の中で計画の洗い直しを始めていた。「学芸員が必要な理由を、うかがってもよろしいでしょうか?」

「第二段階で役に立つ可能性がある。当初予定していたアラビアの古美術品の専門家は……非協力的であることが判明した。このエネルギーの源の発見と確保を成功させるためには、臨機応変の対応が必須だ。遅れは敗北を意味する。せっかく手近にある才能を無駄にすることはなかろう」

「了解しました」

「成功したら連絡を入れるように」最後の言葉に脅しをこめながら、電話は切れた。

カサンドラは電話を下ろした。

ジョン・ケインが少し離れたところで待機している。

カサンドラは彼の方を向いた。「計画変更。部下に知らせて。最初は我々だけで突入するわ」

カサンドラは水中翼船の窓の外をにらんだ。遠くに見えるカンテラで縁取られた帆船は、黒い海の上に散らばった燃える宝石のようだ。

「作戦の開始時刻は?」

「今よ」

午前一時四十二分

ペインターは船室の扉をノックした。凝った彫刻を施したスコットランド・オークの扉の向こうにある部屋のレイアウトは頭に入っている。貴賓用スイートルームは産業界の有力者や大物用の部屋だが、今はレディ・キャラ・ケンジントンの個室となっている。船に乗り込む際、ペインターはシャバブ・オマーンに関する情報と船内の見取り図をダウンロードしておいたのだ。

地の利を知ることは大切だ……たとえ海の上であっても。

船室係が扉を開けた。初老の男性で、百五十センチそこその背丈しかないが、それを補ってあまりある威厳を備えている。縁なし帽子からサンダルまで、白ずくめの服装だ。「ドクター・クロウ」船室係は小さく会釈した。「レディ・ケンジントンがお待ちです」

船室係は扉から離れ、ペインターについてくるように合図した。控えの間を過ぎ、ペインターは主船室へと通された。幅の広い部屋の内部は簡素ながら優雅な趣を醸し出している。大きなアンティークのモロッコ風デスクが書斎コーナーを作り、段ごとにガラス戸の付いた書棚も置かれている。部屋の中央にはロイヤルネイビーブルーの布張りのソファーが二つ置かれ、その両側の背もたれの高い二脚の椅子には、オマーンの国旗に使用されている赤と緑と白の布が張られている。イギリスとオマーンの様式を合わせた部屋で、両国の歴史的なつながりを表している。

けれども、この部屋でいちばん目を引くのは、黒い海を見下ろすように並んでいる広い窓だった。

キャラは星空と月明かりに照らされた海面を眺めながら立っていた。厚いコットンのローブに着替え、素足になっている。ペインターが来たのを窓に映った姿で気づいたのだろう、キャラは振り向いた。

「ご苦労さま、ヤンニ」キャラは船室係を下がらせた。

船室係が部屋から出ていくと、キャラは片手を上げて漠然とソファーの方を指した。「一杯差し上げたいところだけど、この船ときたらアラビアの陸地にいるのと同じで、お酒が一滴もありゃしないのよ」

キャラが移動して椅子の一つに座るのに合わせて、ペインターも部屋を横切ってソファーに腰かけた。「ご心配なく。酒は飲まないので」

「アル中治療?」

「ただの個人的な好みだ」そう言いながらペインターは顔をしかめた。インディアンは酔っ払いだという固定観念は、イギリスにまで浸透しているようだ——確かに、そういった例が少なくないことは否定できない。ペインターの父も、家族や友人よりもジャックダニエルの瓶に慰めを見出していた。

キャラは肩をすくめた。

ペインターは咳払いをした。「旅程の調整という話だったが」

「それは印刷して夜明け前までに扉の下から入れておくわ」

ペインターは顔をしかめた。「それなら、なぜこんな夜中にミーティングを？」ペインターはふと気づくと、脚を組んだキャラの素足の足首を見つめていた。もっと個人的な理由で呼び出したということなのだろうか？　背景調査の結果、彼女がヘアスタイルを変えるのと同じくらいの頻度で男を取り替えているという情報は入っていた。

「サフィアのこと」あっさりと告げたキャラの言葉に、ペインターは不意を突かれた。

ペインターはまばたきをしながらキャラの顔を見た。

「あの子があなたを見る目でわかるの」長い間が開いた。「外見から受ける印象より、サフィアはもろい子なのよ」

〈同時に、君たちみんなが考えているよりはタフな子だ〉ペインターは口には出さずに付け足した。

「もしサフィアを利用しているのなら、今回の件が片付いた後で世界の果てに隠れる場所を探さないといけなくなるわよ。もし体だけが目当てなら、ズボンの前をきっちり閉めておきなさい。さもないと大事な部分をちょん切られる羽目になるわ。それで、どっちなの？」

ペインターはかぶりを振った。サフィアへの気持ちの深さを問われたのはこの数時間で二度目だ。最初はパートナーから、そして今度はこの女性から。「どちらでもない」ペインターは答えたが、意図したよりもつっけんどんな声が出てしまった。

「じゃあ、説明しなさいよ」

ペインターは無表情を保った。さっきのコーラルの時のように、キャラの質問を簡単にはねつけることはできない。実際問題として、彼の任務は今のように敵対視されているより、キャラの協力を得られた方がずっとスムーズに進む。しかし、ペインターは黙っていた。うまい嘘さえも思いつかない。最高の嘘というのは真実にいちばん近いものだ――だが、この場合の真実とは何だ？　自分はサフィアのことをどう思っているのか？

ペインターはそのことを初めてじっくり考えた。サフィアに魅力を感じていることは疑いない。エメラルドグリーンの瞳、コーヒー色の滑らかな肌、表情がぱっと明るくなるはにかんだ笑み。だが、美貌の女性ならこれまでの人生で何人も出会っている。彼女のどこが特別なのだろう？　サフィアは頭の回転が速く、教養があり、ほかの人は気づいていないようだが強い面も確かに持っている。決して壊れない強靭な芯を持った女性だ。

それでも、思い返してみれば、カサンドラだって同じように強く、優秀で、美しかったのに、心をひかれるまでには何年もかかった。こんなにも短い時間で心を乱されるのは、サフィアの持つ何が原因なのだろう？

ある思いが浮かんだが、ペインターはそれを認める気にはなれなかった……たとえ自分の心の内だけだとしても。

窓の方を眺めながら、ペインターはサフィアの瞳を、そのエメラルドグリーンの輝きの奥にあるかすかな傷を思い浮かべた。自分の肩に回された彼女の腕の感触を今でも覚えている。博物館の屋根から降ろされた時、サフィアはしがみついて安堵のささやきを漏らし、涙を流していた。あの時すでに、彼女には何かがあった。手を触れてほしいと誘うような、自分の中の男を呼び覚ますような何かが。カサンドラとは違って、サフィアは強靭なだけではない。サフィアは強さともろさに、かたさとやわらかさにあふれている。

心の底で、ペインターはこの矛盾こそが何よりも自分を魅了しているのだとわかっていた。その矛盾が、もっと深く知りたいという気持ちを募らせている。

「どうなの?」キャラは押し黙ったままのペインターを促した。

そこに最初の爆発が起こり、ペインターは答えから解放された。

午前一時五十五分

オマハは雷鳴で目を覚ました。驚いて体を起こす。腹に震動を感じ、小さな舷窓《げんそう》がびりびりと音を立てている。スコールに向かって進んでいることは知っていた。腕時計を見る。まだ十分もたっていない。〈嵐にしては早すぎる……〉

ダニーが二段ベッドの上段から床に転がり落ちた。片手で体を起こしながら、もう片方の手でボクサーパンツを引っ張り上げている。「ちくしょう!　何だよ、今の?」

頭上から乾いた銃声が響く。それに続いて悲鳴も聞こえた。

オマハはベッドカバーを跳ね上げた。どうやら嵐に突入したようだ……気象予報士が警告した嵐とは違うが。「攻撃されてるぞ！」

ダニーは小さな机のいちばん上の引き出しから眼鏡を取り出した。「攻撃って、誰が？　なぜ？」

「俺が知るわけないだろ」

オマハは素早く立ち上がって頭からシャツをかぶった。少しは保護されたような気がする。ショットガンと拳銃を貨物室に預けてしまったことが悔やまれる。アラビアの海域がどれほど物騒か、オマハはよく知っていた。現代版の海賊や、テロ組織に関係した武装勢力がうようよしているのだ。公海上は今でも略奪可能なお宝に満ちているとみえる。それでも、まさかオマーン海軍の旗艦を攻撃するような大胆不敵なやつらがいるとは思わなかった。

オマハは扉をほんの数センチだけ開け、暗い通路をのぞいた。壁の明かりが一つだけ、上の二つのフロアと甲板へと続く階段の付近を照らしている。例によって、キャラがオマハと弟に割り当てたのは最低の船室だ。船底のビルジから一つ上のフロアで、設備の整った上等な船室と比べたら、船員室も同然だ。通路を挟んだ反対側で、別の扉が少し開いた。

最低の船室をあてがわれたのは、オマハたちだけではなかったらしい。「クロウ」オマハは呼びかけた。

扉がさらに開いて姿を見せたのは、クロウのパートナーだった。コーラル・ノヴァクは裸足のまま通路に出てきた。スウェットパンツにスポーツブラを身に着けただけで、プラチナブロンドの髪が肩まで垂れている。彼女は静かにするようにと手で合図をした。右手に短剣を持っている。磨き上げられたステンレスの刃が光り、柄の部分は黒いカーボングリップ。軍隊仕様だ。コーラルは短剣を低い位置に構え、落ち着き払った様子で握っている。頭上で銃撃戦が始まっているというのに。

コーラルは一人だった。

「クロウはどこだ?」オマハは声をひそめて訊ねた。

コーラルは親指で上を示した。「キャラに会いに行ったわ。二十分前」

〈銃声が集中していると思われる場所じゃないか〉階段の方を見つめるオマハの視界は恐怖のせいで狭まった。サフィアと大学院生の個室は、キャラのスイートルームのすぐ下だ。どちらも戦闘から近い場所にある。ライフルの銃声が炸裂するたびに、オマハは心臓が締めつけられるように感じた。彼女のところに行かないといけない。オマハは階段の方向へと足を踏み出した。

新たに激しい銃声が聞こえてきた。階段の上の方からだ。

ブーツを履いた足音がこちらに向かってくる。

「武器はある?」コーラルがささやいた。

オマハは振り返り、何も持っていない両手を見せた。乗船前に私物の武器はすべて取り上げられてしまっていた。

コーラルは顔をしかめ、狭い階段の下へと急いだ。短剣の柄を使って廊下を照らす唯一の電球を叩き壊す。周囲は暗闇に包まれた。

足音が三人の方へと近づいてくる。最初に影が現れた。

コーラルは影の中に何かを読み取ったらしく、わずかに位置を変え、脚を開いて立つと腕を下ろした。

黒い人影が残り少ない階段を一気に駆け下りてきた。

コーラルの蹴り出した脚が、男の膝を直撃する。悲鳴とともに男は頭から廊下に倒れる。乗組員の一人、船のコックだ。板張りの床に大きな音とともに顔を打ちつけ、その衝撃で頭ががくんと後ろにそれる。コックはうめき声をあげたものの、倒れたまま動かず、ショックで呆然としている。

コーラルは短剣を持ったまま男の上にかがみこみ、様子をうかがった。

上では銃声が続いているが、より散発的になってきた。狙いを定め、確実に仕留めている音のように聞こえる。

オマハも通路を進み、階段へと目を向けた。「みんなのところに行かないと」

サフィアのところに。

コーラルは立ち上がり、片手で行く手をふさいだ。「武器が必要よ」

ライフルが上で炸裂した。狭い船内にいると余計に大きな音に聞こえる。

全員が一歩、後ずさりした。

コーラルはオマハから視線をそらさない。オマハは天井を見上げながら、サフィアの部屋に駆けつけたいという気持ちと、慎重に行動しなければいけないという気持ちとの間で板挟みになっていた。普段のオマハは慎重な行動などほとんど考えたことがない。だが、今はこの女性の言う通りだ。銃弾に素手で立ち向かうなんて、まともな救出作戦とは思えない。

オマハは振り返った。「貨物室にライフルと弾がある」そう言いながら、ビルジ部分へと通じる床のハッチを指差した。「ここを通り抜ければ貨物室へと行けるはずだ」

コーラルは短剣をきつく持ち直すとうなずいた。三人はハッチを開き、短い梯子を下りた。下には天井の低いビルジがある。藻《も》と潮とオークの樹脂のにおいがする。オマハが最後にハッチをくぐった。

再び一斉射撃の音が響き、最後に鋭い悲鳴が聞こえた。男だ。女性の声ではない。それでも、オマハは心臓が止まるかと思った。サフィアがどこかに隠れていることを祈るしかない。

自己嫌悪を感じながら、オマハはハッチを閉めた。完全な暗闇に包まれる。何も見えないまま、オマハは短い梯子を飛び下り、ビルジの底にたまった水をわずかに跳ね上げながら着地した。

「誰か懐中電灯を持ってないのか?」オマハは訊ねた。

誰も答えない。

「すげえや」オマハはむっつりと言った。「最高だよ」

何かが足の上をちょろちょろと走り、小さな水音とともに消えた。ネズミがお供だとは、まったく最高だ。

午前一時五十八分

ペインターは船の窓から身を乗り出した。二人乗りのジェットスキーが真下にいて、張り出した船首部分の下を走り抜けていく。排気口にマフラーが取り付けられているため、すぐ下を通過しているのに小さなエンジン音しか聞こえない。V字型の航跡だけを残している。暗い中でも、ペインターはそのジェットスキーのデザインに見覚えがあった。

DARPAの設計による、極秘作戦用の試作モデルだ。

操縦士はフロントガラスの後ろで低い体勢をとっている。助手席の男は高い位置に座り、後部の回転台に取り付けられたアサルトライフルを担当していた。ジャイロスコープ付きのため、ライフルの安定性が増している。二人とも暗視スコープを着用していた。

ジェットスキーは次々に通過していく。ここまでペインターは四台を確認していた。おそらく、もっと多くのジェットスキーが付近を旋回しているはずだ。暗い海を見渡しても攻撃の母船らしき姿は見えないが、攻撃部隊を降ろした船がどこかにいるはずだ。この船の近くに停泊した後、高速で離れ、攻撃部隊を回収する時間が来るまで安全な距離を保っている可能性が高い。

ペインターは室内に戻った。

キャラがソファーの陰にしゃがんでいた。恐怖よりも怒りが先に立っているような顔をしている。

最初の爆発が船を揺らした後、ペインターはただちに船室の外をチェックしていた。甲板のハッチの奥の船尾付近から煙が上がり、不気味な赤い輝きも確認できた。

焼夷《しょうい》手榴弾だ。

それを探るだけの短い間に、ペインターは危うく殺されるところだった。黒の迷彩服を着た男が突然スイートルームの入口のすぐそばに現れたのだ。ペインターが室内に逃げ込むと同時に、男は扉に向かって銃を乱射した。スイートルームの扉が金属で強化されていなかったら、ペインターの体は銃弾で真っ二つになっていたことだろう。扉にかんぬきをかけてから、ペインターは自分の判断をキャラに伝えた。

「連中は無線室を爆破した」

「誰なの?」

「わからない……見たところ、軍事訓練を積んでいるグループのようだ」

ペインターは窓辺から離れ、キャラの隣にしゃがんだ。この一味を率いている人物の正体ならはっきりわかる。間違いない。カサンドラだ。あのジェットスキーは盗まれたDARPAの試作品だ。カサンドラはこの近くにいるに違いない。攻撃部隊を先導して、すでにこの船に乗り込んでいる可能性もある。決意に燃えるカサンドラの目と、意識を集中した時に眉間にできる二本のしわが目に浮かぶようだ。突然湧き上がった怒りと寂しさの入り混じった激情に自分でも驚き、ペインターはカサンドラの面影を頭の中から追いやった。

「どうすればいいの?」キャラが訊ねた。

「じっとしているんだ……今のところは」

貴賓用スイートルームに守られた二人にさし迫った危険はないが、ほかのメンバーは危機に瀕している。

オマーン海軍の水兵はよく訓練されていて、脅威に素早く対応し、激しい銃撃戦を展開している。しかし、乗船しているのはほとんどがまだ若い水兵で、武器の数も十分とは言えない。カサンドラもそうした弱点は承知しているはずだ。船はやがて彼女の手に落ちるだろう。

しかし、彼女の狙いは何なのか?

ペインターはキャラの隣にしゃがんだまま、目を閉じて深呼吸した。いちいち音に反応するのをやめなければならない。考えるための時間が、意識を集中させるための時間が必要だ。父からいくつかピクォート族のお祈りの言葉を教わったことがある。一人息子に少しは部族の伝統を伝えようという意図があったようだが、父の息がテキーラとビールでくさい時が多かったような記憶がある。それでも、ペインターはお祈りを覚え、隣の部屋で両親が喧嘩し、怒鳴り合い、罵り合っているのを聞きながら、暗闇で唱えていたものだ。言葉を繰り返すうちに慰めが得られ、頭がはっきりしてくる。その当時も今も、言葉の意味はさっぱりわからないが。

ペインターは声を出さずに、瞑想するように唇を動かした。銃声を頭の中から遮断する。再びカサンドラの姿を思い浮かべた。攻撃の目的は推測できる。最初から狙っていたものを手に入れるため。あの鉄の心臓だ。反物質の爆発の謎を解明するための唯一の確かな手がかり。あれはまだサフィアの船室にある。頭の中で攻撃の様々な筋書きと作戦のパラメーターを検証し――

祈りの途中で、ペインターはひらめいた。

はじかれたように立ち上がる。

ペインターは最初から、この攻撃の杜撰《ずさん》さが気になっていた。なぜ無線室を爆破して、わざわざ乗組員に知らせたりしたのか？　これがどこにでもいるような傭兵の集団なら、経験不足による計画性と緻密さの欠如だと結論づけることもできる。しかし、カサンドラが背後にいるのなら……

嫌な予感にペインターは胃をえぐり取られたかのように感じた。

「何よ?」キャラも立ち上がった。

船室の外の銃声がぴたりとやんだ。その静寂の中で、かすかなエンジン音が聞こえる。

ペインターは窓に駆け寄り、頭を外に出した。

四台のジェットスキーが暗闇から滑り出てきたが、それぞれ操縦士しか乗っていない。同乗者はいない。後部の攻撃席は空いていた。

「しまった……」

「何なのよ?」キャラが再び訊ねたが、声に恐怖の色が混じっている。

「もう遅い」

あの手榴弾の爆発は作戦の開始を告げたものではない。作戦終了の合図だったのだ。

ペインターは心の中で自分の愚かさを責めた。すでに作戦の終盤に差しかかっていたのだ。しかも、自分は参加すらしていない。完全に不意を突かれたのだ。ペインターはしばらく湧き上がる怒りに身を任せた後、現在の状況に神経を集中させた。

終盤だからといって、完全に終わったわけではない。

ペインターは四台のジェットスキーが船に接近するのを見つめた。攻撃部隊の残りの人員と後衛部隊、それに無線室の爆破を担当した破壊チームを回収しにきたのだ。オマーンの水兵の一人がまだ船内に残る敵と出くわしたらしく、甲板で再び銃撃戦が始まった。

新たな銃声が響くが、遠くの方から聞こえる。明らかに目的を持った銃声。船尾の方からだ。敵は引き上げようとしている。

窓の外に目を向けると、残りのジェットスキーが銃弾を警戒して、船から距離を置きながら旋回するのが見える。アサルトライフルを操作する男たちを乗せたジェットスキーの姿はどこにも見当たらない。彼らが攻撃に参加している音も聞こえない。すでに立ち去った後なのだろう。攻撃部隊を乗せて。獲物とともに。

しかし、どこへ？

ペインターはもう一度、攻撃部隊の母船の姿を探して海面を見渡した。どこかに必ずいるはずだ。だが、見えるのは暗い海ばかりだった。すでに嵐の雲が月と星を覆い隠し、外は漆黒の闇に包まれている。ペインターは窓枠を握り締めた。

なおも探すうちに、ペインターの目はかすかな光をとらえた。はるか彼方の水面に浮かぶ光ではない。すぐ近くの水面下だ。

ペインターは窓から身を乗り出して水中を凝視した。

真夜中の海の深みを、船の下でぼんやりとした光が動いていた。ゆっくりと右舷から姿を現し、明らかに船から遠ざかろうと移動している。ペインターは眉をひそめた。目にした光の正体がわかったからだ。あれは潜水艇だ。どうして潜水艇が？

疑問が頭に浮かぶのと答えに気づくのはほぼ同時だった。

作戦が終了すれば、攻撃部隊は速やかに撤退する。残る作業は後始末だけだ。目撃者を消すための。

ペインターは潜水艇が存在する理由も突き止めていた。小型で感知不能な潜水艇が、混乱に乗じて接近し……

「やつらはこの船に機雷を仕掛けたんだ」ペインターは声に出した。潜水艇が爆発の影響を受けない距離まで到達するのにどれくらいの時間を要するのか、頭の中で計算する。

キャラが何か言ったようだが、今のペインターの耳には聞こえない。

ペインターは素早く窓から離れ、扉へと向かった。銃撃戦は膠着状態に陥ったらしく、散発的な銃声が響くだけだ。扉のそばで聞き耳を立てる。近くから音は聞こえてこない。ペインターはかんぬきを外した。

「何をしているの？」キャラが肩越しに問いかけた。ぴったりとペインターのそばに寄り添っているが、そうしなければならない自分にいらだっているのもわかる。

「この船を降りないとだめだ」

ペインターは勢いよく扉を開いた。数歩離れたところに中央甲板への出口がある。接近する嵐の端がシャバブ・オマーンに達しているため、風が強くなっている。帆が鞭のようになり、支柱から下がったロープが音を立てる。

ペインターはチェス盤を読むように甲板を観察した。

乗組員たちにはメインスルをたたんで固定する余裕などなかった。オマーンの水兵たちは身動きができずにいる。銃を持った二人の、いや三人の敵が、中央甲板の端に積まれた樽の陰に隠れているためだ。覆面をした男たちは船首側からの攻撃に備えるための格好の位置を押さえている。そのうちの一人は一段高くなった船尾楼にライフルを向け、後方を警戒していた。すぐ近くでは四人目の覆面男がうつぶせで倒れ、頭のまわりに血の海ができている。死体はペインターからほんの数歩の距離だ。

ペインターは一目で状況を把握した。中央甲板の手前側で同じように木箱の背後に隠れているのは、四人のオマーン国境警備隊員、砂漠のファントムだ。腹這いになってライフルの銃口を敵に向けている。にらみ合いの状態だ。攻撃部隊の後衛を待ち伏せしたのはファントムに違いない。敵を追いつめ、手すりを乗り越えて逃げられないようにしているのだ。

「行くぞ」そう言うと、ペインターはキャラの肘をつかんだ。手を引いてスイートルームの扉を抜け、下へと通じる階段へと向かう。

「どこへ行くの?」キャラは訊ねた。「船を降りるんじゃなかったの?」

ペインターは答えなかった。遅すぎるのはわかっている。だが、この目で確認する必要がある。狭い階段を駆け下りて一つ下のフロアに達した。通路を少し行くと客室が並んでいる。

廊下の真ん中あたりに、頭上に一つだけある明かりに照らされて、床に倒れている人影があった。甲板の覆面男と同じようにうつ伏せになっている。だが、これは攻撃側の人間ではない。

ボクサーパンツにTシャツしか着ていない。背中の中央に小さな黒っぽいしみがある。逃げようとしたところを背後から撃たれたのだろう。

「クレイだわ……」キャラはショックで声が続かない。それでも、ペインターとともに廊下を走った。

キャラは若者のそばに膝をついたが、ペインターはその体をまたいだ。悲しんでいる時間はない。大学院生が向かっていた扉の方へと急ぐ。隠れようとしたのか、それとも、みんなに警告しようとしたのか。でも、間に合わなかった。

全員が間に合わなかったのだ。

ペインターは扉の外で立ち止まった。半分ほど開いた状態だ。ランプの光が廊下に漏れている。耳をそばだてる。何も聞こえない。沈黙。ペインターはこれから目にするであろうものに対して覚悟を決め、感情を殺した。

キャラが声をかけた。ペインターの恐怖を感じ取ったようだ。「サフィアは?」

午前二時二分

船が足もとで揺れ、オマハは腕を突き出した。真っ暗なビルジのせいで平衡感覚が失われている。靴が水の下に沈み、足首がひんやりとする。

背後で何かぶつかる音がした……続いて悪態。ダニーも同じように苦労しているようだ。

「どこに向かっているかわかっているの？」コーラルが冷ややかな声でオマハに訊ねた。その声がビルジの暗闇でかすかに反響する。

「ああ」オマハはぴしゃりと言い返す。だが、それは嘘だった。左の壁から手を離さずに曲線をなぞり、上に通じる梯子がありますようにと祈り続けていた。次の梯子が中央甲板の下にある貨物室に通じているはずだ。通じていてほしいと思う。

三人は黙々と歩き続けた。

ネズミたちが闖入《ちんにゅう》者に対して抗議の鳴き声をあげた。暗闇のせいか大きく聞こえる。ずぶ濡れのブルドッグが鳴いているかのようだ。想像の中でネズミの数が倍増する。ネズミたちがビルジの水を跳ね散らしながら先を走っていく音が聞こえる。船尾には大勢のネズミが集まっていることだろう。オマハはコルカタの路地で、ネズミにかじられた人間の死骸を見たことがあった。目はなく、性器は食い尽くされ、やわらかい部分はすべて噛みちぎられていた。ネズミは嫌いだ。

サフィアの身を案ずる気持ちだけが、オマハを前に進めていた。暗闇の中、聞こえてくる銃声に不安が募る。残酷な光景が脳内にひらめくが、あまりに恐ろしくてすぐに振り払う。サフィアに対して自分がまだ抱いている感情を、どうして告げようとしなかったのだろう？　彼女が無事でいてくれるなら、今この場でひざまずいたってかまわない。

伸ばした手が何かかたいものに当たった。指で探ると水平の段と釘の頭に触れた。梯子だ。

「ここだ」本心よりも自信たっぷりの口調で宣言する。予想が当たっていようが外れていようが、この梯子がどこにつながっていようが知ったことか。オマハは梯子をつかんだ。

ダニーとコーラルが近づいてくる間に、オマハは段に足をかけていた。

「気をつけて」コーラルが警告する。

銃声が頭上で続いている。近くだ。警告はそれだけで十分だった。

最上段に達すると、オマハは手探りでハッチの内側に付いている取っ手を見つけた。鍵がかかっていたり荷物の下敷きになっていたりしないようにと祈りつつ、オマハはハッチを押し上げた。

ハッチは簡単に開き、勢いあまって木製の支柱に大きな音とともに当たった。

コーラルの口から「しっ」という音が漏れた。言葉は出さない。注意の印だ。

ありがたい光がオマハを照らした。暗闇に慣れた後では、目もくらむような明るさだ。潮とかびのにおいに満ちたビルジから出ることができたので、空気も気持ちがいい。

新鮮な干草の香りだ。

オマハの右側で大きな影が動いている。

そちらに目を向けると、上から見下ろしている巨大な馬と顔が合った。さっき逃げ出したあのアラブ馬だ。首を振り、オマハに向かって鼻を鳴らしている。恐怖で白眼を見せている馬は威嚇するかのように片足を上げ、船内の厩舎への突然の侵入者を踏みつけようとする。

オマハは首を引っ込めた。ついてない。ビルジのハッチはこの牡馬の囲いに通じていたのだ。隣の支柱の先には別の馬がいるのも見える。

オマハは再び牡馬に注意を戻した。自分をつなぐ綱を盛んに引っ張っている。怯えたアラブ馬なら武装集団よりもましだ。だが、ここから抜け出して木箱に入れた武器までたどり着く必要がある。

サフィアの身を案じ、オマハの血がたぎった。やっとここまで来たのだから……

馬をつないでいる綱を信じて、オマハはハッチから飛び出すと、四つん這いで床の上を進み、囲いの下をくぐり抜けた。

立ち上がると、膝頭に付いた干草を払い落とす。「早くしろ！」

オマハは鮮やかな赤と黄色をした馬用の毛布を見つけた。それを馬に向けて振って気を引き、その間に続く二人が安全に登れるようにする。馬は動きに反応していななかった。さらなる侵入者に動揺するのではなく、鞍に掛ける毛布に引き寄せられている。馬をつないだ綱がぴんと張る。

オマハは馬が毛布を認識したことに気づいた。これから厩舎の外に出て人を乗せるという合図だと思っているようだ。身の危険を感じたことで、外に出たいという気持ちが高まっているのだろう。

気の毒なことをしたと思いつつ、ダニーとコーラルが横に来ると、オマハは毛布をフェンスに戻した。馬の大きな目と視線が合う。怖がっている。慰めてもらいたいのだろう。

「銃はどこ?」コーラルが訊ねた。

オマハは囲いから目をそらした。「あっちにあるはずだ」上の甲板へと通じる傾斜路の先を指差す。奥の壁に沿って木箱が三つ、積み重ねられている。それぞれにケンジントン家の紋が記されていた。

オマハは先頭に立って貨物室を横切りながら、新たな銃声が響くたびに首をすくめた。銃撃戦は続いている。激しい銃弾の応酬が行なわれている。死闘の音は傾斜路の上にある両開きの扉の外から響いてくるようだ。

オマハはダニーの質問を思い出した。〈攻撃って、誰が?〉こいつらはただの海賊ではない。あまりに執拗で、統制が取れていて、大胆不敵だ。

木箱のところに達すると、オマハは積荷を記した紙を探した。自ら物資の準備をしたのだから、ライフルと拳銃を詰めた木箱があるのはわかっている。オマハは探していた箱を見つけた。バールを使ってこじ開ける。

ダニーが一挺のライフルを手に取った。「これからどうするの?」

「おまえは隠れてろ」そう言うと、オマハはデザートイーグルをつかんだ。

「それで、兄さんは?」ダニーは訊ねた。

オマハは床に座って銃に装填しながら、戦闘の音に耳を傾けた。「ほかのみんなのところに行かないと。全員が無事か確かめる」

だが、オマハの頭に浮かんでいたのはサフィアだけだった。微笑んだ、若い頃のサフィアの姿。

あの時、彼女を取り戻すことができなかった——同じ過ちは繰り返さない。

木箱の中を探っていたコーラルが、ようやく一挺の拳銃を取り出した。弾倉に三五七マグナム弾を手際よく装填し、拳銃へと装着する。武器を手にしたコーラルは落ち着きを取り戻したように見える。くつろいで狩りに備える雌ライオンのようだ。

コーラルがオマハの目をとらえた。「ビルジを通って船首に戻った方がいいわ。そこでほかの人たちと合流するのよ」

両開きの扉の向こうでさらに発砲音がした。

「それだと時間のロスが多すぎる」オマハは銃撃戦の真っ只中に通じる傾斜路に目をやった。

「別の道があるかもしれない」

オマハの計画を聞きながら、コーラルは顔をしかめた。

「冗談だよね」ダニーがつぶやいた。

しかし、オマハが話し終えると、コーラルはうなずいた。「試す価値はあるわね」

「じゃあ行くぞ」オマハは言った。「手遅れにならないうちに」

10　高潮

十二月三日午前二時七分
アラビア海

手遅れだった。

ペインターはサフィアの船室の開いたままの扉へと近づいた。中からランプの光がさしている。船に機雷が仕掛けられているのは確実だという緊急事態にもかかわらず、ペインターは二の足を踏んだ。

背後ではキャラがクレイ・ビショップに付き添っている。ペインターはサフィアが同じ状態で、床の上に横たわった死体として見つかることを恐れた。だが、現実と向き合わなければならない。サフィアは自分を信頼してくれていた。二人の死はすべて自分の責任だ。警戒が足りなかった。この襲撃作戦は自分のすぐそばで、自分が警戒しているべき時に実行されたのだ。

入口の横に立ち、ペインターは扉を大きく押し開けた。まばたき一つせずに船室内を見回す。

誰もいない。

自分の目が信じられず、ペインターは用心しながら室内に足を踏み入れた。ジャスミンの残り香がする。しかし、この部屋にいた女性が残していったのはそれだけだった。争った形跡はない。博物館の遺物が入っていた金属のスーツケースも、どこにも見当たらない。

ペインターはその場に立ち尽くした。不安と困惑の狭間で、目の前の状況に対応できない。背後でうめき声がする。

ペインターは振り返った。

「クレイがまだ生きているわ！」キャラが廊下から呼びかけた。

ペインターはあわてて廊下へ戻った。

キャラが若者の体の上に覆いかぶさるようにひざまずいていた。何かを指の間に挟んでいる。

「これを彼の背中で見つけたの」

キャラへと歩み寄りながら、ペインターは若者の胸が浅く上下しているのを確認した。なぜこれを見逃したのだろう？　しかし、その答えはわかっていた。気が動転していたのだ。てっきり死んでしまったものと、思い込んでいたせいだ。

キャラが手に持ったものを手渡した。血の付着した小さな矢だ。

「トランキライザーだ」ペインターは確認した。

ペインターは扉が開いたままの入口へと振り返った。トランキライザー。つまり、やつらはサフィアを生け捕りにしたかったのだ。これは誘拐だ。ペインターは頭を左右に振りながら、こみ上げてくる笑いをこらえた――カサンドラの巧妙さに感心しつつ、安堵の思いに包まれる。

サフィアはまだ生きている。今のところは。

「彼をここに残しておけないわ」キャラが言った。

ペインターはうなずいた。暗い水中で輝いていた潜水艇の姿が頭に浮かび、事態の緊急性を思い出す。時間はどのくらい残されているのだろうか？「彼に付き添っていてくれ」

「あなたはどこに――」

ペインターは説明しなかった。下甲板へと走り下り、ダン兄弟とコーラルの部屋を捜索する。サフィアの部屋と同じように、船室はどちらももぬけの殻だ。全員が拉致されたのだろうか？下にはうずくまっている乗組員がいた。コックの一人だ。鼻血が出ている。一緒に来るようにと声をかけたが、恐怖で身動きできないようだ。

説得している時間はない。ペインターは引き返して階段を駆け上がった。

キャラは何とか大学院生の上体を起こしていた。意識が混濁《こんだく》している様子で、頭がだらりと垂れ下がっている。口からは意味不明な言葉が漏れていた。

「しっかりしろ」ペインターはクレイの脇に片手を入れて立たせた。まるで濡れたセメント袋を扱っているかのようだ。

キャラが床から彼の眼鏡を拾い上げた。「どこへ行くの？」

「船を降りないといけない」

「ほかの人たちは？」

「いなくなった。サフィアも、ほかのみんなもだ」

ペインターは二人を階段の上へと誘導した。

最後の踊り場に達した時に、人影が現れてペインターたちの方へと駆け下りてきた。アラビア語で何か言っているが、速すぎてペインターには聞き取れない。

「アル＝ハフィ大尉よ」キャラが手短に紹介する。

ペインターはこの男の情報を持っていた。砂漠のファントムのリーダーだ。

「貨物室の備蓄からもっと弾薬を取ってこないといけない」大尉は早口でまくしたてた。「あなたたちは隠れているように」

ペインターは彼の行く手を遮った。「今ある分でどのくらい持つ？」

大尉は肩をすくめた。「数分だ」

「とにかくあいつらを釘付けにしておいてくれ。船を離れられるとまずいんだ」ペインターは素早く考えを巡らせた。シャバブ・オマーンがまだ爆破されていない唯一の理由は、破壊チームがまだ乗船しているからだろう。彼らが船を離れれば、カサンドラが機雷を爆発させるのを妨げるものはなくなる。

ペインターは甲板へと通じる出口付近で倒れている人物に目を止めた。覆面男の一人、さっき甲板で伸びていたやつだ。いったんクレイを床に座らせ、その男ににじり寄る。そいつの体に何か手がかりになるものがあるかもしれない。例えば、無線のようなものだ。

アル＝ハフィ大尉もペインターのそばにやってきた。「私がこいつをここまで引きずってきた。予備の弾薬を持っていないかと思ってね。あるいは、手榴弾とか」最後の言葉には悔しさがにじみ出ていた。手榴弾が一個でもあれば、甲板の膠着状態は解消されていただろう。

ペインターは男の体を調べ、覆面を剝ぎ取った。サブヴォーカライズ無線を装着している。ペインターは無線を引きはがし、イヤホンを耳に入れた。何も聞こえない。雑音すらない。まったくの沈黙状態だ。

敵の体をさらに調べながら、ペインターは男の暗視装置を自分のポケットに入れた。男の胸に太いストラップが巻かれていることに気づく。心電図モニターだ。

「くそっ」

「どうしたの？」キャラが訊ねた。

「手榴弾が見つからなかったのは幸いだった」ペインターは答えた。「こいつらは状態モニターを装備している。殺せば逃がしたのと同じことになる。全員がいなくなったら――つまり、船からいなくなるか、この世からいなくなれば、仲間がこの船を爆破するんだ」

「船を爆破？」アル＝ハフィが鋭い目をして英語で聞き返した。

ペインターは自分が目撃したものと、そこから導き出した推測を手短に説明した。「後衛部隊よりも先に船から降りないといけない。船尾の後部にモーター付きの小型船を見かけたんだが」

「この船の艦載艇《かんさいてい》だ」大尉は答えた。

ペインターはうなずいた。アルミ製の小型モーターボートだ。

「しかし、あの不届き者どもは我々とボートの間にいる」アル＝ハフィは指摘した。「あるいはやつらの下を、船底を抜けていくことができるかもしれないが、私の部下たちが撃つのをやめれば逃げられてしまうぞ」

ペインターは男の身体検査を切り上げ、戸口から甲板の様子をうかがった。銃声は散発的になっている。双方とも手持ちの弾薬が残り少なくなり、一発ごとに慎重にならざるをえないのだ。

ファントムたちの方が不利だった。敵を逃がすわけにはいかないが、殺すこともできない。これでは別の意味で手詰まりだ。

いや、そうとは限らない。

ペインターは不意にある考えが浮かび、振り返った。

だが、彼が口を開くより先に、船尾甲板の方角から雷鳴のような激突音がとどろいた。ペインターは外をのぞいた。下の貨物室へと通じるハッチが大きく開いている。ハッチを押し開けたのは三頭の馬だ。アラブ馬は強風の吹きすさぶ甲板を走り回り、跳ね回り、木箱にぶつかったり索具に絡まったりしている。甲板上は大混乱となった。電球が粉々に砕け散る。船上の闇が濃くなった。

一頭の牝馬が銃を持った敵のバリケードを一気に突破した。銃声と馬のいななきが交錯する。混乱のさなか、四頭目の馬が勢いよく疾走しながら貨物室から姿を現した。あの白の種馬だ。傾斜路を駆け上がると甲板へと飛び出し、蹄を板に打ちつける。

しかし、この馬はただ暴れているだけではない。

馬の背にまたがったオマハが鞍の上から体を起こした。両手に拳銃を握っている。近くにいる覆面男たちに狙いを定めると、両方の拳銃の弾が尽きるまで至近距離からためらうことなく撃ち続けた。

オマハと馬が通り過ぎた後には、二人の男が倒れていた。

「やめろ！」扉から飛び出してペインターは叫んだ。

銃声がその声をかき消した。

後部ハッチに動きがある。コーラルがいつの間にか狙撃体勢をとっていた。肩にライフルを乗せている。彼女は最後に残った覆面男に狙いを定めた。男は右舷の手すりに飛びついた。船外へ逃げようとしている。

銃口の閃光とともに、ライフルの銃声がとどろいた。

甲板から身を翻そうとした男は、見えない馬に蹴られたかのように反り返った。頭の左半分が吹き飛んでいる。甲板に落下した体は手すりに当たって止まった。

ペインターは思わずうめきたくなるのをこらえた。膠着状態はついに終わった。後衛部隊が死んだ今、カサンドラはこの船を躊躇《ちゅうちょ》なく爆破することができる。

午前二時十分

カサンドラはゾディアックのボートから水中翼船の上へと戻り、腕時計を確認した。作戦スケジュールは十分ほど遅れている。甲板によじ登った彼女を副官が出迎えた。

ジョン・ケインが近づいてきた。うつぶせになった博物館の学芸員を船に乗せるよう、二人の部下に大声で指示を出している。風が強まって海は波が高くなっており、水中翼船へと乗り移るためにはバランスとタイミングを計らなければならない。カサンドラは遺物を入れたスーツケースを引っ張り上げた。

一度は失敗したものの、任務は無事に完了した。

ケインが隣に立った。ブーツからニット帽まで黒ずくめで、人間というよりは影のようだ。

「八分前にアルゴスから安全な地点まで退避したとの連絡があった。機雷の爆破の指示を待っているところだ」

「破壊チームは？」カサンドラはシャバブ・オマーンの船上で銃撃戦の音を聞いていた。水中翼船へと戻る途中にも、銃声がさみだれのように海上にこだましていた。しかし、この一分間ほどはぴたりとやんでいる。

ケインは首を横に振った。「状態モニターの信号がさっき消えた」

死んだか……カサンドラは男たちの顔を思い浮かべた。腕の立つ傭兵だった。

操舵室の方角から甲板をあわただしく横切る足音が聞こえてきた。「サンチェス隊長！」無線士だ。濡れた床に足を取られながらも、カサンドラの前で止まる。「再び信号を受信しました。三人ともです！」

「破壊チームから？」カサンドラは海の方に目を向けた。見られたのを察知したかのように、シャバブ・オマーンから新たな銃声があがった。ケインの方を見ると、彼はただ肩をすくめただけだ。

「一時的に信号が途切れただけのようです」無線士は報告した。「おそらく、嵐の干渉のせいでしょう。でも、信号は戻りました。強くてしっかりしています」

カサンドラは海を挟んだ先にある船の明かりを凝視し続けた。じっと見ているうちに、再び男たちの顔が浮かぶ。

ケインが横に並んだ。「指示は？」

カサンドラが海上をにらんでいるうちに、強い雨が甲板を叩き始めた。雨粒が頬に当たるのもほとんど感じない。「機雷を爆破して」

無線士は驚いたような表情を浮かべたが、命令に異議を唱えるようなことはしなかった。ケインの方に視線を向けても、うなずきが返ってくる。無線士は拳を握り締め、操舵室へと走り去った。

カサンドラは命令が直ちに伝わらなかったことに対していらだちを覚えていた。無線士が副官にも確認を求めたことに気づいたからだ。この作戦の指揮を任されたのは彼女だが、隊員たちは元々ケインの部下だ。たった今、彼女はそのうちの三名に死刑を宣告したのだ。

ケインは表情一つ変えない。その目からも考えを読み取ることはできなかったが、カサンドラは事情を説明した。「もう全員死んでいるわ。新しい信号は偽物よ」

ケインは疑いの眼差しを向けた。「どうしてそこまで断言――」

カサンドラはケインの言葉を遮った。「向こうにはペインター・クロウがいるからよ」

午前二時十二分

甲板の上にかがんだペインターは、オマハとダニーの裸の胸に巻きつけたストラップをチェックした。死んだ敵の心電図モニターは問題なく機能しているようだ。自分の胸に付けた装置も規則的に点滅し、どこかに隠れた敵の船に心拍を送信している。

ダニーは眼鏡に付着した雨粒をぬぐった。「この装置って、濡れても感電しないよね?」

「大丈夫だ」ペインターは保証した。

全員が船尾甲板に集まっていた。キャラ、ダン兄弟、コーラル。クレイも立ち上がることができるまで回復していたが、外洋では大きく船が揺れるため、何かにつかまっていないとじっと立っていることができない。すぐそばでは四人のオマーンの国境警備隊員が時折ライフルを発砲し、にらみ合いが続いているように装っている。

この策略がどれだけ持つのかはわからない。全員が船を離れるまでごまかし切れることを祈るしかない。アル＝ハフィ大尉は乗組員を集めていた。艦載艇のモーターボートは船体に固定する綱が解かれ、いつでも乗り込める状態にある。

ほかの救命ボートの準備も終わり、海面へと下ろすばかりになっていた。十五人いた乗組員は十人に減っていた。一刻を争うため、死者は残していかざるをえない。

ペインターは巡回中のジェットスキーに見つからないように、ますますうねりが激しくなりつつある海を暗がりから見つめていた。波の高さは四メートル近い。風が帆をはためかせ、激しい雨が甲板に叩きつける。宙吊りになったアルミニウム製のモーターボートが船尾に音を立ててぶつかった。

しかも、スコールがピークを迎えるのはこれからだ。

ペインターは黒いジェットスキーが一台、高い波を越え、宙に浮き、海面へと滑り降りていくのを目撃した。本能的に体を低くしたが、その必要はなかった。ジェットスキーは方向を変え、次第に船から離れていく。

ペインターは立ち上がった。ジェットスキーは遠ざかっている。

カサンドラは知っている……

ペインターは振り返って叫んだ。「ボートへ移れ！　今すぐにだ！」

午前二時十四分

サフィアが暗闇から目を覚ますと、雷鳴がとどろいていた。冷たい雨がばらばらと顔に当たる。仰向けに寝かされていて、全身がずぶ濡れだ。サフィアは上体を起こした。周囲の景色がぐるぐると回る。人の声。大勢の脚。再び雷鳴がとどろく。サフィアは大音響に怯え、再び横になった。

左右に揺れている。上下に揺れている。〈私はボートに乗っているんだ〉

「トランキライザーが切れてきたぞ」背後で声がする。

「下に連れていきなさい」

サフィアは頭を回して声のした方を見た。女性だ。一メートルほど離れた場所に立ち、海の方を見つめている。顔には奇妙な眼鏡のような機器を装着している。全身黒ずくめで、長い漆黒の髪を後ろに束ねている。

サフィアはこの女を知っていた。記憶が一気によみがえる。クレイの叫び声、船室の扉を叩く音。本当にクレイ？　おかしいと思い、サフィアは扉を開けようとしなかった。長年にわたってパニックぎりぎりの日々を過ごしたせいで、サフィアの心は被害妄想の厚い膜に覆われていた。しかし、結果は同じだった。まるで鍵を使ったかのように、扉は簡単に開けられてしまったのだ。

目の前に立っている女が、最初に船室へと入ってきた。あの時、何かがサフィアの首に刺さった。今、首に指を這わせてみると、顎のやや下のあたりに痛みを感じる。それからサフィアは船室の奥に逃げ込んだ。息が詰まり、パニックのせいで視界がどんどん狭まっていった。やがてその視界すらも消えた。体が傾くのはわかったが、床に体を打ちつけた記憶はない。次第に世界が消えていった。

「乾いた服を着せてやりな」女が言った。

サフィアはぎょっとした。聞き覚えのある声だ。人を見下したような、子音をはっきりと発音する口調。大英博物館の屋根。〈金庫の暗証番号〉ロンドンの強盗だ。

サフィアは首を左右に振った。自分は悪い夢を見ているに違いない。

次の瞬間、二人の男がサフィアを抱えて立たせた。自分の足で立とうとしても、つま先が濡れた甲板の上で滑るばかりだ。膝はまるで溶けかけたバターのように感じる。顎を上げているだけでも強い意志の力が必要だった。

サフィアはボートの金属製の手すりの先を見つめた。嵐の真っ只中にいる。海が黒いハンモックのように上下している。水面はつるつるして滑らかなクジラの背中のようだ。とぼしい光の中、銀色に光る白波がところどころに見える。しかし、サフィアの視線が止まり、真っ直ぐ正面に向いた先にあったのは、彼方で炎に包まれる残骸だった。

体中から力が抜けていく。

荒波の上で船が炎上し、マストが松明《たいまつ》のように炎に包まれている。強風にあおられた帆から、大量の火の粉が飛散する。船体は原形をとどめていない。周囲には火のついた漂流物が浮かび、無数のキャンプファイヤーのように海を彩っている。

自分のよく知る船。シャバブ・オマーン。

肺から空気が抜けていく。悲鳴と絶望との間で息が詰まる。海のうねりに急に吐き気が襲ってくる。サフィアは甲板上に嘔吐し、護衛の一人の靴を汚した。「あっ、何しやがるんだ……」一人が悪態をついてサフィアを乱暴に引っ張った。

それでも、サフィアの視線は海の向こうに貼りついたままだった。喉が焼けるように熱い。

〈またなの……愛する人たちがみんな……〉

しかし、彼女の心のどこかに、この苦痛が、この喪失こそが自分にふさわしいと思っている部分があった。テルアビブ以来、何もかもが自分の生活から奪われてしまうことを予期している自分がいる。人生は残酷で、悲劇は突然訪れる。永遠のものなど、安全な場所など、存在しない。

熱い涙が頰を流れた。

サフィアはシャバブ・オマーンの燃え上がる残骸をじっと見つめた。生存者がいることを期待するのは無理だろうか――そのわずかな期待さえも、例の女の次の言葉が打ち砕いた。

「もう一度偵察隊を送るのよ」女は指示した。「動く者は皆殺しにしな」

午前二時二十二分

ペインターは左目の上にできた傷から血をぬぐった。海が激しく上下する中、水面に浮かんでいるために足を蹴り続ける。低く垂れ込めた空から雨が激しく降り注ぎ、稲妻が光り、雷鳴がとどろく。

転覆したモーターボートの方を振り返ると、自分と同じように波に揺られて上下している。腰のまわりに巻いた引き綱は、モーターボートの船首に結びつけてある。周囲の海は暗く、油の上に浮いているような感じだ。しかし、その先に目を向けると、逆巻く波に炎が見え隠れしている。その中心には炎上するシャバブ・オマーンの船体が沈没寸前の状態にあり、今にも喫水線まで燃え落ちようとしている。

血と雨を両目からぬぐいながら、ペインターは危険がないか海上を見渡した。サメに対する懸念が漠然と頭に浮かぶ。血が流れているからなおさらだ。嵐を警戒して肉食魚が海底に隠れてくれていればいいのだが。

しかし、ペインターが警戒しているのは別の捕食者だった。

間もなくそれは姿を現した。

海面に点在する炎に照らされて、ジェットスキーが一台、視界に入ってきた。大きく旋回している。

ペインターは暗視スコープを装着した。水中に体を沈め、海面から浮き出た部分を最小限にする。視界が緑と白に変わった。炎は目もくらむような明るい光となり、海は銀色がかったアクアマリンの輝きだ。ジェットスキーに焦点を合わせる。暗視スコープを通して見るとスキーはくっきりと目立ち、シェードのついたヘッドライトは炎のようなまぶしさだ。ペインターは倍率を調整した。前傾姿勢の操縦士が前部にいる。

その後ろに乗っているのは、備え付けのアサルトライフル担当だ。ライフルは毎分百発の弾を発射することができる。

暗視スコープを装着したペインターは、残骸の散乱した中を旋回するほかの二台のジェットスキーも容易に発見することができた。大きく円を描くように旋回しながら、次第に内側へと向かってくる。燃え上がる船体の向こう側で銃声が響いた。悲鳴があがったが、すぐにやむ。だが、銃声はやまない。

この掃除屋たちの目的は単純だ。

生存者を残さない。目撃者を残さない。

ペインターは転覆したモーターボートへと泳いで戻った。ボートは荒れた海にコルク栓のように浮かんでいる。ボートの近くに達すると、ペインターはその下へと潜った。暗視スコープは防水性だ。暗視装置を通して見る海には不思議な明るさがある。ひっくり返ったモーターボートから何本もの脚がぶら下がっている。

その間を通り過ぎて上昇し、ペインターはモーターボートの下の海面から顔を出した。暗視スコープを装着していても、細かいところはぼやけて見える。人影が船べりやボルトで固定されたアルミの座席にしがみついている。全部で八人。モーターボートの船体と海面との隙間に隠れている。閉じ込められた空気は恐怖でよどんでいた。

キャラとダン兄弟が協力して、クレイを支えていた。大学院生はかなり回復したようだ。アル＝ハフィ大尉はモーターボートのフロントガラス近くにいる。二人の部下と同様、大尉はカーキ色の制服を脱ぎ捨て、腰布だけの姿になっている。もう一人のファントムがどうなったかは不明だ。

爆発はモーターボートが海面に着水すると同時に起こった。その衝撃で全員が放り出され、小型のモーターボートは転覆した。全員がかすり傷を負った。その後、残骸が降り注ぐ混乱の中で、ペインターとコーラルが全員を安全なモーターボートの下へと導いたのだった。モーターボートは捜索の目をごまかす隠れ場所の役割も果たしてくれた。

コーラルがペインターの耳元にささやいた。「彼女、後始末の部隊を送り込んだんですか？」

ペインターはうなずいた。「この嵐で捜索を早めに切り上げてくれることを祈るしかないな」

エンジン音が接近してくる。モーターボートとその下に隠れた人間が波とともに上下する中、音は大きくなったり小さくなったりを繰り返している。そのエンジン音が不意に鋭くなった。ジェットスキーが針路を変え、モーターボートが浮かんでいる波の谷へと入ってきたに違いない。

嫌な予感がする。

「みんな、水に潜れ！」ペインターは警告を発した。「そのまま三十数えろ！」

ペインターは全員が指示に従うまで待った。最後にコーラルが姿を消した。ペインターは大きく息を吸い、そして――

モーターボートのアルミニウム製の船体に次々と銃弾が撃ち込まれた。耳をつんざくような音が響く。トタン屋根にゴルフボール大の雹が当たっているかのような音だ。だが、もちろん雹ではない。至近距離からの銃撃のため、数発の銃弾はモーターボートの二重船側を貫通した。

ペインターは水中に潜った。流れ弾が二発、水中を通過していく。ペインターはほかの人たちがモーターボートの下に潜っているのを確認した。両腕を上に伸ばし、手をしっかりと握っている。ペインターは銃弾のスピードがモーターボートの二重船側と海面に当たった衝撃で鈍ってくれることを祈った。

一発の銃弾の軌跡がペインターの肩先をかすめていく。

息を潜めたまま集中砲火がやむまで待ち、それから上昇する。ジェットスキーのエンジン音はまだ近い。アルミの船体に雷鳴が反響し、鐘を鳴らしたかのように響く。

オマハがすぐそばに顔を出し、続いてほかのメンバーも息が続かなくなったために上がってきた。口を開く者はいない。全員が近くから聞こえるエンジン音に耳を傾けている。必要ならいつでも再び潜水する用意がある。

ジェットスキーがエンジン音とともに近づき、ボートの側面にぶつかった。

〈もし、やつらが船をひっくり返そうとしたら……手榴弾を使って……〉

大きなうねりでボートが隠れた人間もろとも持ち上がった。ジェットスキーがさらに激しくぶつかる。ジェットスキーも嵐の波にもまれているのだろう。外で大きな罵声が聞こえた。エンジン音が高くなり、遠ざかり始めた。

「あのジェットスキーを乗っ取れるじゃないか」オマハが鼻と鼻がくっつきそうな距離でペイ

ンターにささやいた。「俺たち二人で行くんだ。拳銃だって二挺ある」

　ペインターは顔をしかめた。「それで、それからどうするんだ？　一台いなくなったことに相手が気づかないと思うか？　どこかに母船が待機している。おそらく速い船だ。一瞬でやってくるぞ」

「そうじゃない」オマハは食い下がった。「俺は逃げようと言っているわけじゃない。そいつが元いたところに戻るって話だ。一味のふりをしてな。そうやってサフィアを助けるんだ」

　ペインターはオマハが根性の座った男だと認めざるをえなかった。だが、残念なことに頭脳が伴っていない。「あいつらは素人じゃない」ペインターはすぐに反論した。「無鉄砲に突っ込んでも意味はない。向こうが圧倒的に有利だ」

「確率なんかくそ食らえだ。サフィアの命がかかっているんだぞ」

　ペインターは首を横に振った。「母船から百メートル以内に近づかないうちに、見つかって撃たれるぞ」

　オマハは引き下がらない。「おまえが行かないなら、弟を連れていく」

　ペインターが腕をつかもうとすると、オマハはそれを払いのけた。

「俺はサフィアを見捨てない」オマハは背を向けて、ダニーの方へと泳いでいった。

　ペインターは相手の声から苦痛を感じ取った。同時に激しい怒りも。それはこっちも同じだ。サフィアが拉致されたのは自分の落ち度であり、自分の責任だ。ここから飛び出し、すべてを賭けて突撃したい気持ちがないわけではない。

しかし、それは無駄な行為だ。よくわかっている。

オマハが拳銃を抜いた。

ペインターにはオマハを止められない——だが、止めることのできる人間を知っている。ペインターは振り向き、別の人間の腕を取った。「彼女は大切な人だ」ペインターはきっぱりと言い切った。

キャラは腕をふりほどこうとしたが、ペインターはしっかりとつかんだまま離さない。「何の話よ？」

「さっきの質問……君の船室での質問への答え。サフィアは大切な人だ」言葉にして認めるのはつらかったが、真実を認めるよりほかにない。彼女を大切に思っている気持ちに間違いはない。愛とは言えないかもしれない……今はまだ言えない……だが、その思いがどこへ行き着くのかを見守りたい気持ちはある。キャラが絶句したのと同じくらい、ペインターは自分でも驚いていた。

「本当だ」ペインターは続けた。「彼女は絶対に取り返す——だが、このやり方ではだめだ」ペインターはオマハの方を顎でしゃくった。「彼のやり方ではだめだ。逆に彼女を殺されるのがおちだ。彼女は今のところ安全だ。我々よりも安全なくらいだ。彼女のためにも、我々は生き延びないといけない。全員がだ。彼女を本当に救出するための可能性に賭けるのならば」

キャラはじっと耳を傾けていた。優秀な企業経営者として、決断には手間取らない。キャラは素早くオマハの方を向いた。「その銃を下ろしなさい、インディ」

アルミニウム製の船体の向こうで、獲物を探すジェットスキーのエンジン音が突然大きくなり、ドップラー効果で徐々に低くなっていく。ジェットスキーが遠ざかっている。

オマハは音の方に視線を向けた――やがて悪態をつきながら、拳銃を戻した。

「彼女は必ず見つける」ペインターは言ったが、相手の耳に届いているかは疑わしい。聞こえない方がいいのかもしれない。自信たっぷりに宣言してみたものの、その約束を守れるかどうかはわからない。ペインターはまだ襲撃の結果に、敗北に動揺していた。最初からカサンドラは自分より一歩先を行っている。

まず、頭を整理する必要がある。

「見張りを続ける。やつらが去ったことを確認してくる」

ペインターは再び水中に潜り、足を蹴ってモーターボートの下から離れた。カサンドラはこちらの動きを的確に予測している。なぜそんなことができるのか？　ペインターの心に疑念が生まれた。内部に裏切り者がいるのだろうか？

午前二時四十五分

オマハはモーターボートの船べりにつかまり、波とともに上下に揺れていた。暗闇でただ待っているのが耐えられない。ほかのメンバーの息づかいだけが聞こえる。誰もしゃべらない。それぞれが自分の悩みに集中している。

モーターボートが新たな波とともに持ち上がり、オマハはアルミニウムの船べりを握り締めた指に力を込めた。全員が一緒に引き上げられる。

いや、一人だけ欠けている。サフィアがいない。

なぜペインターの言うことを聞いてしまったのか？　ジェットスキーの奪取を試みるべきだった。ほかの連中がどう考えようが関係ない。喉にこみ上げてくるものがあり、息が詰まる。そのままにしておくと泣き出してしまうかもしれない。悲鳴をあげてしまうかもしれない。オマハはこみ上げてくる何かを抑えつけた。真っ暗な中、深い海の底から過去がよみがえってくる。

自分はかつて、サフィアから逃げたのだ。

テルアビブでの事件の後、サフィアの中で何かが失われてしまい、それとともにすべての愛情も消えてしまった。サフィアはロンドンから外に出ようとしなくなった。オマハはそばに付き添っていてやろうとしたが、彼の仕事は、彼の情熱はそれを許さない。会いに戻るたび、サフィアの中から新たに何かが消えていた。サフィアの心は徐々に蝕《むしば》まれていった。そのうちにオマハは、世界の果てからロンドンに帰ることを恐れるようになった。閉じ込められてしまうように感じたからだ。オマハがロンドンを訪れる回数は次第に少なくなった。サフィアはそれに気づかなかったのか、それとも気づいても何も言わなかったのか。オマハにはそれがいちばんつらかった。

終わりを迎えたのはいつだったのか？　愛が塵と砂に変わったのはいつだったのだろうか？　はっきりとはわからない。オマハが敗北を認め、祖母譲りの婚約指輪を返してくれと頼んだ時より、かなり前のことだったのは確かだ。あれは長い冷ややかな夕食の席でのことだった。二人とも話をしなかった。二人とも知っていた。あの時の沈黙は、彼が試みた拙劣な説明よりもずっと雄弁だった。

サフィアはただうなずき、指輪を外した。指輪は簡単に外れた。サフィアは指輪をオマハの手のひらに置き、彼の目をのぞき込んだ。サフィアの目に悲しみはなかった。安堵感だけがあった。

あの時、オマハはサフィアを捨てたのだ。

ペインターが水面に顔を出し、ほかのメンバーが反応した。ペインターはみんなの間に浮き上がると、大きく息を吐いた。「もう大丈夫だと思う。この十分近く、ジェットスキーはどこにも見当たらない」

全員が口々に安心した声を漏らした。

「海岸を目指そう。ここではあまりにも無防備だ」

暗闇の中で、オマハはペインターにかすかなブルックリン訛りがあるのを聞き取った。今までまったく気づかなかった。それが今では耳について仕方がない。ペインターの指示はまるで命令を下しているかのように響く。軍隊の経験があるのか？　部隊を率いていたことがあるのか？

「ボートの両側のオール受けに、オールが二本収納されている。それを使ってモーターボートをひっくり返すんだ」ペインターはみんなの中を移動しながら、オールの外し方の手本を見せている。

オマハの手にオールが一本渡された。

「二手に分かれる必要がある。一方のグループは左舷側に上から体重をかける。もう一方はオールで右舷側を突き上げるんだ。そうすれば回転させられるだろう。ただし、その前に船外機を取り外さないといけない。銃撃されて油が漏れている」

さらに細かく打ち合わせをしてから、全員がモーターボートの下から外へと出た。

暗い空から雨が落ちてくる。風は時折強風が吹きつける程度にまで弱まっていた。ずっとモーターボートの下に隠れていた後なので、夜の海でも十分に明るく感じる。稲妻が雲の間を走り、海上を部分的に照らす。まだいくつかの炎が水面で燃えていた。シャバブ・オマーンの姿はどこにも見えない。

オマハは体を回転させながら周囲を見回した。ペインターはモーターボートの船尾にいて、エンジンを外そうと格闘している。オマハは手を貸そうかとも思ったが、そのまま止め具に手を焼いている姿を眺めていた。

何度か引っ張るうちに、ペインターはようやくエンジンを外した。エンジンが海中へと沈んでいく。ペインターの目がオマハをとらえた。「さあ、このお船をひっくり返そうぜ」

作業はペインターが説明したように簡単にはいかなかった。四回失敗した後、左舷側で体重をかける人数を増やそうということになった。オールを持ったペインターとオマハだけが、右舷側を下から突き上げる。さらに波のうねりともタイミングを合わせた。ようやくモーターボートは回転して上向きになった。しかし、船底から半分ほどの深さまで水につかっている。

全員が船によじ登り、水をかき出した。オマハはオールを船べりに取り付けた。

「まだ水が入ってきているわ」キャラが言った。全員の体重がかかると、船底の水かさが再び増している。

「銃弾で穴が開いたんだよ」手で船底を探りながらダニーがつぶやいた。

「水をかき出し続けろ」ペインターはまたしても命令口調で指示した。「漕ぐのと水をかき出すのを交代でやろう。海岸までかなり距離があるぞ」

「気をつけた方がいい」アル＝ハフィ大尉が応じた。上半身裸だが、堂々としている。「このあたりの海流は厄介だ。暗礁や岩に注意しないといけない」

ペインターはうなずくと、コーラルに向かって船首へと移動するように手で合図した。

オマハはしばらく燃える漂流物を眺めてから、反対側へと目を向けた。海岸線は低く垂れ込めた暗い雲と比べてやや濃い色のあたりだろうか。稲妻が走って初めて、海岸までの距離がわかる。

ペインターもボートの周囲に目を配っていた。だが、彼が気にしているのはサメや海岸線ではなさそうだ。きつく結んだ唇を見ればわかる。この海のどこかに、サフィアをさらった危険な男たちが潜んでいる。しかし、こいつは彼女の身を案じているのだろうか、それとも自分の心配をしているのだろうか？

ペインターの発した言葉がオマハの脳裏によみがえる。

〈サフィアは大切な人だ〉

オマハの胸に怒りが湧き上がり、濡れた冷たい服の内側で熱く燃える。こいつは嘘をついているのか？　オマハは両手でしっかりとオールを握り締め、姿勢を正した。オールを漕ぎ始めたオマハを、船尾にいるペインターが見つめていた。冷たい目が、暗視スコープを通して食い入るように見つめている。この男の正体を誰も知らない。説明してもらわないといけないことが山ほどある。

長い間歯を食いしばり続けたせいで、オマハの顎の筋肉が痛み始めた。

〈サフィアは大切な人だ〉

オールを漕ぎながら、オマハは自分がどっちに腹を立てているのかわからなくなっていた。この男は嘘をついているのか……それとも本当のことを言っているのか？

午前三時四十七分

一時間後、ペインターは引き綱を肩に乗せて引っ張りながら、腰まで水につかって歩いていた。目の前には岩肌の崩れた岸壁に囲まれて、銀色の砂浜がある。それ以外の海岸線は真っ暗で、はるか北の方角にかすかな光が数個見えるだけだ。小さな村があるのだろう。この近辺にはまったく人気《ひとけ》がない。それでも、ペインターは油断なく目を配った。暗視スコープはモーターボートの上で見張っているコーラルに渡してある。

前進するにつれて、岩だらけの砂地に靴が深くはまる。太腿が張って燃えるように熱い。ついさっきまでオールを漕いでいたため、肩も痛む。打ち寄せる波が目の前に見える海岸へと進むのを助けてくれる。

あともう少し……

少なくとも、雨はやんでくれた。

ペインターは肩を使って綱を引っ張りながら、ボートをしっかりとした足場の方へと引き上げた。背後ではダニーがオールを使って、ペインターの指示に従いながら岩を避けている。ようやく前方に砂浜が開けてきた。もう障害物はない。

「思いっ切り漕げ！」ペインターはダニーに向かって呼びかけた。

ダニーがそれに従うと、綱が緩む。オールの動きに合わせて、モーターボートが勢いよく前に進んだ。水深はもう膝くらいまでしかないが、ボートの起こした波に足を取られそうになる。ペインターは足を引きずりながら前へと、あるいは横へと進んだ。

モーターボートが最後の波に乗り、ペインターの右側を通り過ぎた。ぶつからないようにあわててよける。「ごめん！」オールを引きながらダニーが声をかけた。

アルミニウムのこすれる音とともに、ボートの船首部分が砂にめり込む。波が引くと、ボートは波打ち際に取り残された。

ペインターは手を使って前へと進み、何とか立ち上がった。

八人の男女がモーターボートから外に出てくる。コーラルがキャラに手を貸している間に、ダニーとオマハとクレイは転がり落ちるようにボートから砂浜へと降りた。三人の砂漠のファントムたち——アル＝ハフィ大尉と二人の部下だけが、二本の足でしっかりと立ち、海岸の様子をうかがっている。

ペインターは重い足取りで、打ち寄せる波からさらに離れた。ずぶ濡れで、手足が鉛のように感じる。ようやく波の届かない砂浜まで達した。息を切らしたまま、海の方を振り返ってほかのメンバーの状態を確認する。ボートは隠さなければならないだろう。どこかに引っ張っていくか、あるいは沈めてしまうか。

背後から影が近づく。その影が拳を振り上げていることまでは気づかなかった。拳が顔面をとらえる。体力の限界に達していたペインターは、そのままあっさりと尻もちをついた。

「インディ！」キャラが叫んでいる。

殴った男の顔が見えた。オマハがこちらを見下ろして立っている。

「いったい何を――」ペインターが言い終わらないうちに、オマハは飛びかかってきた。ペインターを砂の上へと押し倒し、片手で喉元を押さえながら、もう片方の手で二発目のパンチを繰り出す。

「てめえ、この野郎！」

その拳が当たる前に、二本の手が伸びてきてオマハの肩とシャツをつかんだ。オマハの体が後方へと引きずられる。オマハは体をよじりながらもがいたが、コーラルは襟首をつかんで離さない。かなりの力だ。首回りのコットンの裂ける音がする。

ペインターはその隙に後ろへと下がった。一発目のパンチを食らった左目から涙が出る。

「離せ！」オマハは吠えている。

コーラルが彼の体を砂の上に転がした。

キャラがオマハのもとへと近づいた。「インディ！　いったい何をしているのよ？」

オマハは真っ赤な顔で座り直した。「この野郎は俺たちに何かを隠している」そう言いながら、親指を立ててコーラルの方に向ける。「こいつと、パートナーのこのアマゾネスだ」

オマハの弟も彼を鎮めようとする側に回った。「オマハ、今はそんなこと言ってる場合じゃ——」

オマハは両膝をつき、ぜいぜい息をしながら唾を飛ばした。「今こそがその場合なんだよ！俺たちはここまでこいつに従ってきた。答えを聞くまではもう一歩も進まないぞ」オマハはよろけながら立ち上がった。

ペインターもコーラルの手を借りて立ち上がる。

ほかの全員がペインターたちを見ていた。両者の間の砂の上に、はっきりと線が引かれたかのようだ。

キャラはその真ん中に立って、それぞれの一団を見比べている。やがて片手を上げた。どちらの側につくか決めたようだ。ペインターへと顔を向ける。「計画があると言っていたわね。そこから始めましょうか」

ペインターは大きく息を吸ってからうなずいた。「サラーラだ。やつらがサフィアを連れていったのはそこだ。我々も後を追わないといけない」

オマハが声を張り上げた。「どうしてそんなことがわかる？　なぜそこまで断言できるんだ？　どこに連れていったとしても不思議じゃない……身代金目当てか、遺物を売り飛ばすか。

どこに行ったかなんて、誰がわかるんだ？」

「私にはわかる」ペインターは冷静に応じた。しばらく沈黙が広がるのを待ってから、先を続ける。「我々を攻撃してきたのはそこらの盗賊団じゃない。襲撃の目的は非常にはっきりしている。やつらは忍び込んできて、サフィアと鉄の心臓を奪い去った。自分たちが探し求めているものと、それについていちばん詳しい人物が誰なのかを知っていたんだ」

「なぜだ？」叫ぼうとするオマハを手で遮り、キャラは訊ねた。「彼らの狙いは何？」

ペインターは一歩前に踏み出した。「我々が狙っているものと同じだ。失われた都市ウバールの場所を突き止める鍵となるものだ」

オマハは小声で何ごとか罵った。ほかの人たちはじっと見ているだけだ。

キャラは首を横に振った。「私の質問に答えていないわよ」キャラの口調が険しくなる。「彼らの狙いは何？　ウバールを見つけて何が得られるというの？」

ペインターは唇をなめた。

「そんなのは全部嘘っぱちだ！」オマハは怒鳴り、キャラを押しのけると勢いよく向かってきた。

ペインターはその場から動かず、コーラルには「待て」と手で合図した。もうパンチを食らうのはごめんだ。

オマハは腕を上げた。金属が鈍く光る。銃口がペインターの頭に向けられた。「もう十分に引っ張っただろう。この人の質問に答えろ。いったい何がどうなっているんだ?」

「オマハ」キャラはたしなめたが、その声にはあまり力がない。

コーラルがそっと移動してオマハの側面に回った。ペインターはもう一度、待つように合図した。

オマハは拳銃をペインターの頭に押しつけた。「答えろってんだよ! これはいったい何のゲームだ? おまえは誰のために働いているんだ?」

こうなったら白状するしかない。このグループの協力が必要だ。カサンドラを止め、サフィアを救い出す望みが少しでもあるのなら、この人たちの助けが必要になる。コーラルと二人だけでは無理だ。

「私はアメリカ国防総省の人間だ」ペインターは認めた。「その中のDARPA、国防高等研究計画局に所属している」

オマハは首を左右に振った。「そいつはすげえな。軍人か? 今回の件が軍と何の関係があるって言うんだ? こっちは考古学の調査隊なんだぞ」

ペインターより先にキャラが答えた。「博物館の爆発ね」

オマハがちらっと彼女を見たが、すぐにペインターへと視線を戻した。

ペインターはうなずいた。「その通りだ。あれは普通の爆発ではない。残留放射線が驚くべき可能性を示唆している」全員の目がペインターに向けられていた。コーラルだけが、オマハとその銃に全神経を集中している。「爆発した隕石は、ある形態の反物質を含んでいた可能性が高い」

我慢し切れなくなったのか、オマハは嘲笑うかのような大声でわめいた。「反物質だと？　いい加減なことを言うな！　俺たちのことを何だと思っているんだ？」

オマハの横にいたコーラルが、淡々とした口調で応じた。「ドクター・ダン、彼の話は本当です。爆発現場を調査したところ、Ｚボソンとグルーオンが検知されました。物質と反物質とが反応したために生じた減衰素粒子です」

オマハは顔をしかめた。やや確信が持てなくなっている。

「荒唐無稽な話に聞こえるとは思う」ペインターは言った。「この銃を下ろしてくれたら、説明しよう」

オマハは逆に銃口をぴたりとくっつけた。「こうするまでしゃべらなかったじゃないか」

ペインターはため息をついた。それなら仕方がない。「まあ、好きにするといい」

銃を顔に突きつけられたまま、ペインターは手短に概略を説明した。一九〇八年にロシアのツングースカで起こった爆発、特有のガンマ線がツングースカと大英博物館で発見されたこと、爆発のプラズマ特性、オマーンの砂漠のどこかに反物質の源が存在することを示唆する証拠があること、それが未知の方法で安定した状態のまま保存されており、物質にさらされても反応を示さないこと。

「しかし今、それが不安定になりつつあるらしい。博物館で隕石が爆発した理由も、そのことと関係しているようだ。同じことがここでも起こりうる。事態は一刻を争う。今がこの無尽蔵の力を発見して保存する唯一のチャンスかもしれない」ペインターは締めくくった。

キャラが眉をひそめた。「それで、アメリカ政府はそんな無限のエネルギー源をどうするつもりなの?」

ペインターは彼女の目に疑いの色を読み取った。「とりあえず確保する。それが現時点での最優先の目的だ。その力を悪用しようとする者から守ること。もしこの力が間違った手に落ちれば……」

ペインターの言葉が途切れると、沈黙が支配した。今や世界を分断するのは国境ではなくイデオロギーであることは、ここにいる全員が承知している。正式に宣戦布告がなされたわけではないが、新たな世界大戦はすでに始まっている。基本的な良識や人権の尊重が、不寛容と独裁と盲目的な熱狂の勢力から攻撃を受けているのだ。ニューヨークやイラクなど、人目につく戦いもないわけではないが、さらに大きな闘争は目に見えないところで、秘密裏に行なわれている。無名の英雄と深く潜行した悪役との間で、争いが繰り広げられている。

ここに集まった人たちは、好むと好まざるとにかかわらず、その戦争に巻き込まれてしまったのだ。

キャラがようやく口を開いた。「この相手のグループのことだけど、サフィアをさらった人たちは、博物館に押し入ったのと同じなのね」

　ペインターはうなずいた。「そう考えて間違いないだろう」

「誰なんだよ」オマハはまだ拳銃を突きつけたままだ。

「わからない……はっきりとは」

「ふざけんな！」

　ペインターは片手を上げた。「確実にわかっているのは、そのグループのリーダーだけだ。かつての私のパートナーで、ＤＡＲＰＡに潜入した二重スパイだ」疲労のあまり、怒りを隠すこともできない。「名前はカサンドラ・サンチェス。誰のために動いているのかは判明していない。外国勢力か、テロリストか、ブラックマーケットの組織か。現時点でわかっているのは、彼らは資金が潤沢で、統制が取れていて、冷血な手法を選ぶということだけだ」

　オマハは鼻で笑った。「それに対して、おまえとパートナーは温かくて人当たりのいいタイプだとでも言いたいのか？」

「我々は罪のない人を殺さない」

「いや、おまえらの方が性質《たち》が悪い！」オマハは吐き捨てた。「人に汚い仕事をやらせやがって。俺たちみんなが、こんなごたごたの中に首を突っ込むことになりそうだとわかっていたくせに、黙っていたんだろう。あらかじめ知っていたら、もっと備えることができたかもしれない。サフィアが拉致されるのを防げたかもしれないじゃないか」

ペインターは反駁できなかった。この男の言う通りだ。自分が迂闊《うかつ》だったために、作戦を、全員の命を危険にさらしてしまったのだ。

罪悪感に苛まれるあまり、ペインターの反応が遅れた。オマハが飛びかかり、拳銃の銃身をペインターの額に押しつける。ペインターは後ろに一歩よろけた。「このクズ野郎が……みんなおまえのせいなんだよ！」

ペインターはオマハの声から苦悩と煩悶《はんもん》を感じ取っていた。この男を言葉で納得させるのは無理だ。胸にふつふつと怒りが湧き上がってくる。寒いし、体は痛むし、顔の前で銃を振り回されるのもうんざりだ。このままだとオマハを始末する必要に迫られるかもしれない。

コーラルは身動き一つせずに待機している。

その時、思いがけないところから助けが現れた。

突然、海岸を走る蹄の音が大きく鳴り響いた。全員が音の聞こえた方に目を向ける。オマハでさえもペインターから視線をそらした。オマハは後ずさりし、ようやく銃を下ろした。

「こいつはいったい……」オマハはつぶやいた。

砂浜の向こうに信じられない光景が見えた。白い牡馬がたてがみをなびかせ、砂にくっきりと蹄の跡をつけながら駆けてくる。シャバブ・オマーンに乗っていた馬だ。

人間たちの言い争う声に引き寄せられているのか、馬は砂の上を真っ直ぐこちらに向かってくる。船が爆破された後、岸まで泳ぎ着いたに違いない。冷たい夜の空気に白い息を吐きながら、馬は火照った体を数メートル手前で停止させ、何度か首を振った。

「逃げられたなんて信じられないな」オマハは言った。

「馬は泳ぎが上手なのよ」キャラは叱りつけるような口調で応じたが、その声からは畏敬の念がうかがえる。

砂漠のファントムの一人がゆっくりと馬に近づき、手のひらを差し出すと、アラビア語で何かをささやいた。馬はぶるっと体を震わせたが、人がそばに近寄るのを拒もうとはしない。疲れ切って怯えた馬は、安心を求めている。

突然馬が姿を現したことで、緊張の糸が切れてしまった。オマハは手にした銃を見下ろした。なぜこんなものを握っているのか、合点がいかないというような表情を浮かべている。

キャラが一歩踏み出してペインターに向き合った。「もう言い争いはやめにしましょう。責任のなすり合いも。みんながそれぞれ、ここまでやってきた理由があるのよ。裏の目的がね」そう言いながらキャラはオマハの顔を見たが、彼は視線を合わせようとしない。ペインターにもこの男の目的は想像がついた。サフィアを見る目からも、ついさっきまでの激しい怒りからも明らかだ。この男は彼女をまだ愛している。

キャラは話を続けた。「ここからは、サフィアを助けるために何ができるかを考えないといけないわ。それが最優先よ」キャラはペインターの方を向いた。「どうするつもり?」

ペインターはうなずいた。顔を動かすと左目がまだ痛む。「相手は我々が死んだと思っている。そのことを最大限に活用するべきだと思う。それに向こうがどこを目指しているのかもわかっている。我々もできるだけ早くサラーラに行かなければならない。つまり、五百キロ近くを移動することになるが」

キャラは遠くに見える村の明かりを眺めた。「電話のあるところまで行けたら、きっとスルタンから――」

「だめだ」ペインターはすぐに遮った。「我々が生きているという事実を誰にも知られてはならない。オマーン政府にさえもだ。我々がまだ生きているという知らせが、たった一言でもどこかに伝わったら、こちらのささやかな利点が危険にさらされる。カサンドラのグループは奇襲攻撃でサフィアの誘拐を成功させた。こちらも同じやり方で彼女を奪い返す」

「でも、スルタンが協力してくれたら、サラーラを封鎖して捜索することも可能よ」

「カサンドラのグループは不思議なまでに情報に通じている。投入している人員と武器もかなりの規模だ。政府の支援なしに行なっているとは考えられない」

「だから、もし俺たちが姿を現せば、その情報も誘拐犯に伝わっちまうというわけか」オマハがつぶやいた。彼は拳銃をベルトに戻し、両手の関節をこすり合わせている。怒りを爆発させたことで、冷静さを取り戻したようだ。「相手はこちらが行動を起こす前に姿をくらましてしまうだろう。サフィアも取り戻せない」

「そういうことだ」

「じゃあ、どうするのよ？」キャラは訊ねた。

「まず、移動手段を見つける」

アル＝ハフィ大尉が前に進み出た。自国の政府をだまし、情報を伝えずにおくことに対してこの男がどう思ったかは定かではない。しかし、いったん任務に就けば、砂漠のファントムは自分たちの判断で行動する。大尉はペインターに向かってうなずいた。「私の部下を一人、村に派遣しよう。それならば怪しまれない」

大尉はペインターの表情に浮かんだ疑問に気づいたのだろう。なぜこうも積極的にチームを助けてくれるのだろうか？「やつらは部下の一人を殺した。カリール。私の妻の従兄弟だ」

ペインターは同情をこめてうなずいた。「アラーの神が彼を天国に召されますように」同じ部族と身内に対するより強い忠誠心はない。

感謝の軽い会釈をしてから、アル＝ハフィ大尉は二人の部下のうちの背の高い方に手で合図を送った。バラクという名前の大男だ。二人は早口のアラビア語で話をしていたが、バラクはうなずくと歩き始めた。

キャラが彼を呼び止めた。「お金もないのに、どうやってトラックを調達するの？」

バラクは英語で答えた。「アラーは自ら助くる者を助く」

「つまり、盗むってこと？」

「借りるのです。砂漠の部族の間での伝統です。必要なものなら、借りていい。盗むのは犯罪です」

この英知の言葉を残して、バラクは遠くの明かりを目指してしっかりとした足取りで走り出し、夜の闇の中にさながら本当の幻影《ファントム》のように消えうせた。

「バラクなら任務を遂行してくれます」アル＝ハフィ大尉は請け合った。「我々全員……それと馬を運べる車を見つけてくれるでしょう」

ペインターは岩がちの海岸を振り返った。残る一人のファントムは寡黙な若者で、名前はシャリフ。牡馬に綱をつけて引いている。

「なぜ馬を連れていくんだ？」ペインターは訊ねた。あまり大きな車だと目立つおそれがある。

「ここには馬の食べる草もあるし、誰かに見つけてもらえるだろう」

アル＝ハフィ大尉がその疑問に答えた。「我々には金がない。馬は物と交換できるかもしれないし、売れるかもしれない。移動手段として使うこともできる。それにサラーラへと向かうための名目にもなる。あの辺の牧場は有名だ。この馬を連れていく方が、怪しまれずにすむと思う。それからもう一つ、白は幸運の色だから」最後の一言を話す大尉の口調は真剣そのものだった。アラビアの人々にとって、幸運は自分の家と同じくらい重要なものなのだ。

一行は簡単な野営の準備をした。オマハとペインターがモーターボートを浜辺へと引き上げ、岩場の陰に隠す間、ほかのメンバーは崩れた崖に守られて風の当たらない場所を選び、流木で火を起こした。隠れた場所ならば小さな焚《た》き火は見つかりにくいし、全員が暖かさと明かりを欲していた。

四十分後、ギアのきしる音が移動手段の到着を告げた。海岸沿いの道をヘッドライトが近づいてくる。フラットベッドトラックが停車した。古いインターナショナル４９００。黄色い車体は錆だらけだ。荷台には木の柵が巡らしてあり、後部はドロップゲート式になっている。

バラクがトラックから飛び降りた。

「借り物を見つけたようね」キャラが言った。

バラクはただ肩をすくめた。

一行は焚き火を消した。バラクは衣やマントなどの衣服もどこからか調達してきた。全員が手早く着替え、欧米風の服装を隠す。

準備ができると、万が一トラックを停止させられた場合に備え、アル＝ハフィ大尉と部下が運転席に乗り込んだ。残りのメンバーは荷台によじ登った。馬には目隠しをして、ドロップゲートから荷台へと乗せる。馬を運転席に近いところにつなぎ、ペインターたちは荷台の後部に固まって座った。

トラックが揺れながら海岸沿いの道を進む間、ペインターは牡馬を眺めていた。白は幸運の色。ペインターはそうであってほしいと願った……この先は幸運を大いに頼らなければいけなくなる。

第三部　二つの霊廟

11　孤立無援

十二月三日午後零時二十二分
サラーラ

サフィアは独房で目を覚ました。意識が朦朧とし、吐き気がする。頭を動かすと暗い部屋がぐるぐると回転する。体の芯からうめき声が上昇してくる。鉄格子付きの高い窓から目に突き刺さるような光線が入ってくる。まぶしすぎる。焦げそうに熱い。

大きな波のようなむかつきが押し寄せる。

体を横向きにして、肩で支えられないほど重く感じる頭を無理に動かし、簡易ベッドの縁から外に出す。胃がぎゅっと収縮し、さらにもう一度収縮する。何も出てこない。しかし、再び仰向けに倒れ込むと、口の中に胆汁の味がした。

深呼吸を繰り返すうちに、壁の回転がゆっくりと治まってきた。

体中に汗をかき、薄いコットンのシフトドレスが両脚や胸にはりついていることに気づく。息が詰まるような暑さだ。からからに乾いた唇がひび割れているかのように感じる。どのくらいの間、薬が効いていたのだろう？　注射器を持った男を見たのは覚えている。冷たく、長身で、黒服の男。船の上でその男に強制され、濡れた服からカーキ色のシフトドレスに着替えたのだ。

サフィアは注意深くあたりを見回した。石の壁に、板張りの床の部屋。炒めたタマネギと汚れた足のにおいがする。簡易ベッドが唯一の家具だ。頑丈な造りのオーク材の扉は閉まっている。当然、鍵がかかっているだろう。

サフィアは数分間、そのままじっとしていた。考えが定まらない。注射された薬物の影響で頭が鈍っている。けれども、体の奥深くでパニックが心を締めつけていた。敵につかまったのは自分一人だけ。ほかの人たちは死んでしまった。嵐が吹き荒れた夜中の海に、赤々と反射していた炎が頭に浮かぶ。その記憶が、暗闇で光るカメラのフラッシュのようにサフィアの目に焼きついた。何もかもが赤く、苦しく、その明るさは目を閉じても消えない。呼吸が苦しくなり、喉が詰まる。泣きたいのに泣けない。いったん泣き出したら、もう止めることができないだろう。

サフィアはようやくベッドの上で体を起こし、腰掛けたまま足を床につけた。何かをしようと決意したわけではなく、尿意に促されただけだ。生物学的な欲求、生きている証拠だ。立ち上がったがよろけ、手を壁についた。石の冷たさが心地よい。

サフィアは鉄格子のはめられた窓を見上げた。この暑さと太陽の角度からして、真昼に近い時間のはずだ。でも、いつの真昼だろう？　ここはどこだろう？　海と砂のにおいがする。まだアラビアにいるのは間違いない。サフィアは部屋を横切った。膀胱《ぼうこう》の圧迫感が強まっている。

よろめきながら扉に近づくと、サフィアは片腕を上げた。また薬を盛られるだけだろうか？　左腕の肘の内側の少し上、注射針を刺されてできた紫色のあざに指を触れてみる。でも、選択の余地はない。欲求が警戒を上回る。サフィアは扉を強く叩きながらかすれた声で叫んだ。

「すいません！　誰かいませんか？」アラビア語でも同じ内容を繰り返す。

答えはない。

さらに強く叩くと、拳がひりひり痛み、肩甲骨の間にまで痛みが走った。力が入らない。脱水症状だ。ここに放置したまま死なせるつもりだろうか？

ようやく足音が聞こえてきた。重い棒と木のこすれる音がする。扉が開く。前に見たのと同じ男の顔だ。サフィアより二十センチ近く背が高く、黒いシャツに着古して色あせたジーンズを履いた男が見下ろしている。男の髪の毛が剃られているのを見て、サフィアは驚いた。それは記憶にない。いや、あの時は黒い帽子をかぶっていたのだ。頭部にはえている毛髪は、黒々とした眉毛と、顎に残った短いひげだけだ。だが、この目つきは忘れることができない。青く、冷たく、考えが読めず、感情が宿っていない。サメの目だ。

その男の視線にサフィアは震えた。室内から急に暑さが消えたように感じる。

「起きたか」男は口を開いた。「一緒に来い」

オーストラリア訛りがあるが、故国を離れて長いためかそれほど目立たない。「あの……トイレに行きたいんです」

男は顔をしかめ、そのまま先に進んだ。「ついてこい」

廊下の小さなバスルームへと案内された。しゃがむタイプのトイレとカーテンのないシャワーに、小さな汚い洗面台があり、蛇口からは水が垂れている。サフィアは中に入り、扉に手をかけた。一人にしてもらえるのだろうか。

「早くすませろ」男は言うと、扉を引いてしっかりと閉めた。

一人きりになると、サフィアは部屋に武器になりそうなものはないか、脱出方法はないかと探した。たった一つの窓にはここも鉄格子がはめられている。だが、この窓からは外を見ることができる。窓に駆け寄ると、海沿いに開けた小さな町が眼下に見えた。ヤシの木と白い建物が、窓と海との間に広がっている。左手に見える色とりどりの防水布や日よけは市場だ。市街地の先の遠くに見える緑の広がりは、バナナ、ココナッツ、サトウキビ、パパイヤなどのプランテーションだろう。

サフィアはこの場所を知っていた。

オマーンの庭園都市。

サラーラだ。

ドファール特別行政区の中心都市で、シャバブ・オマーンが向かうはずだった場所。豊饒《ほうじょう》な土地は緑が豊かで、滝や川が牧草地に水を供給する。オマーンではこのあたりだけがモンスーン気候の風に恵まれ、定期的に小雨が降るなど一定の雨量があり、街の近くにある海岸沿いの山々は毎日のように霧で覆われる。ペルシア湾からアラビア半島にかけてこのような気候はほかに例がなく、そのため希少な乳香の採れる樹木が育ち、古代の巨万の富の源泉となった。その富をもとに、サムハラムやアルバリード、そして失われた都市ウバールなど伝説的な都市が建設されたのだ。

誘拐犯たちはなぜ自分をここに連れてきたのだろうか？

サフィアはトイレに戻ると、急いで用を足した。手を洗い、鏡に映った顔を見る。まるで自分の抜け殻のように、やつれ、こわばり、うつろな目をしている。

それでも、まだ生きている。

扉をノックする音が聞こえた。「もう終わったんじゃないのか？」

ほかにどうすることもできず、サフィアは入口へと戻って扉を開けた。

男はうなずいた。「こっちだ」

男は大股で歩いていく。こちらを振り返りもしない。この場を掌握している自信があるのだろう。サフィアは男の後を追った。選択の余地がないことはわかっているが、絶望に打ちひしがれた足取りは重い。短い階段を下り、別の廊下に出た。ライフルを携帯した冷酷そうな目つきの男たちが何人もいて、扉の奥でくつろいでいる者もいれば、見張りに就いている者もいる。

二人はようやく高い扉の前に着いた。

男はノックし、扉を押し開けた。

質素な部屋だった。すり切れた絨毯《じゅうたん》は日にさらされて色あせ、ソファーが一つとしっかりした木の椅子が二脚ある。二台のファンが回り、空気を攪拌《かくはん》している。壁際のテーブルの上には武器や電子機器類が並べられ、ラップトップ・コンピューターも一台ある。近くの窓から外へ出ているケーブルが、空の方を向いた手のひらサイズの衛星アンテナへと接続されている。

「もういいわ、ケイン」そう言うと、女性はコンピューターから離れた。

男は会釈をし、部屋から出て扉を閉めた。

サフィアはテーブルの上に置かれた銃を奪おうかと考えた。だが、手が届くような距離には近づけそうもない。体に力が入らず、足もともおぼつかない状態では無理だ。

女がこちらを見た。黒いズボンにグレーのTシャツを着て、その上にゆったりとした長袖のシャツを羽織っている。ボタンは留めていない。袖を肘までまくっている。腰の横のホルスターからは黒い拳銃の台尻がのぞいていた。

「座って」女は木の椅子の一つを手で示した。

サフィアは緩慢な動きでそれに従った。

女は立ったまま、ソファーの背後を行きつ戻りつしている。「ドクター・アル＝マーズ、この地域の遺物に関するあなたの専門知識が、私の指揮官の目に留まったのよ」

サフィアは言葉がほとんど頭に入ってこなかった。女の顔、黒髪、唇を見つめる。大英博物館でサフィアを殺そうとし、ライアン・フレミングの殺害を指揮し、昨夜は友達全員の命を奪った女だ。多くの顔や映像が頭の中で交錯し、女の言葉に集中できない。

「聞いてるの、ドクター・アル＝マーズ？」

サフィアは答えられなかった。この女の中に邪悪な一面を、あのように残酷でむごいことのできる力を探った。印や傷跡のようなものが、納得できるような何かがあるはずだ。だが、何もない。そんなことがありうるだろうか？

女は大きなため息を漏らした。ソファーのところにやってくると腰を下ろし、身を乗り出して肘を膝の上に乗せる。「ペインター・クロウはね」

思いがけない名前を耳にして、サフィアははっとした。体の中を怒りが貫く。

「ペインターはね……私のパートナーだったの」

ショックと信じられない思いで、サフィアは震えた。〈そんな……〉

「ようやく関心を持ってもらえたわね」ほんのかすかな満足の笑みが女の唇に浮かぶ。「あなたは真実を知っておくべきだわ。ペインター・クロウはあなたを利用していたの。あなたたち全員を。必要もないのに危険にさらした。隠し事をしていたのよ」

「嘘よ」サフィアの乾いた唇からやっと声が出た。

女はソファーの背にもたれかかった。「私は嘘をつく必要なんてない。ペインターとは違って、私は本当のことを教えるわ。あなたがたまたま、幸か不幸か発見してしまったものはね、無尽蔵のエネルギー源の鍵を握っているのよ」

「何のことだかさっぱりわからないわ」

「反物質の話をしているの」

サフィアは耳を疑って顔をしかめた。女は博物館での爆発、放射線の痕跡、ある安定した形で存在する反物質の鉱脈の捜索について説明を続けた。すべてを否定したいという願望とは裏腹に、サフィアの頭の中で多くのことがつながり始めた。ペインターの言葉、彼の持っていた装置、アメリカ政府からの圧力。

「博物館で爆発した隕石のかけら」女は話を続けている。「あれは失われた都市ウバールの本当の門を守っていたと言われているわ。あなたにそこへ案内してもらいたいの」

サフィアは首を横に振った。否定の意味をこめた仕草だ。「何もかも、馬鹿げた話だわ」

女はしばらくにらみつけてから立ち上がり、部屋の奥へと向かった。テーブルの下から何かを引っ張り出し、さらに多くの機材の中から一つの装置を取り出した。女が戻ってきた時、サフィアはその何かが自分のスーツケースだと気づいた。

女は留め金を外し、スーツケースを開いた。黒い発泡スチロールの型の中に鉄の心臓が収まっている。明るい日光を浴び、赤く輝いている。「これがあなたの発見した遺物。紀元前二〇〇年に制作された彫像の中に入っていて、ウバールの名前が表面に記されている」

サフィアはゆっくりとうなずきながら、この女の詳しい知識に驚いていた。自分の情報をすべて知っているようだ。

女は体を乗り出して、手に持った装置を心臓の上にかざした。装置はぱちぱちという破裂音を発した。ガイガーカウンターの音と似ている。「極めて低いレベルの放射線の痕跡を示しているわ。かろうじて検知できる程度よ。でも、爆発した隕石と同じだわ。ペインターはこのことをあなたに話した？」

サフィアはペインターが似たような装置で遺物を検査していたことを思い出した。本当なのだろうか？　絶望が再び冷たい石のように、サフィアの胃の中で大きくなる。

「我々のために仕事を続けてほしいの」女はトランクを閉めた。「ウバールの失われた門まで連れていって」

サフィアは閉じたトランクを注視した。流された血のすべてが、奪われた命のすべてが……自分の発見に結びついている。またしても。「嫌です」サフィアは小声で答えた。

「やるのよ。さもないと死ぬわよ」

サフィアは首を左右に振り、肩をすくめた。そんなことはもうどうでもいい。愛するものはこの女にすべて奪われたのだ。そんなやつを助けてなどやるものか。

「あなたがいようがいまいが、我々は捜索を続けるわ。この分野の専門家ならほかにもいる。それにもし断ったら、とっても不愉快な死に方をさせてあげるわよ」

この言葉を聞き、サフィアはかすかな笑みを漏らした。不愉快ですって？　こんなひどい目に遭った後に？　サフィアは顔を上げ、女と初めて視線を合わせた。今の今まで、見るのを恐れていた目をしっかりと見つめる。ここに連れてきた男のように冷たくはない。女の目からは根深い怒りがはっきりとうかがえる……それと同時に、混乱を感じ取ることもできる。きつく結んだ唇が、女の心を表している。

「好きにしたらいいわ」サフィアは自らの絶望の中に力があることを意識した。この女は私に手を触れることも、私を傷つけることもできない。昨夜、この人たちは多くのものを奪いすぎた。脅しの材料になるものがもう存在しないのだ。サフィアも女も、この事実を同時に悟った。

女の眉間のしわに、一瞬不安の影がよぎる。

〈この女には私が必要なんだ〉サフィアは確信した。ほかにも専門家がいるというのは嘘だ。ほかの誰かの協力など得られるはずがない。サフィアの体の中に決意がみなぎり、意志が固まる。薬の影響による倦怠感《けんたい》が一掃される。

かつて、一人の女性がどこからともなくサフィアの人生に割り込んできた。胸に爆弾を巻きつけ、狂信に駆られ、無慈悲に人々の命を奪った。サフィアの命を狙って。

その女はあの時のテルアビブの爆発で死んだ。そのため、サフィアは事件後に女と対峙し、責任を問うことができなかった。その代わりに自分で罪を背負った。それだけではない。サフィアは自分の目の前で命を失った人たちの復讐をすることができず、罪悪感を払拭《ふっしょく》することもできなかった。

今度はそうはさせるものか。

サフィアは相手から目をそらさずに向き合った。

テルアビブの女性を阻止できたならよかったのに……サフィアは何度もそう願ったことを思い出した。もっと早く女に気づいて、何とかして爆発を、死を阻止できたならよかったのにと、何度となく思ったことがある。反物質の源の話は本当だろうか？　博物館での爆発と、爆発が引き起こした惨状が目に浮かぶ。この女のような人間があれほどの力を手にしたらどうなるのだろうか？　あとどれだけの人が死ななければならないのだろうか？

そんなことはさせない。「あなた、お名前は？」

この質問に相手は虚を突かれたようだ。その反応を見て、サフィアは大きな喜びを覚えた。太陽のように明るい喜び。痛みを伴うが、満足感にあふれている。

「本当のことを教えるという話だったでしょう？」

女は顔をしかめたが、おもむろに答えた。「カサンドラ・サンチェス」

「私にどうしろというの、カサンドラ？」サフィアは馴れ馴れしく名前を呼ばれていらだった女の表情を楽しんだ。「もし、私が協力すればの話だけど」

女は怒りに顔を紅潮させながら立ち上がった。「一時間後にイムラーンの墓を目指して出発するわ。この心臓の影像があった場所。あなたたちが行こうと計画していた場所よ。手始めはそこだわ」

サフィアは立ち上がった。「最後にもう一つ質問があるの」

女はいぶかるようにサフィアを見た。

「あなたは誰のために働いているの？　教えてくれたら協力するわ」

答える前に女は扉を開き、部下のケインに向かって捕虜を連れていくよう手で合図した。女は戸口から答えた。

「アメリカ政府よ」

午後一時一分

大英博物館の学芸員が部屋から出て、扉が閉まるまで待ってから、カサンドラはヤシの葉で編まれたくず籠を部屋の奥まで蹴り飛ばし、中身を板敷きの床にぶちまけた。ペプシの缶が音を立てて転がり、ソファーのそばで止まる。〈あのクソ女……〉

カサンドラはそれ以上わめき散らしたいという気持ちを何とか抑え、怒りを胸に収めた。あの女はぼろぼろの状態だったはずなのに。最後になってあれほどまで狡猾な態度に出るとは、予想すらしていなかった。女の目に変化が起きたと思ったら、自分が握っていたはずの優位が雪崩《なだれ》を打ってあの女へと移っていった。カサンドラは力関係の逆転を食い止めることができなかった。なぜあんなことになってしまったのか？

カサンドラは両手をきつく握り締めてから、ゆっくりと指をほぐし、両腕を振った。「あの女……」部屋の中で自分の声だけが聞こえる。それでも、とりあえず捕虜は協力する気になっている。ひとまずはこの勝利で満足しなくてはいけない。ミニスターは喜ぶことだろう。それでも、苦いものが腹の中にわだかまり、気分がすっきりしない。あの学芸員は想像していたよりも内に強さを秘めている。ペインターがあの女に興味を持った理由もわかる気がする。

ペインター……

カサンドラの口から重苦しいため息が漏れた。彼の死体はいまだに発見されていない。そのことが心に引っかかる。死体さえ見つかれば——

扉をノックする音で、カサンドラの考えは遮られた。首を巡らすより先に、ジョン・ケインが扉を押して室内に入ってきた。あからさまなプライバシーの侵害と、気遣いの欠如にいらだちが募る。

「捕虜に昼飯を運ばせた」ケインは告げた。「十四時ちょうどには準備できる」

カサンドラは電子機器の置かれたテーブルに近寄った。「皮下の装置は機能しているの？」

「完璧に作動している。良好で強い追跡信号を発している」

昨夜、捕虜に薬を注射した後、肩甲骨の間に皮下マイクロトランシーバーを埋め込んでおいた。カサンドラがアメリカで張に埋め込むはずだったのと同じ装置だ。捕虜の女にペインターが設計した装置を使用することで、カサンドラは格別の喜びを覚えた。マイクロトランシーバーは外に出た捕虜に対して電子的な鎖の役目を果たす。これであの女を半径十五キロの範囲で追跡できる。逃亡を図ろうとしても不可能だ。

「よろしい」カサンドラは答えた。「部下の準備ができているか見てきなさい」

「できているよ」カサンドラの命令にケインは怒りをあらわにしたが、この作戦が失敗した場合に首が危ないのは彼も同じだ。

「昨夜の船の爆発に関して、現地の当局は何か言っているの?」

「CNNの報道によれば、未知のテロリストの仕業だとさ」ケインは鼻で笑いながら応じた。

「生存者は?　死体は?」

「生存者がいないのは確かだ。原因究明と死体の確認のための引き揚げ作業が始まったところらしい」

カサンドラはうなずいた。「わかったわ。部下に準備させて。もう下がってよろしい」

一瞬だけあきれたような目つきをした後、ケインは部屋を出て扉を後ろ手に押したが、しっかりと閉めていかなかった。カサンドラは扉のところまで行き、扉を最後まで閉めなければばいけなかった。扉がかちゃりと閉まる。

〈そうやって人をいらつかせていればいいわ、ケイン……あとできっちり仕返しをしてやるから〉

不満のため息を漏らしながら、カサンドラはソファーへと戻った。その端に腰を下ろす。〈生存者なし〉ペインターの姿が脳裏に浮かぶ。彼が初めて自分の誘い言葉に、巧妙に仕組んだ誘惑に負けた時のことを思い出す。初めてのキス。彼はディナーで飲んだワインの甘い味がした。ペインターの腕が彼女を包む。彼の唇……そして彼の手がゆっくりと、自分の腰の線をさすりながら上がってくる。

カサンドラはペインターの手のひらが止まった場所に自分の手を当て、ソファーの背にもたれた。さっきと比べてさらに確信が鈍っている。昨夜の作戦の結果から、カサンドラは満足よりも怒りを覚えていた。神経質になっている自分がいる。その理由はわかっていた。ペインターの溺死体をこの目で見るか、海から回収された死者のリストで名前を確認するかしないうちは、安心することができない。

カサンドラの手が腰から下へと動いた。記憶がよみがえる。二人の関係が違う結末を迎えた可能性はあるだろうか？　カサンドラは目を閉じ、下腹部に添えた手を握り締めた。そんな可能性を一瞬たりとも考えた自分に腹が立つ。

〈胸くそ悪い、ペインター……〉

自分が何を夢見ようとも、ろくな結果になったはずはない。カサンドラが過去から学んだのがそのことだ。最初は実の父親だった……夜中に父がベッドに忍び込んでくるようになったのは、カサンドラが十一歳の時だった。コカインでハイになり、なだめすかしたり脅したりしながら。カサンドラは本の世界へと逃避し、自分と現実の世界との間に壁を築き上げた。カリウムで心臓が止まることを知ったのも、本を通じてだった。決して検出されないことも。カサンドラの十七歳の誕生日、父は肘掛け椅子に座ったまま死んでいるのを発見された。腕は注射針の跡だらけだったから、それが一つくらい増えたところで誰も注目しない。母は娘を疑い、恐れた。

家にいる理由もなく、十八歳で陸軍に入隊したカサンドラは、自分を鍛えること、力を試すことに喜びを見出した。その後、特殊部隊の射撃手養成プログラムに参加する機会を与えられた。名誉なことだったが、誰もがそう考えたわけではない。フォート・ブラッグで、ある下士官が彼女を裏通りに引きずり込み、勘違いを正してやろうとした。男はカサンドラを押さえつけ、シャツを引き裂いた。「どっちが偉いと思っているんだ、この雌犬が！」男はこの行動を一生後悔することになる。下士官は両脚を骨折し、男性器の機能が回復することはなかった。この一件を決して口外しないという条件で、カサンドラは除隊を許された。

秘密を守るのは得意だ。

その後、カサンドラはシグマからスカウトされた。さらに、ギルドからも誘いがあった。大切なのは権力だ。我が身を強固にする新たな方法。カサンドラは受け入れた。

そして、ペインターが現れた……彼の笑顔、彼の冷静さ……

苦痛が体を駆け抜ける。生きているのか、死んでいるのか？

確かめなければいけない。思い込みで決めつけることは危険だと承知しているが、想定外の事態に対する備えをしておくことは可能だ。ソファーから勢いよく立ち上がると、カサンドラは装置を乗せたテーブルへと大股で近づいた。ラップトップ・コンピューターが開いてある。捕虜に埋め込んだマイクロトランシーバーの信号をチェックし、ＧＰＳのマッピング機能をクリックする。３Ｄのグリッドが表示された。追尾装置はあの女の独房を示している。回転する青い輪が、女の位置を示している。

ペインターがまだ生きているのなら、あの女を助けにくるだろう。

カサンドラはスクリーンをにらんだ。あの捕虜はさっき、自分が優位に立ったと思ったかもしれないが、こちらはもっと先のことまで考えている。

彼女はペインターの考案した皮下トランシーバーを改造し、ギルドの設計した装置と組み合わせた。動力電池を増強する必要があったが、改造の結果、この装置に埋め込んだＣ４プラスチック爆弾のペレットを点火することが可能になった。キー操作一つで女の背骨を粉砕し、殺害することができる。

ペインターがまだ生きているなら、いつでも来るがいい。

すべての不確定要素にけりをつける準備はできている。

午後一時三十二分

誰もが疲労困憊し、砂の上に倒れ込んだ。盗んだフラットベッドトラックは背後の狭い海岸沿いの道に停車している。開いたボンネットからは湯気が出ていた。白い砂浜が弓なりに延び、その端はごつごつした石灰岩が海に向かって落ち込んでいる。人里離れた場所で、近くには村一つない。

ペインターは南の方角を向き、ここからサラーラまでの約八十キロの距離を見通そうとした。〈向こうにサフィアがいるはずだ〉手遅れでないことを祈るしかない。

背後ではオマハと三人の砂漠のファントムが、トラックのエンジンルームに関してアラビア語で議論している。

悪路を走り続けた長い夜の旅で疲れ果てたほかの仲間たちは、日陰になった岩のそばで寝転がっている。トラックの鋼鉄の荷台は、海岸沿いのでこぼこ道に対してクッションになるものがない。ペインターは短い眠りにありついたが、本当の意味での休息にはほど遠く、夢ばかり見ていた。

左目に触れると、腫れ上がってまぶたが閉じてしまっている。痛みのおかげで現在の状況に神経を集中することができた。着実に距離は進んでいるものの、地形と古い道の状態のせいで速度が出せない。そのうえ、今度はラジエーター・ホースが破裂してしまった。

この遅れですべてが危険にさらされる。

砂を踏む音に振り向くと、コーラルが近づいてきた。ゆったりとした長い衣を着ているが、少し丈が短く、くるぶしが見えてしまっている。トラックの荷台で寝たために、髪と顔が油で汚れていた。

「遅れていますね」コーラルは口を開いた。

ペインターはうなずいた。「どのくらいの遅れだ?」

コーラルは腕時計を見た。ブライトリングのダイバーズウォッチだ。彼女は兵站《へいたん》と戦略にかけてはシグマでも有数の存在だと見なされている。「カサンドラの攻撃チームがサラーラに上陸したのは午前中のことだと思われます。シャバブ・オマーン爆破の嫌疑がかけられていないか確認するのと、市内に万が一の場合の退避場所を確保するために、多少の時間を取られる程度でしょう」

「最善と最悪の見通しは?」

「最悪の可能性だと、二時間前にはすでに墓に到着しているでしょう。最善の場合は、現在そこに向かっている途中といったところでしょうか」

　ペインターは首を振った。「どっちにしても、状況は我々に不利だな」

「ええ、そうです。その点は否定できません」コーラルはペインターを凝視した。「攻撃部隊は行動力と目的意識を持っています。海での勝利を得て、新たな決意に燃えていることでしょう。でも、一つだけ望みがあるかもしれません」

「それは何だ？」

「確固たる決意に燃えていたとしても、今まで以上に慎重に行動すると思われます」

　ペインターは顔をしかめた。

　コーラルは説明した。「隊長は奇襲の話をされていましたよね。こちらの本当の強みはそこではありません。私が得たサンチェス大尉の情報からすると、彼女はリスクを冒すタイプではありません。追っ手を予期しながら行動するものと思われます」

「それがこちらにとって有利だというのか？　どういうことだ？」

「追っ手を気にして振り返ってばかりいると、つまずく可能性が大きくなります」

「まるで禅問答だな、ノヴァク」

　コーラルは肩をすくめた。「母が仏教徒でしたから」

　ペインターはコーラルの顔を見た。まったく表情を変えないから、冗談なのかどうかわからない。

「やったぞ！」オマハの声が聞こえたと同時に、エンジンが苦しそうな音とともにかかり、うなり始めた。さっきまでと比べると危なっかしいが、とりあえずは動いている。「みんな、乗った乗った！」

ほかのメンバーは言葉にならない抗議の声をあげながら、砂から腰を上げた。

ペインターは先に荷台へと上がり、キャラに手を貸した。キャラの手が震えていることに気づく。「大丈夫か？」

キャラはペインターから手を離し、自分のもう片方の手で握り締めた。目を合わせようとしない。「平気よ。サフィアが心配なだけ」キャラは荷台の奥の陰になった場所に移動した。

残りのメンバーも彼女にならった。太陽がフラットベッドを熱しつつある。

オマハが後部に飛び乗ると、大男のバラクがドロップゲートを閉めた。オマハの肘から指の先まで、ガソリンと機械油がべっとり付着している。

「エンジンを動かせたんだね」ダニーが目を細めながら兄に言ったが、太陽がまぶしいためではなく、目がよく見えないせいだろう。ダニーは爆発の際に眼鏡をなくしてしまっていた。初めてのアラビア訪問でずいぶんと荒っぽい歓迎を受けたが、ダニーはよく持ちこたえている。

「サラーラまでエンジンは持つかな？」

オマハは肩をすくめると弟の隣の床にどさりと腰を下ろした。「応急処置をしただけだ。ホースから漏れないように栓をした。エンジンはオーバーヒートするかもしれないが、あと八十キロかそこらだ。何とかなるだろう」

自分もオマハのように妄信できればいいのにと思いながら、ペインターはコーラルの隣に座った。トラックが急発進して乗客は互いにぶつかり、馬が不安そうにいないた。凹凸のある床を蹄で踏み鳴らす。ディーゼルの排気が煙ったかと思うと、トラックはよろよろと道路に戻り、サラーラに向けて再出発した。

太陽があらゆるものの表面に反射する。ペインターはあまりのまぶしさに目を閉じた。眠ることをあきらめ、気がつくとカサンドラのことを考えていた。頭の中で元パートナーとのこれまでの経験を振り返ってみる。戦略会議、内部のミーティング、様々な任務の現場。そのすべてにおいて、カサンドラは彼と互角の能力を発揮した。その一方でペインターは、カサンドラの詭弁《きべん》、血も涙もない一面、計算し尽くされた無慈悲さが見えていなかった。これらの点でカサンドラはペインターを上回っていて、それが彼女をより優秀な工作員へと成長させたのだ。

ペインターは先ほどのコーラルの言葉を思い起こしていた。〈追っ手を気にして振り返ってばかりいると、つまずく可能性が大きくなります〉自分も同じ間違いを犯したのだろうか？ 博物館での強奪未遂以降、ペインターはカサンドラとの過去に拘泥《こうでい》するあまり、カサンドラに意識を集中しすぎるあまり、過去と現在とのバランスを保つことができなかった。心の中も同じだ。そのためにシャバブ・オマーンの船上で油断してしまったのだろうか？ カサンドラが善人だと信じたい気持ちがどこかにあったのか？ もし彼女を好きになっていたら、二人の間に本当の何かが生まれていた可能性は？

だが、もう十分に思い知った。

ぶつぶつと不満を漏らすような声が聞こえて、ペインターはトラックの荷台の向かい側を見た。クレイがマントを引っ張って膝を隠そうとしている。彼の変装ではとてもアラブ人に見えない。青白い肌、剃り上げた赤毛、ピアスをした耳。クレイはペインターの視線に気づいた。

「どう思います？　間に合うように着けますかね？」

ここからは正直になるのがいちばんだ。ペインターは答えた。「わからない」

午後二時十三分

サフィアは三菱の四輪駆動車の後部座席に乗っていた。まったく同じ車が三台、後ろに続く。小さな葬列のように、聖母マリアの父であるナビー・イムラーンの霊廟を目指している。

サフィアは体をこわばらせて座っていた。このＳＵＶは新車のにおいがする。チャコールグレーの革張り、チタンのパーツ、青いアクセント照明などの真新しい内装は、身も心もぼろぼろの状態の乗客にそぐわない。だが、寝不足の時のようなもやもや感は鎮静剤のせいではない。サフィアの頭の中はカサンドラと交わした会話で混乱していた。

〈ペインターが……〉

いったい彼は何者なのだろう？　以前カサンドラとパートナーだったなんて。それはどういう意味なのだろうか？　彼の苦笑いを、彼女を元気づけるためにそっと触れた手の感触を思うと、心の中が傷つき、ずきずきと痛む。彼はほかにも何か隠していたのだろうか？　サフィアはその混乱した思いを心の奥へと押しやった。まだ正面から向き合うことができない。そのことでどうして自分の心がこんなにも乱れるのかすらもわからない。お互いのことをほとんど知らないというのに。

サフィアはカサンドラが述べた別の気がかりな言葉に神経を集中した。彼女はアメリカ政府の下で働いているという。そんなことがありうるのだろうか？　アメリカが外交政策上、時として強硬手段に出ることがあるのはサフィアも承知しているが、アメリカのトップがあんな襲撃を支持するとは思えない。カサンドラの手下の男たちだって、いかにも傭兵然とした雰囲気が漂っている。彼らが近くにいるだけでぞっとする。彼らは普通のアメリカ兵ではない。

それに、いつも黒い服を着ているケインというあの男。クイーンズランドの訛りがあった。オーストラリア人だ。サフィアの乗る車は彼が運転していた。かなりスピードを出している。カーブを曲がる時にはまるで何かに怒りをぶつけているかのようなハンドルさばきだ。いったいどんな人物なのだろう？

もう一人の乗客はサフィアの隣に座っていた。カサンドラは窓の外を流れる景色を眺め、両手を膝の上に置いている。観光客と何ら変わりない。三挺の銃を携帯している点を除けば。彼女はわざわざ銃を自分に見せてくれた。警告の意味だ。肩のホルスターと、腰と、足首に一挺ずつ。四挺目もどこかに隠しているのかもしれない。

逃げ場はない。サフィアはじっと座っていることしかできなかった。

サラーラの中心部を通過する時、サフィアは車を案内する備え付けのカーナビを見つめた。ビーチサイド・リゾートのヒルトン・サラーラを遠目に過ぎ、大通りから外れ、内陸の市街地アル＝カフ地区を目指している。ナビー・イムラーンの霊廟がある場所だ。

それほど距離はない。サラーラは小さな街で、端から端まで数分もかからない。この都市のいちばんの魅力は、市街地の先にある。周囲を取り巻く風景が作り出す自然の驚異だ。見事な砂浜の続くマグセイル、古代の遺跡サムハラン、モンスーンがもたらす雨の恩恵で育つ無数のプランテーション。さらに内陸に進むと、ドファールの緑の山々が背景に姿を現す。希少な乳香の木の育つ、地球上でも数少ない土地の一つだ。

サフィアは霧のかかった山々へと目を向けた。永遠の謎と富が支配する地だ。オマーンの豊かさの源泉は乳香から石油へと代わったが、香料は今でもサラーラの経済を牽引している。伝統的な青空市場が、サラーラの街中に薔薇水、竜涎香《りゅうぜんこう》、白檀《びゃくだん》、没薬《もつやく》の香りを添えている。サラーラは世界の香水の中心地だ。トップデザイナーたちが良品を探すために、こぞってこの街を訪れる。

しかし、かつてこの国で本当の宝と見なされたのは乳香で、金よりも珍重されていた。貴重な香料の取引がオマーンの貿易を促し、ダウが北はヨルダンやトルコ、西はアフリカまで海上を行き来した。だが、真の伝説となったのは陸上の交易路、乳香の道だ。その交易路に沿って謎に満ちた古代の遺跡が点々と連なり、その歴史はユダヤ、キリスト、イスラムの教えと渾然《こんぜん》一体になっている。中でも最も有名なのが「千の柱の都」の異名を持つウバールだ。ノアの子孫によって築かれ、砂漠を横断する隊商の主要給水地点という重要な役割のおかげで豊かになった。

それから数千年が経過し、ウバールは再び注目の的となった。その秘密を明かし、その心臓をあばくために、血が流されている。

サフィアは後ろを振り返って銀色のスーツケースを見たいという気持ちを抑えつけた。鉄の心臓はサラーラで発見された。この道しるべが示すのは、ウバールにある真の富。

反物質。

本当なのだろうか？

三菱の四輪駆動車は減速して未舗装の横道に入った。ヤシの木陰に並んだ出店では、ナツメヤシ、ココナッツ、ブドウなどが売られている。車はその前を通り過ぎた。速度はかなり落ちている。サフィアは車から飛び降りて逃げようかとも考えた。しかし、体はシートベルトでしっかりと固定されている。ベルトを外そうとして手を動かした途端、止められるに決まっている。

しかも、後方からは武装した男たちを乗せた車両がついてきている。ほかの車が直進する中、一台が背後で方向転換した。回り込んでこの路地のもう一方の出口を封鎖するのだろう。どうしてそれほどまで面倒なことをするのか、サフィアは不思議に思った。一人の囚人を相手にするなら、ケインとカサンドラだけで十分のはずだ。逃げ道などないとわかっているのに。

逃げようと試みるだけでも命取りになる。

ずっと押し殺していた怒りが、不意に熱い思いとなってサフィアの体を貫いた。無駄に自分を犠牲にするつもりはない。相手のやり方に合わせながら、機会を待つのだ。サフィアはカサンドラを横目でうかがった。復讐してやる……友人のため、そして自分のためにも。その思いだけがサフィアを支えていた。やがてSUVは錬鉄《れんてつ》製の門の外に停止した。

ナビー・イムラーンの霊廟の入口だ。

「妙なことするんじゃないわよ」カサンドラは警告した。サフィアの心を読んでいるかのようだ。

ジョン・ケインが窓から身を乗り出して、守衛と話している。数オマーン・リアルの紙幣が手渡された。守衛がボタンを押すと門が開き、車が中へと入れるようになる。ケインはゆっくりと乗り入れて駐車した。

別の車は道端の出店の近くに停止した。

ケインが車から飛び降りて、サフィアのために扉を開けにくる。普通の状況ならば紳士的な行為と見ることもできるだろう。現状ではただの用心にすぎない。ケインはサフィアに手を貸そうとした。

サフィアはそれを断り、自分で降りた。

カサンドラが車の後部を回って近づいてきた。銀のスーツケースを手にしている。「それで、ここからは？」

サフィアは周囲を見渡した。どこから始めよう？

三人は石畳の中庭の中央に立っていた。壁に囲まれ、周囲には手入れの行き届いた小さな庭がある。中庭の向かい側には小さなモスクが建っている。漆喰を塗られたミナレットが白昼の強い日差しを反射して輝き、その上に茶色がかった金色のドームがある。最上部にある小さな円形のバルコニーは、祈禱《きとう》時刻の告知係が一日五回、イスラム教の祈禱を呼びかけるアザーンを歌う場所だ。

サフィアは自ら祈りを捧げた。沈黙しか返ってこないが、それでも慰めになる。中庭にいると、周囲の街の喧騒が小さくこもった音に聞こえる。空気までもが、霊廟の神聖さに静まり返っているかのようだ。数人の参拝客が、片側に建つ埋葬所を敬うように控えめに敷地内を歩いている。埋葬所はアーチに囲まれた長く低い建物で、壁は白く、まわりには緑が植えられている。その建物の中に、聖母マリアの父、ナビー・イムラーンの墓がある。

カサンドラがサフィアの前に出た。彼女の焦燥《しょうそう》と鬱積《うっせき》したエネルギーで空気がかきまぜられ、その動きが水面に広がる波紋のごとく目に見えるかのようだ。「さあ、どこから始めるの？」

「まず手始めに」サフィアはつぶやきながら前に進んだ。彼らにはサフィアが必要だ。たとえ捕虜であっても、相手のペースには乗らない。知識が自分の盾になる。

カサンドラが大股で後を追ってくる。

サフィアは霊廟の聖域の入口へと歩み寄った。長い衣をまとった案内係の男性が、一行を迎えにやってくる。

「サラーム・アライクム」案内係は挨拶した。

「アライクム・アッサラーム」サフィアも挨拶を返す。

「アーズファ」案内係は申し訳なさそうに頭を指差した。「髪の毛を隠していない女性は埋葬所の中へと入ることができないのです」案内係は緑色をした無料のスカーフを二枚差し出した。

「シュクラン」サフィアは礼を言い、器用にスカーフをまとった。すっかり忘れてしまったと思っていたのに、指が自然に動く。一方、カサンドラは男性に手伝ってもらわなければならず、それを見てサフィアは大きな満足感を覚えた。

案内係は後ろに下がった。「平安があらんことを」そう告げると、陰になった自分の持ち場へと戻っていく。

「靴やサンダルも脱がなくてはいけないわ」サフィアは扉の外に脱いで置かれた履物の列に向

かってうなずいた。

裸足になると、全員が埋葬所へと入った。

埋葬所の中には建物と同じ長さの細長いホールが一つあるだけだった。片側には茶色の大理石の墓石がある。小さな祭壇ほどの大きさだ。大理石の上に置かれた一対のブロンズ製の鉢では香が焚かれ、薬効のありそうな芳香が室内を満たしている。しかし、すぐに注意が向くのはその墓石の下の墓だ。ホールの中央部に長さ三十メートルの墓室が置かれている。床から五十センチほどの高さがあり、その上にはコーランの一節が書かれた色とりどりの布が掛けられていた。墓室の脇の床は祈禱用の敷物で覆われている。

「でけえ墓だな」ケインが小声で言った。

一人で祈っていた人が敷物から立ち上がり、新たに入ってきた一行をちらりと見ると、静かに部屋から出ていった。聖域内にはサフィアたちしかいない。

サフィアは布に覆われた三十メートルの墓室に沿って歩いた。墓室の片側の長さを測っても、もう片方の側の長さとは決して一致しないとの言い伝えがある。もっとも、実際にその伝承を確かめたことはないのだが。

カサンドラがすぐ後ろに立ち、周囲に目を配っている。「この場所について何を知っているの？」

サフィアは肩をすくめて墓室の端を回り、墓石に向かって戻り始めた。「この霊廟は中世の頃から崇拝されている。でも、こうした飾りは……」サフィアは丸天井や中庭を手で指し示した。「こういうものはみんな、比較的新しいのよ」

サフィアは大理石の墓石へと近づいた。片手でその表面に触れる。「ここはレジナルド・ケンジントン卿があの鉄の心臓を隠した砂岩の彫像を発掘した場所よ。約四十年前の話だわ」

カサンドラも小さなスーツケースを持ったまま歩み寄った。石の祭壇のまわりを一周する。彼女の動きに、二つの鉢から立ち上っていた香の煙が乱され、怒ったヘビが身悶えするかのように揺れる。

ケインが口を開いた。「じゃあ、聖母マリアの父親ってのは本当にここに埋まっているのか？」

「いくつか異論もあるけど」

カサンドラがサフィアを見た。「どういうこと？」

「キリスト教の主要な宗派の多く——カトリック、東方正教会、ネストリウス派、コプト教会は、マリアの父がヨアキムという名の男性だと信じている。でも、これには反対意見があるの。コーランではマリアは非常に由緒正しい家系、イムラーン家の血筋だと言っているわ。ユダヤ教も同じ。彼らの説によると、イムラーンと妻は子供を望んでいたのに、妻が不妊だった。イムラーンは男の子が欲しいと祈り、その子をエルサレムの神殿に捧げると誓った。祈りは聞き届けられ、妻は身ごもった——でも、それは女の子だったの。その子がマリアよ。それでも喜んだ両親は、神の奇跡に敬意を表してその子に敬虔《けいけん》な人生を歩ませたわ」

「でも、ある時天使に孕《はら》まされたんだろう」

「そうね。そのあたりから、それぞれの宗教の間でいろいろと厄介な話になってくるのよ」

「彫像の件はどうなの？　この墓で発見されたんでしょう？」カサンドラは会話を本来の目的に戻そうとして訊ねた。「どうしてここに置かれていたの？」

サフィアは大理石の墓石の前に立ち、同じ疑問を考えていた。ロンドンからの移動中もずっと抱いていた疑問だ。なぜウバールへの手がかりが、聖母マリアと関係のある場所に、ユダヤ教、キリスト教、イスラム教という三つの主教であがめられている人物と関係のある場所に置かれていたのだろう？　この場所なら時を越えて守られると考えたからだろうか？　どの宗教もこの霊廟を保存することに意義を見出していた。レジナルド・ケンジントンが彫像を発見して、イギリスのコレクションに加えてしまうなど、誰も予想していなかったはずだ。

けれども、最初に彫像をここへ持ってきたのは誰だろう？　その理由は？　サラーラが乳香の道の出発点だからなのか？　この彫像が最初の道しるべであり、アラビアの心臓部へと通じる道の第一の目印なのだろうか？

サフィアの頭の中にさまざまな筋書きが浮かんだ。彫像の年代、霊廟にまつわる謎、この場所が複数の宗教から崇拝されていたという事実。

サフィアはカサンドラに向き直った。「心臓を見せてちょうだい」

「なぜよ?」

「あなたの言う通りだから。彫像は理由があってここに置かれたはずだわ」

カサンドラはしばらくサフィアをにらんでいたが、やがて祈りの敷物の上に膝をつき、スーツケースを開けた。黒い発砲スチロールのクッションの中で、鉄の心臓が鈍く光っている。サフィアはカサンドラの隣にひざまずき、心臓を持ち上げた。改めてその重さに驚かされる。ただの鉄にしては密度が高すぎる。立ち上がったサフィアは、内部で液体が動くのを感じた。重量のある液体だ。鉄の心臓の内部に溶けた鉛が詰まっているかのようだ。

サフィアは心臓を大理石の祭壇まで持っていった。「彫像はこの上に立っていたということよ」サフィアが向き直ると、心臓の血管の中に詰まっていた乳香の粒がこぼれ、大理石の祭壇の上に塩をまいたかのように散らばった。

サフィアは心臓を自分の胸に当て、それを解剖学的に正しい位置に——心室が下に、大動脈弓が左に向くようにした。自分の心臓も同じような向きになっているはずだ。細長い墓室の頭の部分に立ち、博物館にあった彫像が爆発で破壊される前の姿を想像する。

彫像は高さが約二メートル、長い衣装をまとっていた。頭と顔を布で覆ったその姿は、現代のベドウィンに似ている。弔いのための長い香炉を、ライフルの照準を合わせるかのように肩に背負っていた。

サフィアはこぼれた古い乳香の粒を見下ろした。かつてここで燃やされたのと同じ香だろうか？　冷たい鉄の塊を片腕で抱えると、サフィアは小さな結晶を少しつまみ、近くの鉢に入れ、友人たちに祈りを捧げた。じゅっという音がして、空気中に新たな甘い香りが漂う。

サフィアは目を閉じて息を吸った。乳香のにおいがたちこめている。はるか昔の香りだ。その香りを吸い込みながら、サフィアは時間をさかのぼり、キリストの生誕前の時代へと思いを馳せた。

この香りの元となる乳香の木を思い浮かべる。もうとっくに枯れてしまっているだろう。小さな灰緑色の葉が無数に茂ったごつごつとした木。その樹液を採取した昔の人を想像する。山間部で隠遁生活を送る部族。隔絶された生活を送るその古い部族の人々は、現代のアラビア語よりも以前から存在する言葉を話す。一握りの部族が今なお山岳地帯にこもり、貧しい暮らしを続けている。サフィアの頭の中に彼らの言葉が響く。歌うような歯擦《しさつ》音は鳥の鳴き声に似ている。このシャフラ族の人々は、自らを最後のウバールの子孫と名乗り、その都市の始祖まで血筋をさかのぼることができると主張している。

そのような人たちが、この香を収穫したのだろうか。

一息ごとに過去を吸い込んでいるうちに、サフィアは気が遠くなってきた。足の下で部屋がぐるぐると回る。一瞬、上も下もわからなくなり、サフィアは祭壇の縁につかまった。両膝に力が入らない。

ジョン・ケインが肘をつかんだが、それは心臓を持っている方の腕だった。

抱えた腕の上で心臓がはずみ……落下した。

心臓は鈍い音を立てて祭壇にぶつかり、滑らかな大理石の上を転がった。その不安定な回転は、中にある液体の重心がずれているかのようだ。

カサンドラが心臓へと手を伸ばした。

「だめ！」サフィアは制止した。「そのまま触らないで！」

心臓が最後に一回転して止まった。しばらくかすかに振り子のような揺れを繰り返していたが、やがて完全に静止した。

「触らないで」サフィアは膝をつき、目線を祭壇の石の縁に据えた。香りが空気中に充満している。

心臓はさっきまでサフィアが持っていたのと完全に同じ向きで静止していた。心室が下に、大動脈弓が上部左に。

サフィアは立ち上がった。体の向きを変え、鉄の心臓が自分の体内にあるかのように合わせる。位置を定めると両足の場所を正し、両腕を上げた。手に見えないライフルを——弔いのための香炉を持っているかのように。

古代の彫像と同じ姿勢をとったまま、サフィアは伸ばした腕の先を見た。四角形の墓室の長い辺の向きと完全に一致している。サフィアは腕を下ろし、鉄の心臓を見つめた。

心臓がまったくの偶然でこの位置に静止する確率はどのくらいだろうか？　サフィアは思い

起こした。心臓の中で液体のようなものが動く気配、ぎくしゃくとした回転、最後の振り子のような揺れ。

〈まるでコンパスだわ〉

サフィアは墓室の長い辺を凝視し、その向きに合わせて再び片腕を前に伸ばした。視線は壁を越え、市街地を抜け、その先へと達する。海岸から遠ざかる。遠景の緑の山々へと。

その時、サフィアにはわかった。

確認しなければいけない。「地図が必要だわ」

「なぜ?」カサンドラが訊ねた。

「次に行くべき場所がわかったからよ」

12　安全第一

十二月三日午後三時二分
サラーラ

トラックの荷台でうとうとしていたオマハは、尻の下で嫌な金属音を感じた。〈くそっ……〉荷台の下の振動がひどくなり、耳障りな音も大きくなる。暑さの中で居眠りをしながら頭を垂れていたメンバーも顔を上げ、何ごとかと顔をしかめた。

トラックの前方でエンジンが最後に咳き込むような音を立て、大きくため息をつくかのように煙を噴き出しながら止まった。ボンネットの下から発生した黒い煙がトラックを覆う。焦げたオイルのにおいもする。トラックは惰性で道路の片側に進み、砂地の路肩にぶつかって停止した。

「終点だ」オマハはつぶやいた。

アラブ馬が蹄を鳴らして抗議した。

〈おまえだけじゃないよ〉オマハは思った。仲間たちとともに立ち上がると、マントに付着したほこりを払い、ドロップゲートへと向かう。オマハはロックを解除した。ゲートが下へと開き、金属音とともに砂地にぶつかる。

全員が荷台から降りると、アル＝ハフィ大尉と部下のバラクとシャリフも運転台から外に出た。煙はまだ治まらず、黒い筋となって空に昇っている。

「ここはどこ?」キャラが手をかざして太陽の光を遮りながら、曲がりくねった道の先へと目を向けた。道の両側はサトウキビ畑で、丈の高い茎と密集した葉のせいで遠くを見通すことができない。「サラーラまであとどのくらい?」

「四、五キロくらいじゃないか」オマハは肩をすくめた。当てずっぽうだ。その二倍くらいあるかもしれない。

アル＝ハフィ大尉がグループに近づいてきた。「早く行かないと」大尉は煙に向かって腕を振った。「人に見られる」

オマハはうなずいた。盗んだトラックのまわりでうろうろしているのを見られるのはまずい。たとえ借り物のトラックだとしても。

「ここからは歩かないといけない」ペインターの声がする。彼は最後に荷台から降りてきた。手に握ったロープの先には馬がつながれている。ペインターはためらっている馬を導き、ゲートを伝って荷台から降ろした。かたい地面へと降りた馬は首を振り、軽く踊るような足取りを見せた。

馬をなだめているペインターを見たオマハは、彼の左目のまわりが紫に変色していることに気づいた。ただし、腫れはいくらか引いているようだ。オマハは目をそらした。あの時、怒りを爆発させた自分が恥ずかしいのと、まだ心に残っている怒りとの間で気持ちが揺れる。

所持品や装備を持たない一行はすぐに出発し、路肩を歩いた。二列に並んで小さな隊商のように移動する。アル＝ハフィ大尉が先頭に立った。ペインターとコーラルが馬とともに最後尾につく。

オマハは二人が小声で戦略を練っているのを聞きつけた。歩く速度を落として二人の横に並ぶ。蚊帳《かや》の外に置かれるつもりはない。キャラもそれに気づき、三人のところに戻ってきた。

「サラーラに着いたらどうするんだ?」オマハは訊ねた。

ペインターは顔をしかめた。「目立たないようにしないといけない。まずコーラルと私で——」

「待てよ」オマハはペインターの言葉を遮った。「置いてきぼりはごめんだ。おまえらがその辺をほっつき歩いている間、ホテルかどこかに大人しく隠れているつもりはないぜ」

オマハの激した大声は全員に聞こえた。

「全員で墓に行くのは無理だ」ペインターは応じた。「見つかってしまう。コーラルと私は監視調査と情報収集の訓練を受けている。まず墓を偵察してサフィアを探し、まだ到着していなかったら周辺に張り込む」

「もしすでに到着して立ち去った後だったらどうするんだ?」オマハは訊ねた。

「そんなのはその時に判断することだ。もっとまともな質問を頼む」

キャラが声をあげた。「もし立ち去った後だったら、どこへ連れていかれたかはわからないわ」

ペインターがキャラをじっと見つめた。オマハは彼の目が心痛でくもるのを見て取った。左目の下の傷のように暗い色が浮かんでいる。

「もう遅すぎると思っているんだな」オマハは問い詰めた。

「確かなことは言えない」

オマハは視線を外して遠くをにらんだ。地平線の近くに数軒の建物が見える。あのあたりが街の外れだ。遠すぎる。遅すぎる。

「誰かが先に行かないといけない」オマハは提案した。

「どうやって?」キャラが訊ねた。

振り向きもせず、オマハは肩越しに親指を後ろに向けた。「馬だよ。誰か一人……または二人くらいなら、馬に乗って街まで行ける。真っ直ぐ墓へと向かうんだ。現場を確認する。隠れたまま、サフィアを探す。すでに立ち去っていたら後を追う」

誰も答えない。

コーラルがオマハの目を見た。「ペインターとそのことを話していたところよ」

「私が行こう」ペインターは言った。

オマハはペインターと正面から向き合った。「それはどういう理由だ？　俺はあの街を知っている。路地もわかっている」

ペインターはオマハを見据えた。「監視調査の経験はないだろう。素人の出る幕じゃない。見つかるに決まっている。我々の優位が危うくなる」

「そんなことあるもんか。正式な訓練は受けていないかもしれないが、見られるとまずい場所での現地調査なら何年もやっているんだ。必要なら現地の人間に紛れることだってできる」

ペインターは単刀直入に、力みもせずに応じた。「しかし、こっちの方が上手《うわて》だ。それを仕事にしている」

オマハは拳を握り締めた。相手の声から確信を感じる。殴りつけてやりたい気持ちもある一方、その通りだという思いもある。ペインターが持っているような経験は自分にはない。どうするのがいちばんいいのか？　サフィアのために駆け出したいのに、どうしてのんびりと歩いていられるだろう。苦しみの糸が心臓を締めつけているように感じる。

「それじゃあ、彼女を見つけたらどうするつもりだ？」

「何もしない」ペインターは答えた。「相手の兵力を観察する。弱点を見つける。適切なタイミングまで待つ」

キャラが両手を腰に当てて訊ねた。「その間、私たちはどうするの？」

オマハとペインターがにらみ合ったままでいる中、コーラルが答えた。「あらかじめサラーラに念のための隠れ家を手配してある。現金や備品もあるわ」

〈大したもんだぜ〉オマハは思った。

「銃もあるの？」キャラは訊ねた。

コーラルはうなずいた。「まずそこへ行くことになるわ。装備を揃える。それからワシントンにも連絡を入れるわ。こちらの状況を報告して、追加の――」

「だめだ」ペインターが遮った。「連絡はなしだ。私の方からできるだけ早く君に連絡を入れる。そこから先は我々だけで進める。外部の援助は頼まない」

オマハはペインターとパートナーとの間で無言のやりとりが交わされたことに気づいた。ペインターが情報の漏洩《ろうえい》を疑うのはオマーン政府だけでなく、自国の政府も含まれているようだ。カサンドラ・サンチェスという女は、ここまで常に一歩先を行っていた。内部情報に通じているのだ。

ペインターの視線がオマハに戻ってきた。「この計画でいいな？」

オマハはしぶしぶうなずいた。だが、首の後ろから鉄の棒を押し込まれたように感じる。オマハはその場を離れようとしたペインターを引き止め、そばに寄った。拳銃をマントの中から取り出してペインターに手渡す。「もしチャンスがあったら……どんなチャンスでも……」

「チャンスは逃さない」ペインターは武器を受け取った。

オマハが後ろに下がると、ペインターは牡馬にまたがった。鞍は付いていない。引き綱を間に合わせの手綱にしている。「サラーラで会おう」そう小声で言うと、ペインターは馬の腹を蹴り、最初は小走りで進み、やがて姿勢を低くして全速力で疾走した。

「あの人、乗馬と同じくらい監視も上手ならいいけど」キャラがつぶやいた。

オマハはペインターの姿が曲がった道の先に見えなくなるまで目で追った。一行は歩き始めた。ゆっくりと、じれったくなるほど遅い歩みで、オマハたちはサラーラの街を目指した。

午後三時四十二分

サフィアはドファール地方の地形図をのぞき込んでいた。地図は四輪駆動車のボンネットの上に広げられている。地図の真ん中にはデジタルコンパスとプラスチック製の定規がある。サフィアは地図上で定規の位置を微妙に動かしながら、ナビー・イムラーンの墓室の軸と完全に一致するように合わせた。埋葬所の外に出る前に数分間を費やし、レーザー較正したコンパスを使って正確な数値を測定してある。

「何をしているの？」カサンドラが肩越しに訊ねるのはこれで五回目だ。

カサンドラを無視したまま、サフィアは鼻が地図にくっつきそうになるまで顔を近づけた。〈コンピューターなしでできるのは、これが限界だわ〉サフィアは片手を差し出した。「ペンを」

ケインが上着の内ポケットからボールペンを取り出し、サフィアに手渡した。顔を上げた拍子に、ケインの肩のホルスターに収められている銃が目に入る。サフィアはケインの指から注意深くペンを受け取った。目は合わせない。カサンドラよりもこの男の存在の方が不安を募らせ、決意がくじけそうになる。

サフィアは地図に注意を戻し、謎に全神経を集中させた。ウバールの秘密の心臓部への、次の手がかり。

サフィアは定規の縁に沿って線を引き、定規を外した。ナビー・イムラーンの霊廟から延びる青い真っ直ぐな線が、街の外へと通じている。線を指でたどり、線が交わった地形に目を留め、ある名前を探す。

だいたいの予想はついていた。

指がサラーラの街から外へと向かうにつれて、等高線の幅が詰まっていく。地形が丘から山脈へと変わっていくためだ。青いインクの線をたどるうちに、急傾斜の上にある黒い点と交差した。サフィアはそこで指を止め、地図を軽く叩いた。

カサンドラが顔を寄せ、サフィアの指の下にある名前を読んだ。「ジャバル・エイティン」

「エイティン山よ」サフィアは山を示す小さな黒い点を観察した。「この頂上に別の霊廟があるわ。ここと同じように、宗教を越えて崇拝されている――キリスト教にユダヤ教、それにイスラム教」

「誰の墓なの?」

「別の預言者。アイユーブ。ヨブとも言うわね」

カサンドラは顔をしかめただけだった。

サフィアは解説した。「ヨブは聖書にもコーランにも出てくるわ。彼は裕福で家族に恵まれ、神への信仰心が篤かった。試練としてすべてが彼から奪われたの。富や子供たち、さらには健康さえも。あまりに恐ろしい病だったから、彼は遠ざけられて、ここに一人きりで生活しなければならなくなった」サフィアは再び指先で地図を叩いた。「このエイティン山に。そんな困難にも負けずに、ヨブは信仰と神への愛を捨てなかった。その忠誠心を見て、神はヨブに『足で地面を踏みつけなさい』と言うの。すると泉が湧いて、ヨブはその水を飲み、体を洗った。病は癒え、彼は若返った。その後もエイティン山で人生を過ごし、そこに埋葬されたのよ」

「その墓がウバールへと通じる道の次の経由地だと思うの?」

「もし最初の道しるべがこの霊廟に建てられたのなら、次の道しるべも似たような場所にあるはずよ。その土地のすべての宗教であがめられている聖人の霊廟」

「だったら、我々が次に向かわなければならないのはそこね」

カサンドラは地図に手を伸ばした。

サフィアは地図の上に片手を置き、カサンドラを制止した。「そこで何が見つかるのか、そもそも何かがあるのか、この場で断言することはできないわ。ヨブの霊廟は訪れたことがあるけれど、ウバールと関係がある重要なものは何もなかったわ。それにどこから捜索を始めればいいかの手がかりもない。あの鉄の心臓のようなものはないのよ」サフィアはあの心臓が大理石の祭壇の上で揺れ動き、コンパスのようにある方向を指し示した場面を再び思い浮かべた。

「パズルの次のピースを見つけるまでに、何年もかかるかもしれないわ」

「そのためにあんたがここにいるんじゃないの」カサンドラは地図をひったくると、ケインに手を振って捕虜をＳＵＶに戻すよう指示した。「このなぞなぞを解くために」

サフィアは首を左右に振った。不可能としか思えない難題だ――そうカサンドラに思わせるために。その仕草とは裏腹に、サフィアは次にどうすればよいか明確な考えを持っていた。ただし、その知識をどう利用したらいいのか、そっちの計画が定まっていない。

サフィアは再びカサンドラとともに後部座席へと乗り込み、四輪駆動車がカーブしながら門を出ると座席に深くもたれかかった。夕暮れが近づいてきたため、通りでは商人たちが荷物を片付け始めている。骨と皮ばかりに痩せた迷い犬が一匹、屋台や荷台の間をものうげに徘徊している。犬は一頭の馬がゆっくりと近くを通ったので鼻を上げた。馬は並んだ出店の後ろを、ベドウィンの砂漠のマントに全身を包んだ男に引かれて歩いている。

四輪駆動車は路地を進み、突き当たりに停車したもう一台の三菱車の方へと向かった。ここから山を目指して再び移動することになる。

サフィアはダッシュボードのGPSナビを見つめた。通りが放射状に街の外へと延びている。その先には田園風景が待っている。

もう一つの霊廟も。

サフィアはそこが自分の墓にならないことを祈った。

午後四時四十二分
エイティン山

このサソリめ……

ドクター・ジャック・ベルトランは黒い鎧をまとった侵入者をかかとで踏みつぶしてから、作業場にクッションとして敷いたマットの上に戻った。ランドローバーから水を取ってこようとたった数分間離れただけなのに、もうサソリが崖の日陰にある窪みに入り込んでいたのだ。不毛の地が広がり、ビターブラッシュの低木と岩しかないこの地では、何一つ無駄にできない。ほんの小さな日陰さえも。

ジャックはその窪みに仰向けになって寝転がった。古代南アラビア語で書かれた碑文が窪みの天井に刻まれている。ここは古代の埋葬所だ。この周囲にはそのような墓がいくつも点在しているが、彼が作業している山の頂上にヨブの霊廟があるために、その存在はあまり知られていない。この地域全体が大きな墓地のようなものだ。今日の記録作業はこの埋葬所が三カ所目だった。果てしなく暑さが続くように感じる今日の作業は、これで最後にしよう。

ジャックの頭の中には宿泊先のサラーラ・ヒルトンのスイートルームが浮かんでいた。プールで一泳ぎしてから、シャルドネをグラスで一杯いただくとするか。

そのためにも仕事を片付けなければいけないと思い、ジャックは作業に取りかかった。ラクダの毛でできた刷毛を使い、碑文に付着した砂やほこりを取り除く。古代語を専門とする考古学者のジャックは、助成金を得て初期のセム語系の文字の変遷《へんせん》を研究している。過去から現在への道筋をたどっているのだ。アラム語、エリマイス語、パルミラ方言、ナバテア語、サマリア語、そしてヘブライ語。墓地というのは文字の宝庫だ。祈りや賛美、墓碑を永遠に伝えてくれる。

ぞくっと寒気がして、ジャックは刷毛を下ろした。不意に誰かに見られているような気がしたからだ。はっきりと感じる。人間が本能的に持つ危機感だ。

肘をついて上体を起こすと、ジャックは脚の先の方をじっとうかがった。このあたりは追いはぎや盗賊の巣窟《そうくつ》だ。しかし、ヨブの霊廟という最高の聖地が間近にあるため、ここで悪事を働こうなどと考える者はいない。自らに死刑宣告をするも同然の行為だ。それをわかっていたから、ジャックはライフルをランドローバーの車内に置いたままにしていた。

窪みの外の光を凝視する。

何もない。

それでも、ジャックはブーツを履いた足を窪みの中に引き入れた。誰かが外にいて、危害を加えようとしているなら、中に隠れている方がいい。

左手の方角から岩の斜面を転がる小石の音が聞こえる。ジャックは耳をそばだてた。ここから動くことはできない。

その時、埋葬所の入口の前を横切る影が見えた。

ゆっくりとした足取りで悠々と歩いているが、その体は力に満ちている。濃い斑点のある赤みがかった毛皮が、赤い岩によくなじんでいる。

ジャックは息を殺した。恐怖と信じられないという思いとが交錯する。

話には聞いていたし、ドファール山脈に生息しているから気をつけるようにと警告されてもいた。学名パンテラ・パルドゥス・ニマル。アラビアヒョウだ。絶滅危惧種に指定されているが、今のジャックにとってはさっさと絶滅してくれていた方がありがたい。

大型のネコ科の猛獣は前を通り過ぎた。

だが、一頭だけではなかった。

二頭目のヒョウが姿を現した。一頭目よりも動きが速く、若く、興奮している。続いて三頭目。オスだ。一歩踏み出すごとに巨大な足先が広がり、黄色い爪が見える。

ヒョウの家族だろう。

ジャックは息を殺したまま、ひたすら祈り続けた。穴の外の危険から隠れてうずくまる原始人のように。

また別の何かが視界に入ってきた。

ヒョウではない。

むき出しの裸足の脚が、猛獣たちと同じ優雅さで動いている。

女だ。

隠れている場所から、太腿より上は見えない。

女はヒョウたちと同じように彼を完全に無視して、窪みの入口の前を通過し、山の上へと登っていく。

ジャックは墓からよみがえったラザロのように、埋葬所の中で体を動かした。自分を抑えることができなかったからだ。四つん這いになって頭を外に突き出す。女は岩肌を、自分だけが知っている道をたどって登っている。温かいコーヒーのような色の肌、ウエストまであるつややかな黒髪。裸なのに、それを気にするような素振りは見せない。

女はジャックの視線に気づいたようだが、振り向きもしない。ジャックは再び頭で感じた。

誰かに見られているという抑えがたい感覚。その感覚が体中を駆け巡る。恐怖が募るものの、目をそらすことができない。

女はヒョウの家族に混じって、頂上の霊廟へと登り続けている。灼熱《しゃくねつ》の太陽の光にさらされた砂からの蜃気楼で、女の体が揺れているかのように見える。

何かを引っかくような音がして、ジャックは手と膝に目をやった。

二匹のサソリが指の上をちょろちょろ動いていた。毒は持っていないが、刺されるとひどく痛い。ジャックが見つめる目の前で、岩の割れ目や隙間からさらに多くのサソリが這い出てきた。壁を伝い、天井から落下する。何百匹ものサソリが姿を現した。ここはサソリの巣だ。ジャックは大あわてで埋葬所から逃げ出した。背中を、両足首を、首を、両手を刺され、焼けつくような痛みが走る。

ジャックは出口から飛び出すと、かたい地面の上に転がった。さらに何カ所も刺され、タバコの火を押しつけられたような痛みを感じる。あまりの苦痛に、ジャックは悲鳴をあげた。

ジャックは立ち上がると手足を振り回し、ジャケットを脱ぎ捨て、手で髪の毛をかきむしった。両足を踏みつけ、よろめきながら斜面を下る。サソリはまだ埋葬所の出口あたりをうろついている。

ジャックは上に視線を向けた。ヒョウの注意を引いてしまったのではないかと思ったからだ。だが、岩肌には誰もいない。

女もヒョウも、消えていた。

そんな馬鹿な。しかし、サソリの刺し傷の痛みで好奇心をかき立てられるどころではない。ジャックは体を反転させ、停めたランドローバーまで逃げ帰った。それでも目だけは山の上の方を、頂上のあたりを探った。

ヨブの霊廟がある場所。

ランドローバーの扉を開け、ジャックは運転席に乗り込んだ。あれは近づくなという警告だったのだ。間違いない。絶対にそうだ。

山の上で何か忌まわしいことが起ころうとしているのだ。

午後四時四十五分
サラーラ

「サフィアはまだ生きている」ペインターは隠れ家の扉から中に入るとすぐに伝えた。「家」と言えば聞こえがいいが、二部屋だけの住居で、アル＝ハッファ市場《スーク》に隣接する輸入品店の二階にある。表がそういう店だから、見知らぬ人間が出入りしたところで気にする者もいない。商売柄、ごく普通のことだ。隣の市場からは様々な言語の会話や声や売り買いの相談が聞こえてくる。部屋はカレーと古いマットレスのにおいがした。

ペインターはノックにこたえて扉を開けたコーラルの横を通り抜けた。二人の砂漠のファントムがさりげなく表に立ち、隠れ家に近づいてくる人間を警戒しているのは確認済みだ。

手前の部屋に集まったほかのメンバーは、移動の疲れでぐったりしている。隣のバスルームから水の流れる音がする。ペインターはキャラの姿が見えないことに気づいた。ダニー、オマハ、クレイの三人は髪が濡れている。交代でシャワーを浴び、ほこりと汚れを洗い流したのだろう。アル＝ハフィ大尉もどこかで衣を見つけたようだが、肩幅がきつそうだ。

ペインターが室内に入るとオマハが立ち上がった。「どこにいるんだ？」

「霊廟に着いたら、ちょうどサフィアとほかの人間が出発するところだった。SUVの隊列を作っている。重武装だ」ペインターは小さなキッチンへと向かった。シンクの上に身を乗り出して蛇口をひねり、頭から水をかぶる。

オマハが背後に立った。「だったら何で後を追わないんだよ？」

ペインターは体を起こし、濡れた髪を後ろにかき上げた。水が首から背中を伝って落ちる。「追っているよ」ペインターはオマハをじっと見据えてから、彼をよけてコーラルの方に歩み寄った。「装備はどうだった？」

コーラルは奥の部屋へと通じる扉の方を見た。「隊長が戻るのを待つ方がいいと思ったので。電子キーパッドは想像していたよりも厄介でした」

「見せてくれ」

コーラルはペインターを扉の前へと案内した。ここは世界各地に存在するＣＩＡの隠れ家の一つで、常に物資が補給されている。シグマには任務の開始に合わせてその場所が通知される。隠れ家が必要になった時の備えのために。

今がその時だ。

垂れ下がったカーテンの陰に電子キーパッドがある。コーラルはカーテンが邪魔にならないようにピンで留めた。床の上には間に合わせの小さな道具類が並べられている。爪切り、かみそりの刃、ピンセット、爪やすり。

「バスルームにありました」コーラルが言った。

ペインターはキーパッドの前に膝をついた。すでにコーラルがケースを開いてあるため、内部が露出している。ペインターは回路を調べた。

コーラルが隣で体をかがめ、切断された赤と青の電線を指差した。「無音警報装置は解除できました。誰にも知られることなく倉庫の鍵を開けられるはずです。ただ、念のために確認していただいた方がいいかと。隊長の専門分野ですし」

ペインターはうなずいた。このような倉庫には無音の警報装置が取り付けられていて、隠れ家が使用されるとＣＩＡに連絡が入る仕掛けになっている。ペインターはそのような情報を送信したくなかった。今はだめだ。情報が伝わるのはまずい。自分たちは死んだことになっている……できる限り長い間、そう信じ込ませておかなければならない。

ペインターの目は配線をたどった。電流の流れ、ダミーの線、生きている線。すべて問題ないようだ。コーラルはキーパッド本体の電源と機能を妨げることなく、電話線へと通じる配線だけを切断することに成功していた。物理学が専門だが、電気技師としてもかなりの知識の持ち主であるようだ。「よさそうだな」

「では、中に入れますね」

任務開始前に説明を受けた際、ペインターは隠れ家の暗証番号を暗記していた。キーパッドに手を伸ばし、十桁の番号の最初の数字を押す。入力のチャンスは一度しかない。間違った数字を入れればキーパッドは自動的に停止し、ロックがかかってしまう。安全対策だ。

ペインターは慎重に入力を続けた。

「制限時間は九十秒ですよ」コーラルが念を押した。

もう一つの安全対策だ。十桁の数字は一定の時間内に押さなければいけない。ペインターは番号を一つずつ押しながら、確実に作業を進めた。七番目の数字、九に達した時、ペインターは押すのをためらった。見逃してしまいそうな程度だが、数字のキーの光が隣と比べてかすかに暗いように見える。ペインターの指が止まった。神経質になりすぎだろうか？　影に怯えているだけなのだろうか？

「どうしたんですか？」コーラルが訊ねた。

その頃にはオマハとその弟も作業を見守っていた。

ペインターは座り直して考えた。指を握っては、また開く。九の数字が記されたキーを見つめる。まさかそんなことは……

「ペインター」コーラルがそっとささやく。

これ以上待っているとシステムがロックしてしまう。時間がない――だが、何かがおかしい。怪しい。

背後にじっと立っているオマハが、刻々と迫る時間を意識させる。ペインターがサファイアを救うためには、この扉の奥にあるものが必要だ。

キーパッドを無視して、ペインターはピンセットと爪やすりを手に取った。外科手術でもするかのように、慎重に九のキーを取り外す。手の中にこぼれ落ちてきた。こんなに簡単に外れるとは……九のキーがあった場所に顔を近づける。

〈やられた……〉

キーの内部には小さな正方形のチップが取り付けてあり、その中央に感圧突起がある。チップは細い金属フィラメントできつく巻いてある。アンテナだ。このチップはマイクロトランスミッターだ。ペインターがキーを押していたら、作動していたところだった。雑な取り付け方からして、工場で組み込まれたものではない。

〈カサンドラはここに来たんだ〉

汗が左目に入る。額にそれほどの汗をかいていたことすら気づいていなかった。

コーラルが肩越しにチップをのぞき込んだ。「やばいですね」

それは控えめな表現というものだ。「みんなを外に出せ」

「どうしたんだよ?」オマハが訊ねた。

「トラップだ」ペインターは怒りに任せて叫んだ。「外に出ろ! 今すぐに!」

「キャラを連れてきて!」コーラルがオマハに命じてバスルームへと走らせてから、全員を隠れ家の入口へと急がせた。

ほかの仲間が逃げる中、ペインターはキーパッドの前に座った。いつもの罵り言葉がお気に入りの懐かしい歌のように、際限なく頭の中で鳴り響く。最近、この歌ばかりを聞いているような気がする。いつもカサンドラに先を越されているせいだ。

「三十秒」そう告げながらコーラルは入口の扉を閉めた。キーパッドがロックしてしまうまで残り三十秒。

一人になると、ペインターはチップを調べた。

〈一対一の勝負だな、カサンドラ〉

ペインターは爪やすりを置き、爪切りを手に取った。自分の道具入れがあればと思いながら、トランスミッターを除去する作業に取りかかる。深く息を吸い込み、平静を保つ。金属ケースに触れて静電気を逃がしてから、作業を開始した。慎重に電源線を接地から外し、同じように丁寧な手つきで電源線を切断することなくプラスチックの被膜を取り除く。接地線が露出したら、ピンセットでつまんで熱線に接触させる。乾いた音と何かが燃え上がる音がする。プラスチックの焦げたにおいが漂ってきた。

トランスミッターは破壊された。

〈あと八秒……〉

ペインターは壊れたトランスミッターを取り外した。手のひらに握り締めると、とがった縁が食い込む。

〈くそったれ、カサンドラ〉

ペインターは最後の三つの数字を入力した。すぐ脇で扉のロックが機械音とともに解除される。

ペインターはようやく安堵のため息をついた。

立ち上がると、ペインターは取っ手に触れる前に扉の枠を点検した。手が加えられた形跡はない。カサンドラはトランスミッターがきちんと仕事をしてくれると信じていたのだろう。

ペインターは取っ手をひねりながら引っ張った。扉は鋼鉄で強化されているために重い。最後に手短に祈ってから、扉を一気に引き開ける。

ペインターは戸口に立ったまま室内を見つめた。裸電球が部屋を照らしている。

〈何てこった……〉

隣の部屋は床から天井まで、スチール製の棚とラックで覆われている。だが、空っぽだ。すべて奪われている。

またしてもカサンドラは万全の策を講じた。何一つ手がかりを残さず。残されているのは名刺代わりのものだけ。電子起爆装置に取り付けられた、五百グラムのＣ４プラスチック爆弾。もしペインターが九のキーを押していたら、この建物全体が吹き飛んでいたことだろう。ペインターは部屋に入ると、起爆装置を取り外した。

いらだちがふくれ上がり、肋骨をきつく圧迫するようだ。大声で叫びたかった。だが、ペインターは隠れ家の入口へと戻り、もう安全だと宣言した。

コーラルが目を輝かせながら階段を上ってきた。

「彼女がすべて持ち去った」ペインターは室内に入ってきたコーラルに告げた。

コーラルのすぐ後から入ってきたオマハが顔をしかめた。「誰が……?」

「カサンドラ・サンチェス」ペインターは吐き捨てた。「サフィアをさらった女だ」

「なんでその女が隠れ家のことを知っているんだ?」

ペインターは首を横に振った。その通りだ。なぜ知っているんだ? ペインターは全員に空っぽの倉庫を見せてから中に入り、爆弾へと近づいた。

「何をしているんだ?」オマハが訊ねた。

「爆弾の回収だ。後で必要になるかもしれない」

ペインターが作業をしている間に、オマハが倉庫へと入ってきた。キャラもその後に続く。シャワーの途中で引っ張り出されたため、濡れた髪はぐしゃぐしゃだ。体にタオルを巻いている。

「サフィアはどうするつもりだ？」オマハは訊ねた。「後を追っていると言ったじゃないか」

ペインターはＣ４の取り外しを終え、二人に倉庫の外へと出るよう合図した。「ああ、言ったよ。ただし、問題がある。ここには衛星と接続したコンピューターがあるはずだった。国防総省のサーバーにアクセスできたんだ」

「話が見えないわ」キャラが気弱な声を出した。蛍光灯に照らされ、肌の色が薄い黄色に光っている。疲れ切っている様子だ。ドラッグのせいで疲れているのではなく、ドラッグが切れたことが原因のように見受けられる。

ペインターは二人とともに手前の部屋へと戻った。一歩足を踏み出しながら自分の計画を手直しし、次の一歩でカサンドラに対して心の中で悪態をつく。彼女は隠れ家の存在を知っており、倉庫の暗証番号も入手し、さらに爆弾まで仕掛けていった。なぜこちらの一挙手一投足がわかるのか？　ペインターは一人一人の顔を順番に見つめた。

「クレイはどこだ？」ペインターは訊ねた。

「階段でタバコを吸っているよ」ダニーが答えた。「キッチンで一箱見つけたんだ」

その言葉に合わせたかのように、クレイが扉を開けて中に入ってきた。全員がいっせいに彼の方を見る。突然の注目に、クレイは戸惑ったような表情を浮かべた。「何ですか?」

キャラがペインターに顔を向けた。「次はどうするの?」

ペインターはアル＝ハフィ大尉の方を向いた。「スルタンの馬は下にいるシャリフに預けてある。あの馬を売って、手早く武器と車を手配できるか?」

大尉はしっかりとうなずいた。「ここにはちょっとしたコネがある」

「三十分でお願いしたい」

「サフィアはどうするんだよ?」オマハが声を荒らげた。「どんどん時間を無駄にしているじゃないか」

「サフィアは今のところ安全だ。カサンドラはまだ彼女を必要としている。そうでなければ、今頃はとっくに聖母マリアのお父さんと一緒の墓に入れられている。あいつらが彼女を連れていったのには理由がある。サフィアを助けたいと思うなら、夜の闇に紛れるのがいちばんだ。まだ時間はある」

「サフィアの連れていかれる場所が、どうやってわかるの?」キャラが訊ねた。

ペインターは周囲の顔を見渡した。どこまで話していいものかためらう。

「どうなんだよ?」オマハは食い下がった。「いったいどうやって彼女を見つけ出すつもりだ?」

ペインターは扉へと向かった。「まずはこの街で最高のコーヒーを見つけることだ」

午後五時十分

オマハはアル＝ハッファ市場《スーク》の中を歩いていた。後ろからついてくるのはペインターだけだ。ほかの仲間は隠れ家に残り、休息を取りながらアル＝ハフィ大尉と車が戻るのを待っている。車を使って向かう先がわかっているならいいのだが。

一足ごとに鈍い怒りがうずく。ペインターはサフィアを目撃したのだ。ほんの数メートルの距離にまで近づいた……それなのに、誘拐犯たちがサフィアを連れ去るのを許した。彼女を追跡できる自信があったようだが、それは隠れ家で揺らいだ。オマハはペインターの目にそれを見て取った。この男は不安を感じている。

機会があった時にサフィアの救出を試みるべきだったのだ。勝算なんかにこだわりやがって。こいつの鼻持ちならない慎重さのせいで、サフィアは殺されてしまうかもしれない。そうなれば、今までの努力は水の泡だ。

オマハは市場の店や売り場の間を縫ってつかつかと歩いた。まわりの話し声も、行商人の呼びかけも、激した口調の取引も、籠に入れられたガチョウの鳴き声も、ロバのいななきも、一切耳に入らない。すべてが一つの雑音と化している。

地平線に沈もうとする太陽が長い影を落とす中、市場は店じまいが近づいていた。夕方の風が強まってきている。日よけががたがたと揺れ、ごみの山の間でほこりがつむじ風となり、空気は潮と香辛料と近づく雨のにおいがする。

モンスーンの季節は終わっていたが、天気予報は十二月の嵐の接近を告げていた。前線が内陸へと移動している。夜の帳《とばり》が下りる頃には雨になるだろう。昨夜のスコールはこれから次々に訪れる嵐の前触れにすぎない。この気圧配置が山岳地帯を越え、南下する砂嵐とぶつかり、まれに見る規模の嵐が発生するとの予想もある。

しかし、そんな悪天候よりも心配しなければならないことがある。

オマハは急ぎ足で市場を横切った。二人が目指しているのは市場を抜けた先にある近代的な商業施設が次々に出店している一角で、ピザハットやコンビニなどがある。オマハは最後の露店の列を通り抜けた。香水のコピー商品、香炉、バナナ、タバコ、手作りのアクセサリー、ベルベットにビーズやスパンコールを縫いつけたドファールの伝統的な衣装などを売る店の前を通り過ぎる。

ようやく二人は市場と近代的なショッピングモールとを隔てる通りに達した。オマハが通りの向こう側を指差した。「あれだ。ところで、何であの場所がサフィアを探すのに使えるんだ？」

ペインターは通りを横断し始めた。「これから見せてやるよ」

オマハもペインターの後から通りを渡った。看板を見上げる。「サラーラ・インターネットカフェ」この店は上等なコーヒーを売りにしていて、世界各国のお茶やカプチーノ、エスプレッソも提供する。同じような店はどんな田舎にも見つけることができる。電話回線さえあれば、世界のどんな僻地《へきち》であろうとも、ネットサーフィンをすることができる。

ペインターが店内に入った。カウンターにいる男性店員へと近づく。アクスという名前のブロンドのイギリス人で、「ウィノナに自由を」と書かれたTシャツを着ている。ペインターは彼にクレジットカードの番号と有効期限を伝えた。

「そんなものを暗記しているのか?」オマハが訊ねた。

「海でいつ海賊に襲われるかわからないからな」

アクスが番号を入力しているそばで、オマハは再び訊ねた。「目立たないようにするんだと思っていたんだがな。クレジットカードを使ったりしたら、まだ生きているのがばれるんじゃないのか?」

「もうそれは大きな問題ではないと思う」

カードの読み取り機が音を立てた。アクスは親指を立ててOKを示した。「時間はどのくらい?」

「高速接続か?」

「DSLだよ。ネットするなら当然だろ」

だ。

「三十分でいいだろう」

「了解。あそこの隅のマシンが空いてるよ」

ペインターはオマハを連れてコンピューターへと向かった。ゲートウェイのペンティアム4だ。

ペインターは椅子に座り、インターネットに接続すると、長いIPアドレスを打ち込んだ。

「国防総省のサーバーにアクセスしている」ペインターは説明した。

「どうやってそれでサフィアを探せるんだよ」

ペインターが目にも止まらぬ速さでキーボードを叩くにつれて、スクリーンに画像が現れ、更新され、消え、切り替わる。「国防総省を通じて、国家安全保障法の管轄下にあるほとんどのシステムにアクセスできる。さあ、始めるぞ」

スクリーンに三菱のロゴのあるページが現れた。

オマハが肩越しにのぞく。「新車でも買う気か?」

ペインターはマウスを使ってサイト内を移動した。すべてにアクセスする権利を持っているらしく、パスワードを要求する画面も難なく通過する。「カサンドラの一行は三菱のSUVに分乗して移動している。バックアップの車を隠すことまで十分に頭が回っていなかったようだ。路地に停めていた一台に近づいてVIN番号を読むのは簡単だったよ」

「VIN? 車両識別番号のことか?」

ペインターはうなずいた。「GPSナビゲーションシステムを備えた車やトラックは、常に衛星と通信を行なっている。位置を記録し、ドライバーが常に居場所をわかるようにするためだ」

オマハにも話が見えてきた。「つまり、VIN番号がわかれば、別の場所からその車のデータにアクセスできるわけだな。居場所を突き止めることができる」

「それを期待しているんだ」

スクリーンが現れて、VIN番号を要求した。ペインターは指先を見ずに打ち込んだ。エンターキーを押すと、椅子の背もたれに体を預ける。手がかすかに震えている。それを隠そうとするためか、ペインターは拳を握った。

オマハは彼の考えを読むことができた。番号は正確に記憶していただろうか？　もし誘拐犯たちがGPSを切っていたら？　いくつもの不確定要素が関わっている。

しかし、しばらくするとオマーンのデジタル地図が現れた。はるか上空の軌道上にある二つの静止衛星から送られてきた地図だ。小さなボックスが緯度と経度を順次表示していく。移動中のSUVの位置だ。

ペインターが安堵のため息をついた。オマハも同じ気持ちだった。

「もしやつらがサフィアとともに移動している場所がわかれば……」

ペインターがズーム機能をクリックし、地図を拡大させた。サラーラの街が現れた。ところが、車の位置を示す小さな青い矢印は、市の境を越え、さらに内陸を目指している。

ペインターは地図をのぞき込んだ。「まずいな……」

「くそっ。街から離れている！」

「墓で何か見つけたに違いない」

オマハが身を翻した。「それなら俺たちも行かないと。今すぐにだ！」

「どこに向かっているのかわからない」ペインターはコンピューターの前に座ったままだ。

「追跡しなければならない。やつらが止まるまでだ」

「幹線道路は一つしかない。連中が今走っているやつだ。追いつける」

「ちゃんとした道を走り続けるかどうかわからないんだぞ。相手は四駆だ」

オマハは右と左から体を引き裂かれているような気がした。ペインターの実際的なアドバイスを聞くか、最初に目に入った車を盗んでサフィアの後を追うか。だが、彼女のもとにたどり着いたとして、いったい何ができるだろうか？　どうやったら彼女を助けられるのか？

ペインターがオマハの腕をつかんだ。オマハはもう片方の手で拳を作った。

ペインターはオマハのことを食い入るように見つめている。「よく考えるんだ、ドクター・ダン。なぜやつらは街を出たんだ？　どこに向かっているんだ？」

「何で俺がそんなことを——」

ペインターはオマハの腕を強く握った。「サフィアと同じように、君もこの地域が専門なんだろう？　やつらがどの道をたどっているのか、その道沿いに何があるのか、わかるはずだ。

そのあたりに、このサラーラにある墓が示しそうなものはないのか？」

オマハはかぶりを振った。そんな質問に答えている場合ではない。こんなのは時間の無駄だ。

「おい、オマハ！　ただ反応していないで、一生に一度くらいは頭を使え！」

オマハはペインターの腕を振りほどいた。「うるせえ！」しかし、立ち去りはしなかった。

ただその場で震えていた。

「向こうに何がある？　やつらはどこに向かっているんだ？」

オマハはコンピューターの画面に目を向けた。ペインターの顔を見ることはできない。もう片方の目にもあざを作ってしまいそうだったからだ。オマハは今の質問を考えてみた。謎を解かなくてはいけない。青い矢印は街から離れ、山の方へと向かっている。

〈サフィアは何を発見したんだ？　どこに向かっているんだ？〉

考古学的な可能性について、頭の中で考えを巡らせる。古代から続くこの土地に点在する、神殿、墓地、遺跡、洞窟、陥没穴。あまりに多すぎる。ちょっと石をひっくり返せば、埋もれていた歴史が顔をのぞかせるような場所だ。

その時、オマハはあることに思い当たった。あの幹線道路の近くに重要な霊廟がある、道からほんの数キロ離れた地点だ。

オマハはコンピューターの前へと戻った。道路を進む青い矢印を見守る。「この幹線道路を二十五キロほど進んだあたりに脇道がある。やつらがそこを曲がったとしたら、どこに向かうかがわかる」

「つまり、もう少し待たないといけないわけだな」ペインターは応じた。

オマハはコンピューターの前にしゃがんだ。「選択の余地はないようだな」

午後五時三十二分

ペインターは待ち時間を利用して、もう一台のコンピューターを借りた。ＳＵＶの動きの監視はオマハに任せてある。カサンドラがサフィアを連れていく目的地の手がかりがつかめれば、早めに手を打つことができるかもしれない。その可能性に賭けるしかない。

一人でコンピューターの前に座ると、ペインターは再び国防総省のサーバーにアクセスした。もはや死んだふりをする理由はない。電子的な足跡をたっぷり残してしまっている。それに隠れ家での入念な罠のことを考えれば、カサンドラは自分が生きていることを知っている……少なくとも、生きていることを前提に行動している。

そのことも、国防総省のサイトに再びログインしなければならない理由の一つだった。

ペインターは個人のパスワードを入れ、メールにアクセスした。上司のドクター・ショーン・マクナイト、シグマの司令官のアドレスを入力する。信頼できる人間がいるとしたら、ショーンしかいない。司令官に一連の出来事を伝え、この作戦の現状を報告する必要がある。

メールのウインドウが開くと、ペインターはこれまでのいきさつを手早く簡潔に打ち込んだ。カサンドラの役割と組織内に潜り込んだ二重スパイの可能性を強調する。隠れ家のことも、装備の入った倉庫の電子暗証番号のことも、何らかの内部情報がなければカサンドラに伝わるはずがない。

ペインターは次のようにメールを締めくくった。

そちらでもこの件を捜査するよう、再度強くお願いします。この任務の成功は、機密情報のこれ以上の漏洩を断ち切ることが鍵となります。誰も信用しないでください。今夜、ドクター・アル＝マーズの救出を試みます。カサンドラの一味がドクターを連れていく場所はつかみました。彼らが向かっているのは

ペインターは手を止め、深く息を吸い、文章を打ち込んだ。

イエメン国境です。国境を越えられるのを阻止すべく、ただちに出発します。

ペインターは文面をじっと見た。その可能性を思っただけで、体の感覚が麻痺するようだ。隣のコンピューターからオマハが手を振った。「脇道に入ったぞ！」

ペインターは送信ボタンを押した。メールは消えたが、罪悪感は消えない。

「早くしろ」オマハはもう出口に向かっている。「距離を縮められる」

ペインターも後に続いた。戸口でもう一度、自分が使っていたコンピューターの方を振り返る。〈間違いであってくれ〉ペインターは祈った。

（下巻へ続く）

シグマフォース シリーズ0
ウバールの悪魔 上
Sandstorm

2013年11月8日 初版第一刷発行

著……………………………………………… ジェームズ・ロリンズ
訳………………………………………………………………桑田 健

編集協力………………………………… 株式会社オフィス宮崎
ブックデザイン…………………………橋元浩明（sowhat.Inc.）

発行人………………………………………………………後藤明信
発行所…………………………………………………株式会社竹書房
〒102-0072 東京都千代田区飯田橋2－7－3
電話 03-3264-1576（代表）
03-3234-6208（編集）
http://www.takeshobo.co.jp
振替：00170-2-179210
印刷・製本……………………………………凸版印刷株式会社

ISBN978-4-8124-9734-0 C0197
Printed in JAPAN